ADAR DRYCIN

ADAR DRYCIN

Rhiannon Davies Jones

Gwasg
Gwynedd

Argraffiad Cyntaf — Tachwedd 1993

© Rhiannon Davies Jones 1993

ISBN 0 86074 098 6

Dymuna'r cyhoeddwyr gydnabod cymorth
Adran Ddylunio'r Cyngor Llyfrau Cymraeg.

Cyhoeddwyd ac argraffwyd gan
Wasg Gwynedd, Caernarfon.

Dilyniant yw *Adar Drycin* i'r ddwy nofel *Cribau Eryri* a *Barrug y Bore*. Mae'n ymwneud â degawd olaf Llywelyn ap Gruffudd, yn dilyn y tirwedd a bywyd y bobl gyffredin, llawenydd a thrasiedi y Dywysoges Elinor de Montfort ac arwriaeth Llywelyn ap Gruffudd yn wyneb grym arswydus y brenin Edward I.

Dwedodd gŵr a fu'n cloddio yn y gaer yn Nolforwyn wrthyf iddo deimlo 'Rhywbeth' yn ei wylio a thrachefn ger Rhyd Chwima ar Hafren lle byddid yn taro bargeinion rhwng y ddwy genedl. Adroddodd hefyd chwedl y Dywysoges honno o Bowys a ffodd rhag ei llysfam a boddi yn yr Hafren ger Dolforwyn. Cystal cyfaddef i minnau gael profiad cyffelyb o 'Bresenoldeb' yn fy stafell wrth imi ymhel â chymeriad arbennig o'r nofel hon. Pe bawn yn cadw dyddiadur gallwn fod wedi croniclo'r dydd a'r amser y digwyddodd hynny. Does dim esboniad arno ond *mae'n bod*. Ar y bore Sul yn dilyn Eisteddfod Cwm Rhymni dyma droi i Abaty Cwm-hir a rhyfeddod oedd canfod i rywun adael tusw o flodau ar fedd Llywelyn ap Gruffudd. Teithio oddi yno drwy Drefyclo hyd at Gastell Wigmor, trigfan yr arglwydd pwerus hwnnw, Rhosier Mortimer a chael bod y tes yn y fan honno yn *siarad* yn haul chwilboeth y pnawn.

Dibynnais yn helaeth yn y gwaith hwn ar wybodaeth yr Athro J. Beverley Smith yn y llyfr *Llywelyn ap Gruffudd* yn ogystal ag ar *The Welsh Wars of Edward I* gan John E. Morris. Hefyd *1282 — Casgliad o Ddogfennau*, gol. Rhidian Griffiths.

Derbyniais ambell ffynhonnell werthfawr hefyd trwy law Miss Lilian Hughes, B.A., a Mrs Mona Williams, B.Ed.

Y cwbl hyn gyda pheth traddodiad gwerin a fu'n symbyliad i'r gwaith.

Diolch i Wasg Gwynedd am eu diddordeb ac am lendid eu gwaith dros y blynyddoedd.

YR AWDURES

LLINACH Y TYWYSOGION

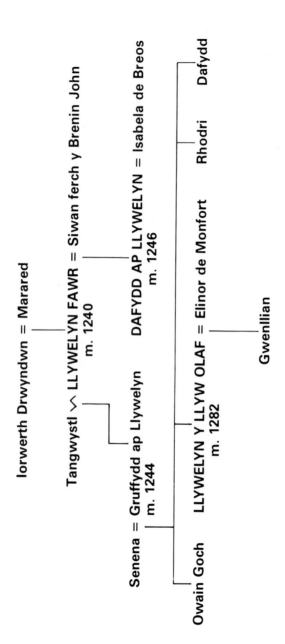

Iorwerth Drwyndwn = Marared

Tangwystl ⟨ LLYWELYN FAWR = Siwan ferch y Brenin John
m. 1240

Senena = Gruffydd ap Llywelyn
m. 1244

DAFYDD AP LLYWELYN = Isabela de Breos
m. 1246

Owain Goch

LLYWELYN Y LLYW OLAF = Elinor de Monfort
m. 1282

Gwenllian

Rhodri

Dafydd

Llinach y Tywysogion

Cymru yng nghyfnod y ddau Lywelyn

ADAR DRYCIN
Rhagfyr drwy'r goedwig frigfain
A'i drwst megis ffaglau drain.

....

Tad yr had o'i bru ydoedd,
A thad ei marwolaeth oedd.

Safai ef yn nrws ei fyd,
Safai'n yr oesau hefyd!

Allan o'r Awdl 'Cilmeri' gan Gerallt Lloyd Owen.

GRUFFYDD AP DAFYDD GOCH
'Mewn palasdy, ar derfyn y drydedd ganrif ar ddeg, o'r
enw Fedw Deg . . . preswyliai Gruffydd ab Dafydd Goch.
Gelwid ef yn arglwydd Penmachno, a sicrheid ei fod yn
fab llwyn a pherth i Ddafydd Goch, arglwydd Dinbych,
brawd Llywelyn ap Gruffydd. . . . Nid un dinod oedd
chwaith, oblegyd cawn ei fod yn gadfridog yn y fyddin.
Yr oedd ganddo enwogrwydd arall, oherwydd nid oedd
y Gruffydd hwn yn neb llai na Gruffydd ab yr Ynad Goch
y bardd enwog.'

'Teuluoedd Nant Conwy' allan o *Cymru,* Cyfrol XVIII, 1900.

Rhan I
1271—1274

I

GWLAD FFRAINC

*1270 — yn niwedd Gorffennaf Louis IX, brenin Ffrainc yn hwylio o
borthladd Aigues Mortes ac yn marw o'r Pestilens ymhen mis
wedyn yn ninas Tunis.*

*— yn niwedd Awst y Tywysog Edward yn hwylio o borthladd
Dover i ymuno yn y Crwsâd efo'i ewythr Louis IX o Ffrainc.*

*— ym mis Hydref Llywelyn ap Gruffudd yn dymchwel i'r llawr
gastell yr Iarll Gilbert de Clare yn Senghennydd-is-Caeach.*

*1271 — ym mis Mawrth Guy de Montfort yn lladd ei gefnder Henry
o Almain yn eglwys Silvestro yn Viterbo yng ngwlad yr Eidal.*

Elystan yr Ymennydd Mawr, yn hen o ddyddiau, oedd yno yn Abaty
Citeaux yn nwyrain gwlad Ffrainc yn cofnodi mewn ysgrifen fras
ar ddarn o femrwn melyn — yn cofnodi peth o helyntion yr amserau
a syrthiodd ar ei glustiau wrth iddo ddychwelyd o'r bererindod hir
i ddinas Rhufain. Bu gynt yn ŵr tal, ysgwyddog ond bellach dros
ei ddeng mlwydd a thrigain ac ar goll yn Scriptorium enfawr yr
Abaty. Pa ryfedd i wŷr yr eglwys ddannod iddo ef, yr hen bererin,
y geiriau cyfarwydd . . . 'Ac os o gryfder y cyrhaeddi . . .' Ond roedd
meddwl yr Ymennydd Mawr yn berffaith effro ac awyrgylch y lle
yn gafael ynddo. Yma y bu Urdd y Sistersiaid a disgyblion Bernard
o Clairvaux a sefydlodd yn Nyffryn y Wermod yn agos i ddau can
mlynedd cyn hyn.

Collodd yr hen ŵr olwg ar ei gydymaith ifanc o bererin, y brawd
Flavius, unwaith y daeth hwnnw o fewn canllath i'r Abaty. Gŵr
Duw mewn gwirionedd oedd Flavius a'r nos hon roedd o yng
Ngwasanaeth Mair yr Abaty yn dyrchafu clod i Dduw am iddo gael
troedio gwledydd Cred a chael tario yn ninas y Pab. Roedd yr
Ymennydd Mawr yn wahanol a'r hen bagan o Gymro ynddo yn
cuddio o dan gwfl urddwisg y Sistersiaid a disgyblion Bernard o

11

Clairvaux. Ei unig reswm o dros grwydro gwledydd Cred oedd cael
cwrdd ag ysgolheigion Dadeni Dysg y cyfnod newydd. Y rhain oedd
y gwŷr a aeth ati i wasgar memrynau eu llyfrgelloedd i wledydd y
Gorllewin. Fodd bynnag fe fynnodd yntau ddiolch i Dduw am
hirhoedledd ei ddyddiau ar y ddaear!

Erbyn hyn roedd arno hiraeth affwysol am wlad ei dadau. Hiraeth
am fynyddoedd Eryri. Ni roed iddo'r hawl i groniclo mewn memrwn
yn Scriptorium yr Abaty dieithr hwn ond roedd yr hen, hen ias i
gydio mewn cwilsyn a memrwn yn trechu popeth arall ynddo. . .
. Mor bell yn ôl yr oedd popeth yn ymddangos bellach er dechrau'r
bererindod drwy wledydd Cred a'r cof erbyn y diwedd yn cyffroi
pob math ar feddyliau.

O Eglwys yr Abaty y foment honno, dôi sŵn lleddf llafarganu'r
mynaich. Hel esgus a wnaeth o rhag mynychu'r gwasanaeth hwn
yng nghwmni'r Brodyr ar sail blinder a henaint. ond yno yn hedd
y Scriptorium dechreuodd yntau lafarganu'n dawel yn y Gymraeg
i orfoledd Gwasanaeth Mair y mynaich. Rhyw fras gyfieithu o'r
Lladin yr oedd:

> Bendigwch Dduw yn y gawod wlith
> Bendigwch Dduw ysbryd pob bendith . . .
> Bendigwch oerfel y gaeaf a haf yn ei wres
> Bendigwch Dduw . . .
> Oerfel a glasrew . . .
> Pob mynydd, bronnydd a bryniau bendigwch.

Llithrodd ei ddagrau ar y memrwn efo'r cof am Gymru ac am
hen gymdeithion. Cydymaith y dyddiau pell yn ogofâu Eryri oedd
Gwgon Gam y Cripil a'i gorffyn brau wedi hen ddaearu bellach
yn Hen Glas y Betws rhwng Dyffryn Lledr a Dyffryn Conwy.
Dyddiau da oedd y rheini pan oedd Llywelyn ap Gruffudd yn llefnyn
a'r Ymennydd Mawr yn ŵr ifanc ac yn eilun y gwrthryfelwyr. A
beth tybed oedd hanes y Crebach ffyddlon, yr Ysgrifydd yng nghell
gudd y llys yn Abergwyngregyn? A oedd Angau wedi rhoi taw arno
ac ar wichian ei frest gaeth? Degawd arall a byddai yntau wedi ei
hen heglu hi! Goleuni llachar gwledydd Cred oedd yn peri bod
cylchoedd duon yn rhy aml yn tywyllu cannwyll ei lygaid erbyn hyn.
Peth slei oedd henaint yn chwarae'n ddirgel efo'r cyhyrau a phob
cynneddf iachusol nes chwalu'r cwbl yn llwch yn y diwedd. Yna
fe'i llethwyd gan bob math ar amheuon. A fu o yn rhy hir yng

ngwledydd Cred? A oedd eraill bellach yn ysgwyddo baich y Tywysog Llywelyn ap Gruffudd? Mor od oedd bywyd. Heb odid erioed ddod wyneb yn wyneb â'r gŵr mawr hwnnw fe fu o, yr Ymennydd Mawr, yn creu breuddwydion a gweledigaethau drosto fel rhyw ddewin o bell. Roedd sôn bod dynion newydd hyd y lle. Hwy oedd y sêr bellach. Daeth Tudur ab Ednyfed a Gronw ap Heilin o gwmwd Rhos i'r llys yn Abergwyngregyn a chystal iddo fo fyddai bod yn farw.

Ond na! Fflachiodd llygaid yr henwr. Nid yn hollol ddibwrpas yr aeth yntau ar daith i grwydro gwledydd Cred unwaith yn rhagor. Rhaid fyddai i Dduw a'r Forwyn ei arbed fel y câi o ddychwelyd efo'r newyddion da i'w Dywysog am y ddyweddi fechan, Elinor de Montfort. Cyfrinach yr Ymennydd Mawr oedd hyn. Gallai yntau fod yn dipyn o was y Diafol o bryd i'w gilydd!

Ar hynny llithrodd y cwilsyn rhwng bysedd cnotiog y cryd yn ei ddwylo a gosod blotyn blêr ar y memrwn. Oedodd beth gan synfyfyrio yn sŵn pell llafarganu'r mynaich. Oedd, yr oedd bywyd yn faich erbyn hyn a henaint yn broses hir aflawen.

Meddyliodd mor bell yn ôl erbyn hyn oedd y dydd hwnnw pan gychwynnodd o a'r Brawd Flavius o aber afon Gonwy tua dinas y Pab. Y bore hwnnw bu Wali, y cychwr yn dilyn eu llong heibio i drwyn y Gogarth Mawr nes dod i olwg Ynys Môn a throi'n ôl yn hiraethus wedyn i Aberconwy. Cas beth gan yr Ymennydd Mawr oedd siwrnai môr ond os am gyrraedd gwledydd Cred yn ddianaf rhaid oedd cadw'r ddeudroed yn ddiddolur nes glanio ar dir gwlad Ffrainc. Y bore hwnnw ger aber afon Gonwy roedd y môr fel gwydr ac fel llyn llonydd ond yng nghyffiniau Ynys Enlli dechreuodd grasu a gwneud i'r ymysgaroedd droi. Y fordaith wedyn yn flinderus heibio i geg afon Dyfi a phorthladdoedd y gorllewin a thir estron Deheubarth. Cyrraedd Môr Hafren o'r diwedd ac unwaith y dôi rhywun i olwg porthladd Bryste fe fyddai pob salwch môr yn diflannu. Roedd Bryste wedi agor llifddorau'r byd i anturwyr o bob math. Yma hefyd y llosgwyd llongau'r brenin Harri Tri gan wŷr Symwnt Mymffwrdd adeg gwrthryfel y Barwniaid yng ngwlad Lloegr.

Efo'r cof am Symwnt Mymffwrdd anesmwythodd yr Ymennydd

Mawr. Beth pe bai ysbiwyr y porthladd yn archwilio'i gorff? Beth pe bai'r memrwn wedi mynd i'w golli? Y memrwn o'r llys yn Abergwyngregyn. Erbyn meddwl, peth ffôl oedd i hen ŵr fynd ar siwrnai ddirgel yn cario neges o'r llys ynghlwm wrth ei gorff!

Ym Mryste fe ymunodd yr Ymennydd Mawr a'r Brawd Flavius â llong marsiandïwr oedd yn hwylio i Ffrainc. Unwaith y dôi tir y wlad honno i'r golwg fe fyddai'r dyhead i grwydro gwledydd Cred yn gafael fel clefyd. Yno fel ym Mryste bu anturwyr a marsiandïwyr, milwyr y Groes, pererinion yr oesau yn gymysg â gweision y Diafol.

Wrth lanio ar ddaear Ffrainc daeth ofn dros yr Ymennydd Mawr drachefn. Pe bai milwyr y brenin wedi rhoi dwylo ar ei gorff yn ystod y fordaith honno, byddent wedi'i daflu i garchar Harri Tri heb byth weld golau dydd. Ond pa wahaniaeth a wnâi hynny i ŵr wedi hen gyrraedd oed yr addewid oedd yn mynnu mentro dros ei Dywysog? Unwaith ar dir Ffrainc cydiodd eto yn y ddogfen oedd ynghlwm wrth ei berson — y ddogfen o law Llywelyn ap Gruffudd. Fe'i cyfeiriwyd at Iarlles Caerlŷr, gweddw Symwnt Mymffwrdd a mam y ddyweddi fechan, Elinor de Montfort. Hyd yn oed wedi cyrraedd tir Ffrainc fe wyddai'r Ymennydd Mawr y byddai angen cryn gyfrwystra arno i hudo'r Brawd duwiol Flavius o'r llwybr, heibio i ddinas Paris a thua'r de i Gwfaint Sant Dominig ym Montargis.

Yno mewn cronglwyd yng nghysgod Tŷ'r Lleianod roedd cartref alltud yr Iarlles a'i merch Elinor. Yn wir fe dyfodd y cartref alltud hwn ym Montargis yn fan cyfarfod i sawl cyfrin gyngor rhwng meibion yr Iarlles dros y blynyddoedd.

Ond nid oedd ym mwriad yr Ymennydd Mawr oedi yn y fangre ger Cwfaint y Lleianod a Sefydliad Urdd Sant Dominig. Wedi'r cwbl i Urdd y Sistersiaid yr oedd o a'r Brawd Flavius yn perthyn. Unwaith y cyflwynid y ddogfen i'r Iarlles byddai ei swyddogaeth o, yr Ymennydd Mawr, drosodd nes y galwai eilwaith ym Montargis ar ei siwrnai yn ôl o ddinas y Pab. Nid un i ymdroi yng nghhwmni merched oedd o ar y gorau! Ychydig a wyddai, fodd bynnag, i'w ymweliad byrhoedlog â chartref yr Iarlles y dwthwn hwnnw beri mawr lawenydd i'r ddyweddi fechan Elinor. Na, ni fu'r siwrnai dros y Tywysog yn ofer wedi'r cwbl.

Ond wrth iddo fyfyrio uwch ben uchelfannau'r bererindod i Rufain y nos honno yn Scriptorium Abaty Citeaux mynnodd ailfyw y daith heibio i sawl abaty a chaer cyn cyrraedd palas y Pab. Teithio weithiau ar droed, weithiau ar gefn merlen neu asyn yn union fel y rhoid iddynt letygarwch y Brodyr.

Yn y gwanwyn roedd y dyffryn lle safai Abaty Citeaux yn llawn o goed gwinwydd a'r fforestydd yn y cefndir yn drwchus ddeiliog. Gwell oedd osgoi'r mannau hynny yng ngwres haul haf gan fod creaduriaid fel y genau-goeg fel pla hyd y lle! Yn y gwanwyn y troediodd o a'r Brawd Flavius y llwybrau nes cyrraedd strydoedd dinas Genoa ac yr oedd y lle hwnnw wrth fodd eu calon. Dinas yn llawn hanes oedd hon. Gydol dwy ganrif bu brenhinoedd a thywysogion a milwyr afrifed yn symud drwy'r lle tua'r Dwyrain i Syria a Phalesteina. Yng Ngenoa yr oedd llongau'r marsiandïwyr yn cario sidan, perlau ac ifori i'w gwerthu a'r gwŷr eglwysig yn awchu am y llawysgrifau a gopïwyd gan addysgwyr yr Eidal.

Ni fedrodd yr Ymennydd Mawr lai na rhyfeddu at uchder pinaclau'r Apeninau — y copaon yn wyn glaerwyn a'r Môr Canoldir yn las dwfn wrth eu traed. Y ddinas ei hun yn swatio wrth odre'r mynydd mawr a'r coed palmwydd hyd y llethrau a'r gwinwydd yn darogan cynhaeaf da. Yr oedd i'r ddinas hefyd ei hadeiladau enwog — Eglwys Fair y Castell ac Eglwys Fair y Gwinwydd. Carasai'r Ymennydd Mawr oedi'n hwy yn ninas Genoa ond rhaid oedd cyrraedd Rhufain erbyn Gŵyl y Pasg.

Ysywaeth erbyn cyrraedd y ddinas honno rai dyddiau cyn yr Ŵyl, fe gollodd ei limpyn yn lân. Pob colofn a phont ac adeilad yn drwch o bererinion chwilfrydig a blinderus. Arogleuon afiechyd a chwŷs y teithio hir hyd y llwybrau a wisgwyd yn goch gan draed y cenedlaethau. Cloffion, deillion a phedleriaid bellach yn begera yng nghanol gwŷr dysg a gwŷr yr Eglwys. Pob iaith dan haul yn gymysg â'r gweddïau Lladin a'r lluoedd yn penlinio a chodi breichiau oddi allan i balas y Pab. Felly hefyd y Brawd Flavius. Ymostyngodd hwnnw mewn osgo o edifeirwch pur gan godi'i wyneb tua'r nefoedd a'i lygaid yn ffynhonnau byw o'r goleuni nefol. Nid felly yr hen bagan o fynach, yr Ymennydd Mawr. Y foment honno yng nghysegredigrwydd dinas y Pab treiglodd ei feddwl yn ôl i ddyddiau pell ei freuddwydion ifanc yn Eryri. Dyddiau'r gwrthryfel pan safai oddi allan i ogof y gwylliaid yng Nghwm Dyli yn tynnu'r gwynt i'w sgyfaint a syllu ar gopa'r Wyddfa yn wyn. . . . Ie, digon yn sicr oedd un bererindod i Rufain meddyliodd! Fe ddychwelai o eto i wlad ei dadau a breuddwydio breuddwydion y Tywysog drosto tra byddai anadl ynddo.

Ar y min nos arbennig hwn yn Abaty Citeaux roedd o, o leiaf, gam yn nes adref. Ffei i'r sychder a'r gwres ac arogleuon pobl! Fodd bynnag cyn gadael tir Ffrainc rhaid oedd arno lusgo'r Brawd Flavius unwaith eto i Dŷ'r Iarlles ym Montargis ac fe wyddai nad oedd hwnnw â'i fryd ar adael hedd Abaty Citeaux heb sôn am ymweld â Sefydliad Urdd Sant Dominig i'r de o Baris.

Byddai gan yr Iarlles ddogfen yn sicr i'w throsglwyddo i'r Tywysog ac fe fyddai yntau yn ei gwthio i droed ei sanau rhag gwŷr y tollau.

Cynllwyn y Diafol! Cas beth ganddo oedd twyllo'r Brawd Flavius, y gŵr union a difrycheulyd hwnnw o Urdd y Sistersiaid.

Canodd cloch Abaty Citeaux o'r diwedd i wasanaeth y Complin, sef gwasanaeth hwyrol olaf y dydd. Na, ni fedrai'r Ymennydd Mawr osgoi hwnnw ychwaith er maint ei gyfrwystra oblegid derbyniodd yn helaeth o letygarwch y mynaich yno. Wrth iddo gerdded i mewn drwy borth yr eglwys y min nos hwn a gwneud arwydd y Groes efo'r dŵr swyn ni fedrodd lai na mygu gwên. Rhaid fyddai iddo lusgo'r Brawd Flavius gerfydd ei wallt i wyddfod Iarlles Caerlŷr a'i merch Elinor Mymffwrdd cyn gado gwlad Ffrainc. Ac eto prin bod arwydd o wallt ar gorun moel y mynach ifanc hwn! Ond unwaith o fewn yr eglwys ac un o nosau Ffrainc yn cau'n gyflym o'i gylch fe deimlodd hyd yn oed yr Ymennydd Mawr falm yn ei enaid. Yng ngwyddfod y Forwyn a'r canhwyllau a'r aroglau sanctaidd ni fedrodd lai na moesymgrymu gerbron ei Dduw. Drannoeth byddai'n cychwyn ei ffordd tuag adref.

II

Diwedd Mai 1271

Roedd cartref Iarlles Caerlŷr a'i merch Elinor de Montfort gerllaw
Cwfaint Sant Dominig. Lle neilltuedig oedd sefydliad y lleianod
a sefydlwyd gynt gan dylwyth y Montfordiaid ac yno y treuliodd
nifer o ferched hŷn y teulu hwnnw eu blynyddoedd olaf. Roedd
parch mawr i dylwyth y Montfordiaid ymhlith y Ffrancod. Oni fu
Amauri, brawd Simon de Montfort yn Gwnstabl holl Ffrainc yn
ei ddydd? Ac onid edrychid ar yr enwog Simon de Montfort fel y
milwr gorau yn holl wledydd Cred?

I'r lle hwn ger Cwfaint y Lleianod yr alltudiwyd yr Iarlles a'i merch
Elinor yn dilyn cwymp y tad, Simon ym mrwydr Evesham. Gwraig
drist oedd yr Iarlles — ei gŵr a'i mab Henry wedi'u lladd yn y frwydr
honno. Darniwyd corff Simon, torrwyd ei ben ac yn ôl un sôn aed
â hwnnw i Gastell Wigmor ar y Gororau i'r archelyn, Rhosier
Mortimer. O'u hamddiffynfa olaf yng Nghastell Dover alltudiwyd
yr Iarlles i dir Ffrainc ac o'r dydd hwnnw fe fu'r sant o frenin Louis
IX yn dirion wrthi.

Yn ei hieuenctid roedd Elinor yn wraig hardd iawn ac wedi marw
Wiliam Marshall, Iarll Penfro, ei gŵr cyntaf, fe dorrodd ei llw o
ddiweirdeb i Eglwys Rufain. Syrthiodd dros ei phen mewn cariad
efo'r Ffrancwr golygus Simon de Montfort. Ond gwraig y mynnodd
Tynged wau edau dynn amdani oedd yr Iarlles ac erbyn diwedd
mis Mai y flwyddyn hon eto yr un oedd y Dynged.

Prin ddeuddydd cyn i'r Ymennydd Mawr a'r Brawd Flavius
gyrraedd Cwfaint Montargis ar y daith yn ôl o Rufain fe
gyrhaeddodd Amauri de Montfort y lle. Mab ieuengaf Simon oedd
Amauri ac yn ffefryn ei chwaer Elinor. Cwblhaodd ei astudiaethau
ym Mhrifysgol Padua ac yr oedd ei fryd ar fod yn offeiriad. Ond
stori drist oedd gan Amauri i'w hadrodd, stori a oedd yn wybyddus
hyd wledydd Cred ers tro byd ond nid i'r fam, yr Iarlles.

Ym mis Mawrth y flwyddyn honno fe dorrodd y ddau frawd, Guy
a Simon de Montfort i mewn i eglwys Sant Silvestro yn Viterbo

yng ngwlad yr Eidal adeg yr Offeren. Trawodd Guy ei gefnder Henry o Almain a'i ladd â'r cleddyf. Fe ddwedid nad oedd dial tylwyth byth yn darfod ac mai dial a wnaed ar yr Henry hwn, fab Rhisiart o Gernyw am iddo droi cefn ar Simon de Montfort a phledio achos y brenin yn erbyn y barwniaid. Ond Ow! Y fath golled!

Fel ei dad roedd Guy yn wladweinydd hyd flaen ei fysedd ac yn llywodraethu Tuscany dros frenin Sicily ac yn briod â'r ferch gyfoethocaf o'r bron yn holl wledydd Cred. Nai i'r brenin Harri Tri oedd yr Henry hwn a laddwyd ac fe'i hanfonwyd ar neges o gymrodeddu â'r ddau frawd, Guy a Simon de Montfort.

Pan gyrhaeddodd yr Ymennydd Mawr a'r Brawd Flavius gronglwyd yr Iarlles dyna lle roedd hi yn fud ac mewn du trwm o'i chorun i'w sawdl. Ond os oedd yr Iarlles yn ofidus yr oedd ei merch yn orfoleddus er y diwrnod hwnnw bron i ddwy flynedd yn gynt pan alwodd yr Ymennydd Mawr heibio iddynt efo'r Brawd Flavius. Prin y cyffyrddodd y newydd trist am ei brawd Guy â hi. Wedi'r cwbl yr oedd yr Henry hwn o Almain wedi bradychu'i thad ym mrwydr Lewes a throi am swcwr at ei gefnder y Tywysog Edward. Roedd o felly yn haeddu marw! Tyfodd ei thad i fod yn dduw iddi ac ni phylodd y ddelwedd honno ddim efo'r blynyddoedd. Ac am i Lywelyn ap Gruffudd, Tywysog Cymru wneud llw o gytundeb efo'i thad i'w phriodi fe osododd hi y gŵr hwnnw ar bedestl uchel yr un modd. Bellach yr oedd hi'n bedair ar bymtheg oed ac er pan ddaeth y neges i'r Iarlles oddi wrth ei Darpar Dywysog ni pheidiodd ei chalon â llamu.

Mae'n wir mai blynyddoedd anodd a fu'r rhai hyn i'r Iarlles a'i merch yn dilyn lladd y tad Simon de Montfort ym mrwydr Evesham ac yna'r alltudiaeth i blith Chwiorydd Cwfaint Montargis. Blynyddoedd pan alwai'r meibion yno'n ddirgel a phan oedd terfysg y brenin a'r barwniaid yn llusgo hyd y tir yng ngwlad Lloegr. O ganlyniad prin fu'r cyswllt efo Llywelyn ap Gruffudd oherwydd bod gwyliadwriaeth gwŷr y brenin ar y porthladdoedd. Roedd si ar led i Lywelyn ap Gruffudd anfon llythyr at y Pab yn cwyno nad oedd rhyddid na diogelwch i'r Cymry groesi'r moroedd i wledydd Cred.

Roedd si hefyd bod yr hen frenin Harri Tri yn heneiddio ac mewn cytgord o fath efo Tywysog Cymru. Roedd y mab ymffrostgar, y Tywysog Edward yn rhywle ar Grwsâd ar draws y byd ac am hynny

18

daeth yn amser i'r llwynogod gael cyfle i chwarae. Doedd wybod beth a fyddai gan yfory i'w gynnig er gwaethaf gafaelion Tynged ar dylwyth y Montfordiaid.

Beunydd beunos er ymweliad cyntaf yr Ymennydd Mawr a'r Brawd Flavius â Montargis fe fyddai Elinor de Montfort yn breuddwydio am ei Thywysog. Medrodd anghofio am yr oriau hir a dreuliodd yn gwylio'r Chwiorydd yn y Cwfaint yn paratoi'r caws a'r menyn, yn pobi ac yn crasu bara. Ac Ow! Mor ddiflas oedd y cwbl! Sut y disgwylid iddi hi oedd wedi arfer â gwleddoedd cestyll Kenilworth ac wedyn Dover ymdopi â thlodi bywyd Cwfaint?

Byw i waith a gweddi yr oedd y lleianod. Mae'n wir bod rhai ohonyn nhw wrth fodd Elinor ond eu bod mor ddywedwst! Yna pan gaent eu claddu fe'u gosodid yn rhesi hir yng nghysgod y berllan heb enw ar fedd yr un ohonyn nhw. O! na, ni wnâi bywyd o fewn Cwfaint byth fodloni merch aflonydd Simon de Montfort. Os rhywbeth, roedd hi fel ei thad yn uchelgeisiol a phan oedd y greadigaeth ar ei gorau fe fyddai ei chalon hithau yn chwerthin.

Felly yr oedd hi ogylch misoedd Mai a Mehefin ym Montargis. Y lle yn feddw gan y gwinwydd, gwyrddni a blodau dechrau haf. Ond yr oedd rhywbeth yn peri poen iddi a hynny oedd gwylio'i mam yn heneiddio ac yn mynnu nad âi hi byth ar gyfyl y brawd o frenin, Harri Tri. Gwrthod ei hawliau i diroedd ei gŵr cyntaf, Wiliam Marshall a wnaeth Harri gydol ei bywyd priodasol efo Simon de Montfort a phroses hir a phoenus fu'r ymryson am etifeddiaeth Iarlles Caerlŷr gydol y blynyddoedd. Fe wyddai'r Elinor ifanc hynny hefyd ond mai ofni'r blynyddoedd o'i blaen yr oedd hi. Yn ddistaw bach roedd hi'n ysu am gael teimlo tir gwlad Lloegr o dan ei thraed unwaith yn rhagor. Onid ei hawlfraint hi, ferch Simon oedd hynny? Ac yna beth pe bai ei mam yn marw a'i brawd Amauri yn peidio â dod i Fontargis? Beth a ddôi ohoni hi wedyn?

Dros y blynyddoedd bu'r Iarlles yn sôn wrth ei merch am wlad y Tywysog Llywelyn ap Gruffudd. Unwaith y bu hi yno a hynny pan dreuliodd haf hir yn y llys yn Abergwyngregyn efo'i hanner-chwaer a elwid yn Joanna, ferch y brenin John. Yn fuan wedi marwolaeth ei gŵr cyntaf, Iarll Penfro, y bu hi yno a chof gwraig ifanc oedd ganddi o'r lle. Adroddai yr hyn a gofiai drachefn a thrachefn wrth ei merch nes i'r hyn oedd wir a'r hyn oedd ramant sefydlu fel carreg adamant yn meddwl Elinor.

Yn ôl ei mam roedd tywysogaeth y Cymry yn ymestyn o afon Hafren i afon Menai ac o Iarllaeth Penfro hyd ffiniau Caerlleon Fawr. Yn wir, yr unig dywysogaeth arall oedd yn ehangach na hi oedd tiriogaeth y brenin Alexander o'r Alban. Doedd yna yr un barwn o fewn tir Lloegr yn medru cystadlu â grym y Tywysog Llywelyn ac nid oedd yr un tirwedd mor gadarn ag Eryri.

Ac felly yn dilyn ymweliad cyntaf yr Ymennydd Mawr â'r lle efo'r neges gobeithiol oddi wrth y Tywysog Llywelyn ddwy flynedd cyn hyn, fe ymrôdd yr Elinor ifanc i baratoi rhan o'i gwaddol priodas fel Tywysoges y Cymry.

III

Yn Nhŷ'r Iarlles roedd yna un stafell arbennig iawn. Bu unwaith yn stafell i offeiriad yn gweinyddu ar y Chwiorydd. Stafell gymharol gul oedd hi tu hwnt i glyw gweddill y cartre efo ffenestr-liw gron yn lluchio goleuni hyd y lle. Yno hyd deiliau'r llawr roedd deunydd tapestri wedi'i daenu'n ofalus heb bleten ar ei gyfyl. Bu Elinor yn treulio oriau lawer efo pwyntil ysgafn yn amlinellu patrwm y deunydd. Yn wir, roedd merch y gŵr a fu'n llywodraethu gwlad Gasgwyn dros y brenin Harri ac yn arwain y barwniaid mewn gwrthryfel ym mrwydrau Lewes ac Evesham yng ngwlad Lloegr yn dipyn o arlunydd. Ail-greu yr oedd hi y darlun a dynnodd ei mam, yr Iarlles, iddi o dirwedd y Cymry ar lannau Culfor Menai. Rhyw ddydd, meddyliodd, fe fyddai'r deunydd tapestri hwn yn hulio rhan o fur y llys yn Abergwyngregyn. Nid oedd gan yr Elinor ifanc y syniad lleiaf sut yr yngenid yr enw hir a rhyfedd hwnnw.

Ond y darlun oedd yn bwysig a rhaid oedd ei gadw fel trysor o fewn ffiniau diogel y cof. Roedd y traeth a elwid yn Draeth y Lafan yn felyn aur a'r dŵr rhyngddo ac Ynys Môn yr ochr draw yn las, las. Felly y gwelodd yr Iarlles y lle pan oedd ei thad, y brenin John mewn heddwch cymharol efo'r Tywysog Llywelyn ab Iorwerth a phan oedd ei chwaer Joanna yn dywysoges yn Abergwyngregyn. Cymharol gul oedd y darn tapestri ond yn gyfuwch ag uchder stafell gymedrol yn y llys.

Yn gyntaf rhaid oedd tynnu amlinelliad o'r awyr a'r mynyddoedd. O! ie'r mynyddoedd! Roedd un mynydd, yn ôl ei mam, yn uchel, uchel yn y cymylau ac ni welodd hi mo'r mynydd hwnnw gan mor uchel oedd! Roedd y 'Snowden' hwn ar ffurf aderyn 'aigle' meddai am mai wrth yr enw hwnnw y gelwid mynyddoedd Eryri. Digon teg felly oedd gosod y mynydd uchel yn union uwch ben tyrau'r gaer yn Abergwyngregyn. O gwmpas copa'r mynydd 'Snowden' cystal oedd rhoi cymylau gwynion glân ac awyr las, las fel yr awyr yng ngwlad Ffrainc. Ychydig o gof oedd gan yr Elinor ifanc am y niwloedd a'r glawogydd yng ngwlad Lloegr. Rhyfeloedd a thywallt gwaed oedd y sŵn beunyddiol iddi yn y fan honno ond yma ym

Montargis câi hi freuddwydio faint a fynnai! Roedd y fangre yn Abergwyngregyn yn annwyl iddi am i chwaer ei mam fod yn Dywysoges yno. Roedd y fodryb glyfar a nodedig honno wedi'i chario dros y dŵr i'w chladdu yn lle'r Brodyr Llwydion mewn man a elwid Llan-faes ar Ynys Môn.

Fe dreuliodd y forwyn fach, Marie, oriau wrth ochr ei meistres Elinor yn stafell y tapestri. Twmplen o eneth fechan dair ar ddeg oed oedd Marie yn genlli o ddagrau pan fyddai ei meistres yn drist ac yn fôr o chwerthin pan fyddai honno yn hapus. Cael ei gadael yn amddifad a wnaeth Marie yng ngofal y Chwiorydd a dwedid ei bod o hil uchelwyr yn rhywle. Ar ei gliniau yn y stafell byddai Marie wrth ei gwaith yn gwahanu'r edeuon sidan lliwgar a ddaeth y brodyr Montfort o bryd i'w gilydd i'w chwaer Elinor o Ynys Sicily a mannau pell felly. Swydd Marie oedd pwytho'r edeuon bras drwy gefndir fforestydd cefn y gaer yn Abergwyngregyn wrth odre'r mynydd a elwid 'Snowden'. Ond rhaid oedd wrth law gywrain i dywys y nodwydd hyd furiau'r gaer. Rhaid oedd i'r gaer yn Abergwyngregyn fod o aur! Dotiodd Elinor at yr edeuon glas o liw *lapis-lazuli* a ddaeth Amauri, y brawd iau, iddi o'r Eidal. Gellid defnyddio'r edeuon glas yn drwm lle roedd dŵr afon Menai yn union wrth droed y gaer gan weithio peth ohono yn gymysg â'r cymylau gwynion.

Pan glywod y Chwiorydd am y fenter newydd efo tapestri-gwaddol y briodas fe anfonwyd Chwaer arbennig i'r stafell o bryd i'w gilydd. Y Chwaer Josephine oedd hon, yn fedrus ei llaw mewn celfyddyd gain. Yng nghanol y deunydd tapestri yr oedd y gaer i fod ac fe ddechreuodd y Chwaer weithio'r gaer honno mewn edeuon aur a'r tyrau yn codi'n batrwm cytbwys. Nid gwiw oedd cael un nam ym mhatrwm y gaer honno. Digon prin ei sgwrs oedd y Chwaer Josephine ond un dydd yn ddiarwybod i Elinor a Marie fe ddechreuodd weithio peunod lliwgar ar y lawnt werdd ar domen y castell. Y gwryw yn lledu'i adenydd balch mewn osgo o ryfeddod a'r fenyw yn gwasgu'i hadenydd yn gylch clyd o gwmpas ei chorff. Doedd neb yn sicr beth a barodd i'r Chwaer weithio'r patrwm newydd i'r darlun. Eto byddai hi'n gwneud arwydd y Groes yn aml, aml rhag ei bod wedi pechu yn erbyn yr Ysbryd Glân. Tybed a oedd y ddau baun yn gyfystyr ag ystrywiau'r Diafol? Beth pe bai'r Abades yn eu gweld? Fodd bynnag roeddynt wrth fodd y ddwy ferch ac yr oedd y Chwaer mae'n amlwg yn artist hyd flaenau'i bysedd. Cyhyd ag y byddai'r Chwaer uwch ben y tapestri prin y gellid clywed gair yn y stafell. Y tair ohonyn nhw mewn tawelwch — y Chwaer, Elinor a Marie. Ond gynted ag y byddai'r Chwaer Josephine yn tynnu'r drws ar ei hôl fe fyddai Marie yn dechrau ar ei stranciau a hynny gan amlaf wrth fodd ei meistres. Gwneud cyrtsi o flaen ei meistres gan esgus cynnig iechyd da iddi fel morwyn llys. Meddai, '*A votre sante! Mademoiselle!*'

Codi'n sydyn wedyn a dechrau rhyfeddu at gywreinrwydd y tapestri ar lawr y stafell.

'*Ah! Mademoiselle . . . Venez! Volia le pays de Wallie . . . le pays de Prince Fluelen . . . le chateau est tres grande, Mademoiselle!*'

Onid oedd gwlad Cymru yn rhyfeddol? Gwlad Llywelyn a'r castell yn wych! Yn y modd hwn fe gâi hi at gyfrinach calon ei meistres ond yn dawel fach roedd ar Marie ofn y byddai ei meistres yn ei gadael am wlad 'Wallie'. Os felly, cystal iddi dorri'i chalon yn y Cwfaint efo'r Chwiorydd . . . am byth . . . bythoedd.

Wedi'r ymfflamychu mawr yn ddi-ffael torri allan i grio'n ddireol a wnâi Marie a gwaith ei meistres oedd ei chysuro wedyn. Rywdro efallai y medrai hithau roi addewid i'r forwyn fach y câi ei dilyn i wlad y gwych 'Fluelen'. Hyd yn oed os nad oedd y breuddwyd eto'n ffaith fe ddôi adlais o'r peth byw o weithio'r edeuon yn y tapestri.

Prin bod un gyfrinach y medrai ei chadw rhag Marie ond yr oedd ganddi gist fechan na wyddai neb ddim oll amdani. Trosglwyddwyd y gist fechan bren iddi drwy dylwyth Montfort a honno'n llawn o fanion gwerthfawr. Cadwai'r gist o dan glo a phan oedd ei chalon dristaf byddai'n ei datgloi ac estyn y trysorau fesul un ar y ford yn y stafell. Roedd yno binnau o ifori yn anrheg gan ei brawd Amauri o'r Eidal a breichled o gerrig lliw fioled yr amethyst. Dwedid bod edrych ym myw disgleirdeb yr amethyst yn cadw'r felan draw! Ond y ffefryn oedd y dorch o'r cerrig saffir gleision — anrheg ei thad iddi o wlad Gasgwyn. Fe huliwyd gwaelod y gist fechan â deunydd sidan glas tywyll ac yn cuddio yn ei blygion roedd darn o ddeunydd melfed lliw sgarlad gydag ymyl aur arno. Darn o ddeunydd hen wasgod i'w thad Simon de Montfort oedd y melfed hwn ac ôl traul blynyddoedd arno.

Cyfrinach y ferch oedd y cwbl a phob tro y byddai hi'n teimlo'n drist fe fyddai'n rhwbio'r deunydd melfed ar ei boch. Roedd o mor feddal ac mor esmwyth! Bron na fedrai hi arogli corff ei thad ynddo yn union fel y byddai o yn gwasgu'i chorff hithau ato yn Nghastell Kenilworth wedi dychwelyd yn boeth o'r rhyfel. Nid oedd ei mam, yr Iarlles, yn gwybod dim oll am y deunydd melfed.

Bob bore a nos hefyd byddai Elinor yn cyfrif y Paderau efo carreg lliw ambr ymhob un ohonyn nhw. Roedd yno bymtheg i gyd a dwedid bod lliw melynfrown yr ambr yn cadw'r clefyd draw. Bob nos cyn cysgu byddai'n gweddïo ar i'r Forwyn Fair gadw ei mam, yr Iarlles, yn fyw ac y câi hithau ryw ddydd groesi'r môr i 'Wallie' a bod yn Dywysoges i'r Tywysog 'Fluelen' yn y lle efo'r enw hir hwnnw Abergwyngregyn.

IV

CRONGLWYD YR IARLLES

Diwedd Mai, 1271

Ymhen deuddydd wedi i'r brawd Amauri gyrraedd Tŷ'r Iarlles fe ddaeth y mynach tal a hen hwnnw i'r fan a'r Brawd ifanc Flavius wrth ei sodlau. Yr Ymennydd Mawr oedd y mynach hen, yr union ŵr a ddaeth â'r newyddion da o'r llys yn Abergwyngregyn yn agos i ddwy flynedd cyn hyn. Do, fe gadwodd y gŵr eglwysig ei addewid ac yr oedd pethau'n argoeli'n dda i Elinor de Montfort. Tybed a oedd Tynged yn llacio peth ar ei gwead o'r diwedd? Gwyliodd Elinor o hirbell bob symudiad rhwng ei brawd Amauri a'r mynach tal ar lawnt Cronglwyd ei mam yn ystod y dyddiau hynny. Mae'n amlwg bod Amauri mewn cynghrair dwfn â'r mynach. Erbyn hyn medrai hithau ddilyn teithi meddwl ei brawd yn burion ac yr oedd yno fwy o ddwyster nag arfer yn llygaid y myfyriwr ifanc a fu ym Mhrifysgol Padua. Gyda'r weithred o ladd Henry o Almain gan Guy de Montfort roedd enw'r tylwyth mewn caddug du unwaith yn rhagor yng ngwledydd Cred.

Ac eto yr oedd mawr sôn am y tad Simon de Montfort ymysg ei ddilynwyr. Sawl gwaith fe addunedodd Amauri y byddai'n tywys ei chwaer ryw ddydd at feddrod y gwron o dad yn eglwys Evesham ger yr Avon. Fe ddwedid bod pererinion yn tyrru yno bellach ac fe ddôi'r deillion i weld a'r cloffion i gerdded wrth feddfaen Simon. Mangre gwyrthiau oedd y fan i werin gwlad yn union fel beddfaen Sant Tomos yn eglwys Caer-gaint. Nid oedd Elinor yn gwrthod credu unrhyw un a fyddai'n canu clodydd ei thad. Er mor amhosibl yr ymddangosai breuddwydion Amauri ym mhellter gwlad Ffrainc ynglŷn â'i chwaer Elinor roedd troeon Ffawd yn annisgwyl a gobaith yr ifanc yn ddihysbydd. Nid oedd y ferch Elinor wedi cyrraedd ei hugain oed hyd yma.

Gynted ag y byddai'r ddau ŵr eglwysig wedi ymadael ni fyddai Amauri yn peidio â sôn am fawredd tylwyth Montfort. Roedd Elinor yn cadw'r cwbl ar fap ei hymennydd fel y câi ddadlennu'r cyfrinachau i'w Thywysog . . . ac i'w phlant efallai. Dôi cysur o freuddwydio a dyheu.

Nid oedd neb yn nhir Ffrainc nac ychwaith yng ngwlad Lloegr yn gwadu mawredd tylwyth Montfort. Rhyw ddeng milltir ar hugain i'r de-orllewin o ddinas Paris roedd y gaer Montfort-l'Amauri yn gwgu ar y dyffryn islaw. O'r gaer honno bu Amauri, brawd hynaf Simon de Montfort yn llywodraethu fel Cwnstabl holl Ffrainc.

Ei dad yntau oedd Simon a elwid y Crwsadwr a fu'n ymlid yr hereticiaid efo'r cleddyf belled â mynyddoedd y Pyreneau a sicrhau taleithiau Toulouse a Narbonne i'w dylwyth. Roedd yr hereticiaid a elwid yr Albigensiaid yn ffynnu yn nhalaith Languedoc lle roedd diwylliant y beirdd llys a'r Trwbadwriaid. Gwyddai Elinor y byddai ei brawd Amauri yn barod i farw hyd yn oed er cadw'r addewid efo Llywelyn ap Gruffudd, Tywysog y Cymry. Ohoni hi, Elinor, fe allai tylwyth Montfort godi eto i fod yn fygythiad i frenin Lloegr!

Wrth ffarwelio â'r Amauri ifanc oddi allan i Dŷ'r Iarlles cyn cychwyn y daith yn ôl i Abaty Aberconwy fe wthiodd yr Ymennydd Mawr ddogfen o dan enw'r gŵr hwnnw i draed ei sanau! Prin y byddai gwŷr y tollau yn archwilio traed hen fynach fel ef, meddyliodd. O leiaf fe roddodd trwch y memrwn beth esmwythâd i'r droed ddolurus a fu'n ymlafnio mynd hyd ffyrdd gwledydd Cred.

Byddai'n hydref erbyn i'r ddau fynach ddychwelyd i'r Abaty yn Aberconwy a thaer weddi yr Ymennydd Mawr oedd na ddôi storm enbyd i godi salwch môr arno. Roedd yn hen ac yn rhyw ddistaw ddyheu am glywed clonc ffon wen Braint y gŵr dall ar balmant yr Abaty a chael clywed cyfarchiad diniwed y cychwr Wali o'r Cei. Ond tybed beth oedd gan y degawd nesaf yn stôr? A oedd yr Iarll Gilbert de Clare yn dal i godi'r bygythiad o gastell yn Senghennydd-is-Caeach ac a oedd Rhosier Mortimer yn lluchio'i saethau gwenwynig o'i gastell yn Wigmor ar y Gororau? Doedd dim yn well gan fab Gwladus Ddu, merch Llywelyn ab Iorwerth na chasglu pennau ei elynion a'u dwyn ar blât i'w gastell yn ôl y sôn. Hynny a wnaed â phen Simon de Montfort medd rhai wedi brwydr Evesham. A beth am y gaer honno y bu Llywelyn ap Gruffudd yn ei hailgodi'n ddirgel ar lannau Hafren? Ie, Dolforwyn oedd yr enw ar y gaer arfaethedig honno. Ond y ferch ifanc Elinor de Montfort a'i brawd Amauri oedd bennaf ym meddwl yr Ymennydd Mawr. Ym mêr ei esgyrn fe wyddai na fethodd tylwyth Montfort ysgwyddo baich yr un breuddwyd erioed. Peth arall oedd cynnal y breuddwyd i'w eithaf.

Pan oedd y ddau fynach yn dychwelyd i Aberconwy roedd sawl breuddwyd arall wedi'i chwalu a phethau trist yn digwydd yng ngwledydd Cred. Bu Louis IX, brenin Ffrainc, farw o'r Pestilens ym mhorthladd Aigues Mortes ar ei ffordd allan i'r Crwsâd ac yr oedd ei fab Philip y Trydydd yn dwyn corff y tad adre i'w gladdu. Ar y daith honno bu farw Isabella, gwraig ifanc y brenin newydd Philip. Claddwyd ei chnawd yn eglwys Gadeiriol Cosenza yn yr Eidal a daethpwyd â'i sgerbwd i'w gladdu yn Saint-Denis gerllaw dinas Paris. Yn yr osgordd angladdol honno yn ogystal roedd corff Iarll Nevers, brawd y brenin, a'i frawd-yng-nghyfraith Theobald, brenin Navarre.

Tristach i'r brenin Harri Tri oedd gweld dwyn esgyrn a chalon ei nai, Henry o Almain, mab ei frawd Rhisiart Iarll Cernyw, yn ôl i wlad Lloegr. Hwn oedd y gŵr ifanc a laddwyd gan Guy de Montfort yn Viterbo yn yr Eidal. Rhoddwyd calon y gŵr ifanc i'w chadw yn Abaty Westminstr a'r esgyrn i'w claddu yn Abaty Hailes nid nepell o'r fan lle bu brwydr fawr Evesham.

Cyfnod oedd hwn o agor doluriau newydd lle roedd hen ddoluriau yn ceulo. Roedd Angau hefyd yn drech na dynion.

V

TIR ERYRI

Mis Mai, 1271

Mor bell oedd Dyffryn Lledr o wledydd Cred. Mae'n wir bod ambell fynach o Abaty Aberconwy yn mynd ar bererindod i Rufain, dinas y Pab, ac ambell filwr yn dilyn y Crwsadau i Gaersalem ond prin oedd y sôn amdanynt. Fe glywyd am winoedd Ffrainc ac am Symwnt Mymffwrdd, y gŵr a fu'n arwain y barwniaid yng ngwlad Lloegr yn erbyn y brenin Harri Tri. Doedden nhw'n gwybod dim oll serch hynny am drafferthion Iarlles Caerlŷr a'i merch Elinor ym Montargis yng ngwlad Ffrainc a chlywodd neb i Guy de Montfort ladd ei gefnder Henry o Almain yn yr Eidal. Doedd a fynno hynny ddim â nhw.

Bu'r mis Mai hwnnw efo'r poethaf o fewn cof y trigolion a'r naill ddiwrnod ar ôl y llall heb odid gwmwl yn yr awyr. Mai poeth, haf gwlyb oedd proffwydoliaeth yr hen bobl ac wedyn fe fyddai'r cynhaeaf yn methu a'r Pla yn dod yn sgîl hwnnw. Ond byw heddiw oedd yn bwysig gan fod y mis Mai hwn mor dderbyniol wedi oerni caled gaeaf. O fis Tachwedd hyd ddiwedd y Mis Bach crynhodd y gwyntoedd yn y dyffryn o ben Moel Siabod a phen Bwlch y Gorddinen hyd ucheldir Dyffryn Conwy. Pan ddaeth Mai roedd gwyrddni dail mân ar y coed a'r adar yn canu ac yr oedd byd Duw ar ei orau.

Un dydd tua chanol y mis trodd Meistres Mererid y Castell i lawr y ffordd oddi wrth y porth mawr gan ddilyn y llwybr hyd yr ochrau serth at yr afon. Llysieuwraig oedd Mererid fel ei mam, Gwenhwyfar, o'i blaen ac fe ddysgodd yr olaf ei chrefft oddi wrth Mêr, yr hen wraig oedd yn trigo yn y bwthyn islaw'r llys yn Abergwyngregyn. Roedd Mererid yn wraig i Hywel Tudur, ceidwad y castell i'r Tywysog. Ei harferiad wrth gychwyn allan i'r maes oedd cario basged wiail ar ei braich ac yn honno botiau priddin bychain, cwdyn lledr, llieiniau a phluen neu ddwy i hel y gwe-cop o'r perthi. Yn ôl pob arwydd yr oedd yno gynhaeaf da o'r gwe-cop ac fe ddôi'n werthfawr yn y man i arbed clwyf rhag casglu a madru'r cnawd. Sylwodd llygaid craff Mererid bod y caeau yn llawn o lygaid-y-dydd a blodyn-y-menyn ac arian gwynion yr effros oedd mor fuddiol at ddolur llygad. Hyd yma doedd yr effros ddim wedi llawn aeddfedu ond unwaith y dôi i'w lawn dwf fe geid peth wmbreth ohono.

Roedd yna ŵr dall o'r enw Braint o Abaty Aberconwy yn dod yn flynyddol adeg y Pasg i'r castell ac yn mynnu bod yr effros yn esmwytháu'r hafnau llosg lle bu llygaid ganddo unwaith. Dod efo'r Brodyr Lleyg ac Ieuan Fwyn yr Efengylydd yr oedd y gŵr dall yn wastad pan oedd rheini yn gwarchod hafotai Aberconwy yn ucheldir Dyffryn Lledr. Bu'r gŵr dall yn ddirgelwch mawr i'r llysieuwraig. Roedd o fel tae o eisiau dweud rhyw gyfrinach wrthi. Hwyrach y câi hi esboniad ar y peth ryw ddydd.

Mam Ifan y Rhyd oedd y person arall yn mynnu canmol rhinweddau Mererid fel llysieuwraig. Hi a fu'n lleddfu'r boen yn y clwyf ym mraich y bachgen wedi i'r arglwydd Dafydd ap Gruffudd dynnu'r saeth o'i gnawd ar y llethr uwch ben Dolwyddelan. Ond roedd hynny wedi digwydd ddegawd a mwy yn ôl bellach a'r cof am y peth yn parhau i beri blinder i Mererid. Fynnai hi ddim sôn am yr arglwydd Dafydd ap Gruffudd.

Ond ar y dydd braf hwn o fis Mai naw wfft i bob meddwl trist!

Wrth gerdded y maes y diwrnod hwnnw daeth at adfail hen fwthyn Cynwrig y telynor oedd yn diddori'r gwesteion yn y castell ers talwm. At y bwthyn hwn y dôi ei mam Gwenhwyfar yn blentyn efo Owain Goch a Llywelyn, dau o feibion yr arglwydd Gruffudd ap Llywelyn. Yn ôl ei mam byddent yn cael brechdan fêl gan yr hen delynor. Ond yr oedd amser yn pasio heibio a dynion yn heneiddio a rhai yn marw o'r tir. Yn ôl ei mam hefyd fe ellid clywed sŵn canu telyn yr hen delynor yn y gwynt o Foel Siabod. Coel gwrach i rai ond nid i Mererid. Fe'i bendithiwyd â dawn i ryfeddu at y cread mawr ac i drosi geiriau fel bardd llys. Ond ei chyfrinach hi oedd hynny fel sawl cyfrinach arall y mynnodd ei chysgodi yn ei chalon.

Torrwyd ar ei myfyrdod gan sŵn tuthio merlod a bloeddio plant. 'Dyna nhw eto . . . y tri ohonyn nhw,' meddyliodd. Y tri oedd Gruffudd ab yr Ynad, Deio fab y Coediwr ac Angharad Wen, merch yr Ynad Coch o'r Fedw Deg yn is i lawr y Dyffryn. Yn ddiweddar bu'r hogyn Gruffudd yn mynnu dŵad ati efo'r esgus lleia' a dweud bod rhyw 'chwiw' yn ei boeni a'r cwbl yn achosi blinder yn gymysg â gradd o lawenydd i'r llysieuwraig. Dyna anodd oedd cadw wyneb pan oedd yr hogyn Gruffudd yn hawlio ei sylw!

Cyrhaeddodd y tri phlentyn, pob un ar ei ferlen ei hun at dalcen hen fwthyn y telynor. Gwnaeth hithau osgo ei bod yn tynnu llysiau o'r maes ond roedd y plant yn achub y blaen arni. Gwaeddodd Angharad Wen — gelwid hi'n Wen am fod ei gwallt yn blentyn fel gwawn gwyn — ac meddai'n fusnes i gyd, 'Meistres Mererid! Mae ar Gruffudd eich ishio chi! Mae chŵydd ar 'i ffêr o ac mae mam yn deud bod dŵr ynddo fo.'

Mae'n wir bod natur cloffni bychan yn nhroed chwith yr hogyn er ei enedigaeth a bod y boen yn brigo i'r wyneb o bryd i'w gilydd. O leia' nid rhyw esgus o bigiad neu boen stumog oedd wedi dŵad â'r hogyn ati y tro hwn, meddyliodd. Fe ddwedid am Mererid ei bod fel ei nain Huana, gwraig ordderch yr hen Ddistain Gronw ab Ednyfed, heb byth godi'i phen bron oddi wrth y ddaear a bod ganddi ddau rosyn coch, coch ar ei gruddiau yn union fel y nain honno. Ond yng ngŵydd y plant byddai'n codi'i phen yn wastad. Cofiodd i Angharad Wen ddweud wrthi unwaith,

'Meistres Mererid! Mae gynnoch chi ddau afal coch ar eich bocha'.' Hogan annwyl oedd Angharad, merch y Fedw Deg.

Wrth weld Gruffudd yn ymystwyrian mewn poen y diwrnod hwnnw gwaeddodd Mererid arno, 'Gruffudd! Rhwyma'r ferlen wrth y postyn a gad i mi weld dy ffêr di.'

Aeth Angharad ati wedyn i rwymo'i merlen hithau yr un modd. Beth bynnag a wnâi Gruffudd fe wnâi hithau. Hopian cerdded yn boenus yr oedd yr hogyn ac aeth y peth at galon Mererid. Ai poen ei eni oedd y drwg? Ai pechod ei fam? Ceisiodd gysuro'i hun nad felly yr oedd drwy holi'r hogyn.

'Dwed i mi, Gruffudd, fuost ti'n chwarae'n wirion?'
Ysgydwodd yr hogyn ei ben.
'Ddaru ti syrthio neu ddaru'r ferlen dy gicio di yn dy ffêr?'
Ysgydwodd yr hogyn ei ben yn anobeithiol eto. Y boen oedd yn pwyso ar feddwl yr hogyn. Pam yr oedd Meistres Mererid yn ei holi fel hyn bob tro pan fedrai hi gynnig eli neu rwymyn i esmwytháu'r boen? Synhwyrodd y wraig anesmwythyd yr hogyn.

'Tynn yr esgid ledar a'r hosan wlân yna i ni ga'l gweld dy ffêr di!' meddai.

Cydiodd hithau wedyn yn ei droed a bodio'r chŵydd ac yr oedd hwnnw'n llawn dŵr. Meddai Angharad Wen yn llawn cysur i gyd, 'Mae o'n procio yn tydy, Gruffudd?'

'Paid di â busnesa! Busnas pawb Angharad Wen!' torrodd Deio ar ei thraws.

'Blant! Blant!' llefodd Mererid. 'Tewch da chi! Deio! dos ar y ferlan i'r castall a gofyn i un o'r gweision am rwymyn praff i'w roi am ffêr Gruffudd.'

Cyn iddi fedru dweud hanner gair roedd yr hogyn a'r ferlen wedi diflannu.

'Dydy o ddim wedi gwrando, mi fentra' fy llw,' ychwanegodd Mererid.

Ac meddai Angharad Wen yn union fel hen wraig yn sgwrsio, 'Un byrbwyll fuo Deio erioed. Dydy o byth yn gwrando ar 'i fam chwaith.'

Rhoddodd y wraig y sylw i'r hogyn Gruffudd wedyn.

'Dos i lawr at y nant a throcha dy ffêr yn y dŵr oer i dynnu'r gwres allan o'r chŵydd. Y tes sy' wedi dŵad â'r dŵr yn dy droed di. Unwaith y bydd y tes wedi cilio fe ddoi di'n iawn.'

Prysurodd Angharad i ddilyn yr hogyn at y dŵr ac unwaith y daeth yntau i ddygymod efo tymheredd y dŵr oer dechreuodd ymlacio. Y foment nesaf roedd yr eneth yn gwthio bys canol ei llaw dde rhwng bysedd traed yr hogyn. Meddai,

'Mae dy fysadd di'n fudur, Gruffudd . . . yn sobor o fudur. Dydach chi'r hogia' ddim yn golchi'ch traed yn ddigon amal.'

Anaml y byddai Meistres Mererid yn gwenu ond fe aeth sylw'r eneth yn drech na hi y tro hwn. Ond mae'n amlwg nad oedd Gruffudd yn cymryd yr un gair i'w ben. Unig ddyhead yr hogyn oedd cael esmwythâd o'r boen.

Ymhen y rhawg cyrhaeddodd Deio efo llond côl o rwymynnau o bob siâp a maint.

'Dratia unwaith!' meddai Mererid. 'Pam na fasat titha'n gwrando yn lle gada'l i'r gwas yna droi fy nghist i o'r tu chwithig allan . . . ond na hidia. Mi dyfi ditha'n gallach yn y man.'

'Wnest ti ddim gwrando, yn naddo, Deio,' meddai Angharad Wen wedyn heb gymryd anadl i sychu'i gwefusau.

Wedi sychu troed Gruffudd fe rwymodd y wraig y ffêr yn gadarn.

'Saf ar dy draed rŵan,' gorchmynnodd, 'i ni ga'l gw'bod sut mae dy ffêr di'n teimlo!'

Pan ddaeth cysgod o wên dros wyneb yr hogyn o'r diwedd roedd hi'n amlwg bod y boen yn dechrau cilio. Ar hynny edrychodd yr hogyn i fyw llygaid Mererid efo rhyw anwyldeb anghyffredin.

'Dratia unwaith!' meddyliodd hithau, 'dyna'r nam bychan ar drwyn yr hogyn yn bradychu'i dras.'

Yno yr oedd yr hyn a alwai ei mam, Gwenhwyfar, yn 'nod y blaidd'. Dwedid ei fod yn cario'n ddwysach yn y bechgyn nag yn y merched. Efo'i thad, Rhys Arawn, y llanc o'r Berfeddwlad a ddaeth i Arllechwedd yn amser y Tywysog Dafydd ap Llywelyn, y daeth 'nod y blaidd' gyntaf a mynnodd hwnnw bod rhyw arwriaeth arbennig yn perthyn i'w hil. Yr union nod hwnnw oedd yn harddu merched, a hyn ysywaeth a fu'n dramgwydd i Mererid. Torrodd Angharad ar dyndra'r foment.

'Diolch, Meistres Mererid! Mi fydd mam yn falch achos mi rydan ni am ga'l gwledd yn y Fedw Deg ar ddydd pen-blwydd Gruffudd. Mi fydd o'n ddeg oed cyn diwadd mis Mai ac mae'r T'wysog yn mynd i roi anrheg iddo fo . . . yn tydy, Gruffudd?'

Hanner wenodd yr hogyn Gruffudd drachefn.

'Ffwr' â chi y tri ohonch chi, rŵan,' meddai Mererid gan lyncu'i geiriau. 'Mae gen i amgenach gwaith i'w wneud na loetran yn y fan yma . . . a chymar ditha' ofal efo'r droed yna, Gruffudd.'

Nodiodd y bachgen ei ben mewn dealltwriaeth ac mewn dim o dro gellid clywed sŵn trotian y plant ar y merlod yn teithio i lawr y ffordd am y Llan a diflannu o'r diwedd yng ngwaelod y dyffryn.

Ond sefyll yr oedd Mererid yn ei hunfan heb symud cam o'r fan am hydoedd. Ei meddyliau yn ferw boeth yn yr haul a'i dagrau yn disgyn oddi mewn iddi yn rhywle. Byddai, fe fyddai'r hogyn Gruffudd yn ddeg oed cyn diwedd mis Mai.

VI

Wedi cael cefn y plant dilynodd Mererid wedyn ochrau'r perthi yn rhyw hanner chwilio am y llysiau y byddai'n eu casglu yn y man. Roedd y ddaear yn sych ond fe ddôi'r glaw eto ac fe fyddai'r tyfiant yn fawr. Ond digon cyndyn oedd y diddordeb efo'r llysiau erbyn hyn. Yr hogyn Gruffudd oedd yn tynnu arni fel y gwenyn at y mêl. Fe lwyr gredodd unwaith y medrai anghofio'r plentyn wedi iddo gael ei roi ar faeth efo'r Ynad Coch yn y Fedw Deg. Llwyddodd dros dro. Bellach nid oedd hi'n sicr o ddim. Synhwyro'i phoendod yr oedd ei gŵr Hywel Tudur yn wastad heb golli gair. Creadur dwedwst oedd o yn estyn cysur efo diod gynnes a help llaw. Nid oedd hi yn ei garu ond mi fedrai hi ei oddef yn burion erbyn hyn.

Roedd hi wedi croesi'r bont dros yr afon ac yr oedd ei basged hyd yma yn wag. Cyrliodd mwg diweddar drwy simnai bwthyn y Rhyd. Sgwrs frathog fyddai sgwrs Sioned y Rhyd ar y gorau ond byddai brathiad honno yn llanw rhyw wacter disymud ynddi'r pnawn hwnnw.

'Oes 'ma bobol?' gwaeddodd Mererid yn nrws y bwthyn fel tase hi'n disgwyl gweld llond tŷ o bobl yn y bwthyn unig.

Gwraig gymalog oedd Sioned y Rhyd efo sgwyddau praff a dwylo fel bachau crochan cymedrol wedi hir ymwneud efo caledwaith. Roedd mêl yn ei geiriau a brathiad yn amlach na pheidio yn suro'r melyster. Eto roedd hi'n meddwl y byd o Mererid.

'Ti sy' 'na, Mererid fach?' gwaeddodd y llais dwfn fel llais gŵr. 'Tyrd at y ford. Roeddwn i'n d'rofun ca'l tama'd i aros pryd . . . crystyn o'r dorth a menyn o'r corddiad ben bora.'

Gadawodd Mererid ei basged wag ar y fainc wrth y drws. Cerddodd wedyn at y ford.

''Stedda,' meddai Sioned, 'i mi ga'l deud fy meddwl wrthat ti.' Yr un fyddai patrwm sgwrs y wraig yn wastad.

'Bob tro y bydda' i'n dy weld di, Mererid, mi fydda' i'n cofio fel y bu i ti arbad bywyd Ifan bach a thrin y clwyf iddo fo fendio . . . Fydd o byth yn abal i ymladd ym myddin y T'wysog ond mae o y siort ora' yn y Berfeddwlad efo'r arglwydd Dafydd ap Gruffudd yn tendio ar yr hogia . . . mae Ifan yn meddwl y byd o Dafydd ap Gruffudd.'

Disgynnodd marworyn o'r tân i'r aelwyd. Ni syflodd Mererid ddim. Parhau efo'i sgwrs yr oedd Sioned.

'Rydw i'n cofio fel y byddat ti, Mererid, yn dwad yma bob nos i dendio'r clwyf nosweithiau'r haf hwnnw a'r arglwydd Dafydd ap Gruffudd yn edrach yn syfrdan ar dy ddwylo di.'

Mynnu dod ag enw Dafydd ap Gruffudd i'r sgwrs yr oedd y wraig. Torrodd Mererid ar ei thraws efo'r sylw.

'Dim ond dechra' trin clwyf yr oeddwn i yr adag honno, Sionad. . . .'

Ond doedd dim yn tycio o du'r wraig.

'Ia, edrach ar dy ddwylo di yr oedd yr arglwydd Dafydd. Cadarnach a thynerach llaw na'th fam, Gwenhwyfar. Mi fedrai llaw dy fam fod yn llym fel 'i thafod hi wrth drin claf.'

Rhyw osio i bigo heb byth bigo go iawn yr oedd y wraig. Anesmwythodd Mererid ac meddai Sioned,

'Does dim yn galw arnat ti. Mi fedar yr hen Gastall edrach ar 'i ôl 'i hun. Mi wna'th hynny'n burion er dyddiau Iorwerth Drwyndwn ac mae gen ti ŵr o'r siort ora'. Mae Hywel Tudur yn cadw gwastrodaeth ar y lle i'r T'wysog yn rêl gŵr bonheddig. Fuo yna 'rioed well gŵr mi wranta na Hywel Tudur.'

Edrychodd Sioned yn hir wedyn ar Mererid a dweud,

'Dwed i mi, fydd yr arglwydd Dafydd yn dwad heibio i'r Castall rŵan? Tasa fo'n dwad yma'n amlach mi gâi Ifan ddwad adra at 'i fam . . . ond hwyrach bod y wraig o Normanas yn 'i gadw o ar y Gorora'. Fel yna mae plant y tywysogion i gyd yn priodi efo estroniaid a hynny er mwyn cadw'r heddwch medda' Ifan. . . . Erbyn meddwl mae'n agos i ddeng mlynedd er pan anafwyd Ifan bach. On'd dydy amsar yn cerddad yn gyflym, Mererid?'

Y foment honno roedd meddwl Mererid ymhell o fwthyn y Rhyd efo'r tri phlentyn o'r Fedw Deg. Medrai glywed sŵn tuthio'r merlod ar waelod y Dyffryn . . . sŵn chwerthin Angharad Wen . . . teimlo'r chŵydd yn ffêr Gruffudd. Byddai, fe fyddai'r hogyn Gruffudd yn ddeg oed gyda hyn!

Mae'n amlwg bod Sioned yn cael mawr fwynhad o'r sgwrsio unochrog hwn am ei bod wedi hen arfer siarad efo hi ei hun. Siarad i'r muriau glywed.

'Mi fydd Ifan yn dwad â'r straeon rhyfedda' adra' o'r Berfeddwlad, Mererid,' meddai wedyn. 'Mae pobol Dyffryn Clwyd a Thegeingl o fewn clyw y Norman yng Nghaerlleon Fawr ac yn dallt sut mae'r gwynt yn chwythu. Deud y mae Ifan y gall'sai fod yna ryfal eto efo marw yr hen frenin.'

Daeth y sôn am ryfel â meddwl Mererid yn ôl i'r bwthyn. Yn sgîl hynny daeth ofn.

Meddai Sioned, 'Pan ddaw'r hen frenin i ben 'i siwrna' mi fydd y sbrigyn Edward yna yn frenin. Crwmffast o hogyn mawr yn ôl y sôn, dros chwe throedfedd, yn ddigon i godi dychryn ar y Cymry.'

Wrth sylweddoli bod ganddi wrandawraig eiddgar o'r diwedd gwlychodd Sioned ei gweflau ymhellach.

'Mae'r T'wysog wedi bod yn dipyn o lawia' efo'r barwn o Norman yng Nghaerlleon Fawr ond dynion Edward fydd yno pan fydd yr hen frenin yn marw, yn ôl Ifan.'

Edrychodd Mererid mewn syndod ar y wraig hon. Beth tybed oedd yn mynd drwy'i meddwl wrthi'i hun yn y bwthyn yng nghysgod Bwlch y Gorddinen?

Erbyn hyn mae'n amlwg bod y wraig am fwrw'i blinder ar Mererid. Daeth cymysgedd o dristwch ac ofn i'w llais.

'Fedran ni ddim ffoi i unman ond i'r mynyddoedd ac yr ydw i'n rhy hen i ffoi!'

'Ond ffoi i ble, Sioned. . . . Pam mae'n rhaid ffoi?'

'Mi fuo'r Norman yn Nolwyddelan o'r blaen, Mererid, a tasa fo'n dwad eto a ninna' wrth droed y Castall mi fyddai'n ddigon am yn hoedal ni medda' Ifan ac mae'r Edward yna yn ddigon o ddyn i goncro'r hen fynyddoedd yma. Dyn yn medru troi ei law at bob peth ydy o . . . yn medru marchogaeth a hel dynion i ryfal a chadw trefn a chodi ceyrydd.'

'Ond Sionad! Mae gynnon ni y T'wysog a ddaw dim drwg i ni tra bydd Llywelyn ap Gruffudd ar dir y byw. Mae o wedi dechra' codi caer yn erbyn y Norman ar y Gorora' meddan nhw.'

'Wn i ddim byd am hynny, Mererid, ond mae amsar weithia' yn medru ailadrodd 'i hun. Mi fuo yma dywallt gwaed yn amsar yr hen deidia' ac mi roedd yr hen Gymry yn och'neidio hyd y llethra'. Eu hanwyliaid yn gyrff marw, y gelyn wedi llosgi'r ydlannau a dwyn y da rhag bod y tywysogion yn medru cynnal y bobol. . . . Dyn a ŵyr be' all ddigwydd, Mererid fach!'

Trodd Mererid i geisio cysuro'r hen wraig. Cododd a gosod llaw ar ei hysgwydd.

'Fyddwn ni dama'd callach o weld y drwg cyn iddo fo ddigwydd a hwyrach na ddaw o byth. Dyma hi'n ddiwrnod braf o fis Mai efo'r gora' a welodd y Dyffryn yma ers cantoedd. Mi fydd Ifan gartra, mi wranta eto, Sionad, yn gweld 'i hen fam ac mi ofala' inna' eich bod chi'n ca'l cil dwrn o'r Castall y ddau ohonoch chi!'

Ond dal i droi ei bodiau a syllu i'r gwagle yr oedd Sioned. Cydiodd Mererid yn ei basged wag o'r diwedd a dweud,

'Brensiach y bratia! Mi fydd Hywal Tudur yn anfon y cŵn i chwilio amdana' i os na frysia' i. Rydw i allan yn y maes ers oria'.'

Trodd Mererid i fyny'r llethr oddi wrth y Rhyd efo osgo brys yn ei cherddediad. Ond unwaith y cyrhaeddodd ben y llethr safodd yn stond a daeth cnoad i fôn ei stumog. Safodd yn ei hunfan gan edrych yn hir, hir ar y Castell. Hwn oedd y castell efo'i dŵr sgwâr a godwyd yn nyddiau'r arglwydd Iorwerth Drwyndwn. Ni pheidiodd y bobl â sôn am yr arglwydd mawr hwnnw yr oedd elfen tywysog ynddo.

Tybed, tybed, meddyliodd Mererid, a oedd rhyw wirionedd yng ngeiriau'r hen wraig o'r Rhyd? A ddôi'r Norman eto dros y mynyddoedd a'u dal i gyd yn ei hafflau? A welid mwg yn codi o'r Llan ac a fyddai cyrff y meirw hyd y lle? Er ei bod yn bnawn gwresog fe deimlodd Mererid gryndod yn cerdded madruddyn ei chorff.

Yn sydyn daeth sŵn cyfarth cŵn o gyfeiriad y Castell a phan gyrhaeddodd Mererid y porth o'r diwedd dyna lle roedd y tri phlentyn o'r Fedw Deg yn aros amdani am yr eildro y diwrnod hwnnw.

Meistres Mererid! Ble buoch chi?' gwaeddodd Angharad Wen. 'Rydan ni yma ers meityn yn aros amdanoch chi. . . . Wrth i ni fynd am y Fedw Deg gynna' mi dda'th un o ddynion y T'wysog yn deud y bydd y T'wysog a'i osgordd yma cyn pen dim o amsar. Mae o'n dwad i'r Castall ac i'r Fedw Deg at 'nhad i gynnal y llys.'

Arglwydd Penmachno oedd yr Ynad Coch o'r Fedw Deg ac yn arglwydd y faenor yr un pryd. Yno y cynhelid y llys gan bennu hawliau'r rhydd-ddeiliaid a chosbi drwgweithredwyr.

Ond mynnu torri ar frwdfrydedd yr eneth yr oedd Deio.

'Pan ddaw'r T'wysog, Meistres Mererid, mi fydd o yn holi faint o ddysg a roddodd Pedr Grwm ym mhen Angharad a faint o iaith y Norman fedar hi siarad iddi ga'l bod yn forwyn llys i wraig newydd y T'wysog pan ddaw honno i Abergwyngregyn o wlad Ffrainc.'

Trawodd yr eneth y bachgen yn ei wegil ar hynny.

'Rwyt ti'n ddwl fel post llidiart, Deio, a fydd mab Coediwr fyth yn uwch na bawd sawdl!'

Wrth i'r eneth godi'i haeliau'n uchel sorrodd yr hogyn yn bwt ac aeth Gruffudd yn anniddig. Beth yn y byd a wnâi Mererid efo'r plant? Trodd yn sydyn at Gruffudd a gofyn,

'Dwed i mi ydy'r ffêr yna yn dal i dy boeni di?'

'Na, mae hi y siort ora', Meistres Mererid.'

O leiaf mae'n amlwg bod hwnnw ar ei ddigon efo'r sôn am y Tywysog yn dod i'r dyffryn. Fe gâi o ddigon o faldod gan hwnnw. Erbyn hyn roedd Angharad Wen hefyd yn cydio'i dwy law am wddf yr hogyn Deio a hwnnw'n mwynhau'r maldod. Roedd plant yn medru troi fel ceiliog gwynt.

'Meistres Mererid!' meddai Angharad Wen yn union fel hen wraig yn siarad, 'Rydan ni am ei throi hi rwan neu mi fydd mam yn andros o'i cho' . . . Gruffudd oedd isio ca'l deud bod y T'wysog Llywelyn ap Gruffudd yn dwad i Ddol'ddelan.'

Trodd y plant am adref ac fe synhwyrodd Mererid bod bwrlwm bywyd ogylch y lle unwaith yn rhagor. Naw wfft i Sioned y Rhyd a'i thebyg am fygwth y dôi'r estron i aflonyddu arnynt ac i ddymchwel y Castell! Rhaid oedd rhoi pob gewyn ar waith i baratoi erbyn dyfodiad y Tywysog. Doedd dim lle i wendid calon. Byw heddiw oedd yn bwysig. Cyn i'r dydd hwnnw o fis Mai ddod i'w derfyn tynghedodd Mererid na ddôi dim oll i'w gwahanu hi oddi wrth y Castell. Tros gorff marw Hywel Tudur, y Ceidwad, y byddai Castell Dolwyddelan yn cwympo!

VII

Wedi Troad y Rhod
Mehefin 1271

Bellach roedd yr haf yn cerdded ymlaen yn Nyffryn Lledr. Yr awyr
mor glir fel y gellid adnabod cri aderyn o bell. Prin bod siffrwd yn
yr awel. Roedd y coed yn llawn i'w hymylon ac ar eu heithaf cyn
bod y dail yn rhyw ddechrau trymhau. Gellid gweld gwragedd y
Llan yn golchi dillad yn yr afon cyn eu taenu ar y perthi a'r
tyddynwyr yn miniogi'r cryman i'r cynhaeaf. Yn gynnar y bore
arbennig hwn casglodd yr athro Pedr Grwm ei femrynau ynghyd
yn y Priordy ym Meddgelert cyn cychwyn ar ei daith wythnosol i
faenor y Fedw Deg. Pedr Grwm a fu'n gyfrifol am wthio dysg i
bennau bechgyn yr Ynad Coch nes i'r olaf ond un ohonynt fynd
dros y nyth ac Angharad Wen oedd honno. Ond yn ddistaw bach
fe sibrydodd yr athro yng nghlust yr Ynad Coch mai gwastraff amser
oedd ceisio gwthio Lladin a phethau felly i Angharad Wen a Deio
fab y Coediwr. Ond gyda golwg ar Gruffudd roedd hi'n fater
gwahanol.

Yn y Fedw Deg roedd yno lyfrgell fechan yn croniclo hanes y
Faenor er dyddiau'r arglwydd Iorwerth Drwyndwn ac yr oedd yno
sawl memrwn yn cynnwys canu'r beirdd o ddyddiau Prydydd y
Moch a Dafydd Benfras hyd at Llygad Gŵr a Bleddyn Fardd. Unig
gŵyn y disgybl Gruffudd oedd na fedrai'r athro Pedr Grwm
esbonio'r gynghanedd a'r mesurau. Gŵr dysg oedd yn bennaf.

Roedd Angharad Wen yn casáu'r gŵr gan ei alw yn 'hen ddyn
y lleuad'. Coesau meinion fel coesau'r dryw oedd ganddo a thraed
hir yn ymestyn yn fain at y bysedd fel gwrach. Y corff yn cwmanu
fel hanner lleuad a'r trwyn bachog bron cyrraedd yr ên. O godi'i
ben yn achlysurol byddai'n arferiad ganddo guro'i ddau fys bawd
yn chwyrn yn ei gilydd a hyn oedd yn codi braw ar Angharad. Curo
ei ddwydroed ynghyd wedyn, sawdl wrth sawdl. Eto fe ddwedid
ei fod yn ddewin dysg.

Ar y bore arbennig hwn yn y Fedw Deg adrodd chwedl am
ddewrion yr hen fyd yr oedd yr athro. Blinodd yr eneth efo'r sôn

am gleddyfau a phicellau'n fflachio ac am dywallt gwaed. Ei diddordeb pennaf y bore hwn oedd y rhuban yn fwa ar gopa'i chorun — rhuban coch tanbaid ar ei phen melyn-olau. Dyma'r anrheg a gafodd gan ei brawd hynaf, Ithel, o farchnad Aber-miwl wrth odre hen gaer Dolforwyn ar y Gororau. Newydd agor yr oedd y farchnad honno ac ni wyddai'r eneth ddim oll am y lle ond i'w brodyr fod yno'n rhan o osgordd y Tywysog. Ers rhai wythnosau bellach bu rhai o wŷr ifanc Gwynedd yn dilyn Llywelyn ap Gruffudd ar draws tiroedd Gwynedd a Phowys i gwmwd Cedewain ar lannau Hafren. Tybed beth a gâi hi yn anrheg gan ei brodyr y tro hwn meddyliodd Angharad gan synhwyro bod rhyw antur ogylch y Fedw Deg fel yn y chwedl yr oedd Pedr Grwm yn ei hadrodd. Fe ddwedid mai dyn prysur iawn oedd y Tywysog a'i Dywysogaeth yn ymestyn o lannau Menai hyd yr Hafren a dyffryn afon Wysg. Nid oedd yr un tywysog o Gymro wedi bod erioed mor bwysig â hwn! Ie, dyn mawr oedd y Tywysog.

Cnoi ei hewinedd y byddai Angharad fynychaf yng ngwersi Pedr Grwm a Deio'n sibrwd o'r tu ôl iddi, 'Mi fyddi wedi cnoi dy winadd i'r byw a fydd yr un Dywysoges am dy ga'l di'n siarad iaith y Norman nac yn gweini ar 'i phlant hi.'

'Cau di dy hopran, Deio'r Coediwr . . . y dwlyn!'

'Mae dy dad, yr Ynad Coch, wedi deud y gwna' i gystal milwr â Gruffudd.'

Os oedd yr Ynad Coch wedi dweud hynny tewi oedd orau i'r eneth. Meddai Deio y rhawg wedyn, 'Weli di Gruffudd, y stwffiwr dysg yn hongian wrth dy "hannar lleuad" di, Angharad?'

Rhythu mewn rhyfeddod mewn gwirionedd yr oedd Deio a'r eneth at allu'r mab maeth hwn i lyncu dysg Pedr Grwm. Doedd dim cenfigen yn eu calonnau nhw.

Hel meddyliau yr oedd Angharad pan glywodd sŵn carnau meirch ar fuarth y Faenor y bore hwnnw. Oedd, roedd y Tywysog wedi cyrraedd Dyffryn Lledr! Rhoddodd binsiad ar hynny ym mraich Gruffudd. Sibrydodd yn ei glust.

'Mae Lliwelyn . . . Lliwelyn wedi cyrraedd!'

Cochodd y llanc. Meddai hithau wedyn, 'Fedrat ti ddim deud "Llywelyn" fedrat ti, Gruffudd . . . dim ond "Lliwelyn" am hydoedd

39

pan oeddat ti'n fach nes i'r Brawd o 'Sbyty Ifan ddwad a dysgu i ti ddeud enw'r T'wysog yn iawn.'

Yr oedd herian yr eneth yn brifo weithiau a phrin bod yr hogyn yn ynganu enw'r Tywysog yn ddi-fefl hyd yn oed y diwrnod hwnnw gan fod rhyw nam bychan, bychan ar ei leferydd pan gynhyrfid o. Anniddigodd Gruffudd. Beth os na châi o weld ei Dywysog? Gynted ag y rhoddodd Pedr Grwm glo ar y wers fe heglodd Deio ei ffordd i'r buarth. Ond Ow'r siom i'r ddau arall! Erbyn iddynt gyrraedd porth y Fedw Deg doedd yno sôn am yr un enaid byw na sŵn ar wahân i gyfarth cŵn.

'Gad i ni fynd i'r stabal i weld ydy'r meirch yno,' meddai Gruffudd yn llawn cyffro.

'Hwyrach bod y T'wysog wedi gada'l,' meddai Angharad Wen, 'pan oeddan ni efo'r Pedr Grwm wirion yna!'

Ond na, roedd meirch yr osgordd i gyd yn y stabl yng ngofal y gwastrawd. Ond tybed a oedd march y Tywysog yno? Swatiodd y ddau rhag i'r gwastrawd eu gweld a rhedeg wedyn ar flaenau eu traed at neuadd y Faenor. Swatio fel llygod drachefn o'r tu ôl i'r ddôr agored gan wylio'r gweision yn gweini wrth fwrdd y wledd. O'r diwedd roedd eu traed yn dechrau cyffio. Dechreuodd Angharad Wen sibrwd yng nghlust yr hogyn.

'Mae ar fy mol i isio bwyd, Gruffudd. Tyrd! Mi awn ni i gysgod y swmer mawr. Mi gawn ni ogla'r wledd hyd yn oed os na chawn ni dama'd. Siawns na chawn ni weld y T'wysog.'

Yno y bu'r ddau y rhawg wedyn yng nghanol berw'r dyrfa a'r hogyn yn ofni efo pob eiliad na châi o gipolwg ar ei arwr. Yn dawel fach yng nghyfrinach ddofn ei galon ei hun wrth yr enw 'Lliwelyn' yr oedd o'n hoffi meddwl am ei arwr. Cyfrinach rhwng yr arwr ac yntau oedd hynny. Ond yr oedd yr arwr yn chwilio am yr hogyn yr eiliad nesaf. Gwaeddodd, 'Ble mae'r hogyn Gruffudd yna yn cuddio? Mi fynna' i weld sut mae o'n tyfu efo'i rieni maeth?'

Tro Angharad Wen oedd llusgo'r hogyn bellach allan o gysgod y swmer. Cerddodd yr eneth yn eofn at y Tywysog gan dynnu Gruffudd wrth ei sawdl. Cyfarchodd y Tywysog hi, 'Yr hogan efo'r gwallt melyn. . . . Beth ydy d'enw di, dywed?'

'Angharad Wen,' atebodd a rhyw swildod mawr wedi'i meddiannu hithau o'r diwedd. Gellid tybio nad oedd menyn yn toddi yn ei cheg. Dyma'r Tywysog yn ei chodi ar hynny yn ei freichiau a rhoi cusan ar ei boch a dweud, 'Mi dyfi i fod yn drysor i rywun. Pedair blynedd arall ac fe wnaet forwyn llys. Leiciet ti hynny?'

Nodiodd yr eneth ei phen.

'Mi gollaist dy dafod yn ddigon siŵr,' meddai'r Tywysog, 'ond mi fentra' i na chollodd yr hogyn Gruffudd ei dafod. Os do, mae rhyw anffawd wedi digwydd iddo.'

Ond ysywaeth yng ngŵydd yr osgordd yr oedd yr hogyn Gruffudd hefyd yn fud. Mater arall oedd cael bod wrtho'i hun yng nghwmni'r Tywysog fel ers talwm a chael ei gario ar farch y gŵr mawr ar i waered o'r Fedw Deg pan oedd coed mis Rhagfyr yn noeth. Ond ers talwm oedd hynny, yn y dyddiau pan ddôi'r arwr â phob math ar deganau pren o wneuthuriad Math Saer yn anrhegion iddo. Pan gododd yr hogyn ei ben o'r diwedd cafodd ei hun yn syllu i lygaid yr arwr a rhywbeth fel magned yn ei dynnu ato. Daeth gloywder i lygaid yr hogyn. Ni ddaeth i'w ran hyd yma i ddeall natur y dynfa rhyngddynt ond yr oedd y Tywysog wedi adnabod y düwch yn llygaid y llanc a'r cryfder oedd eisoes yn crynhoi yn yr ysgwyddau. Unwaith y tyfai hwn i'w oed byddai'n abl o gorff ac yn ôl tystiolaeth yr athro Pedr Grwm yr oedd yn llawn doethineb yn y pen.

Roedd y Tywysog mae'n amlwg ar frys ond cyn ymadael fe estynnodd bedol bres fechan loyw a'i gosod ar law y bachgen.

'Dyma i ti bedol bres o'r Gororau. Pan dyfi'n ddyn cei ei gwisgo ar dalcen y march. Pan dyfi di'n ddyn siawns na fyddi'n rhan o osgordd y Tywysog ei hun!'

Teimlodd Gruffudd ryw falchder mawr yn crynhoi o'i gylch. Hyd yma ni wyddai'r bachgen ddim oll am diroedd y Gororau. Wrth iddo syllu ar ryfeddod yr addurn hwnnw o bedol ar gledr ei law roedd fel pe bai ei ddyfodol wedi'i gywasgu o fewn y dernyn pres a Thynged yn dawnsio ynddo yng ngolau haul cynnar y pnawn. Ni wyddai ddim ychwaith am gasineb gwŷr y Norman yn y gaer yn Nhrefaldwyn a chenfigen yr arglwydd Gruffudd ap Gwenwynwyn o Gastell Pool am fod marchnad newydd y Tywysog yn Aber-miwl wrth odre Dolforwyn yn dwyn eu henillion oddi arnynt. Ni wyddai am hen hawliau tywysogion y Cymry i godi ceyrydd ar eu tiroedd eu hunain. Yn wir prin y clywodd am Gytundeb Trefaldwyn rhwng y Tywysog a'r brenin Harri Tri.

Yn niwedd y pnawn roedd Gruffudd ac Angharad Wen i lawr wrth y castell yn Nolwyddelan yn chwilio am Meistres Mererid ac yn llawn o ryfeddod y dydd hwnnw a'i anrhegion. Daethant ar draws y Feistres yn cario dwy fasged yn llawn o blanhigion. Gynted ag y gwelodd Angharad y wraig dechreuodd hel esgusion a'i thafod yn troi fel melin bupur. Meddai, 'Meddwl yr oedd Gruffudd a finna', Meistres Mererid, bod y T'wysog wedi dwad yn ôl i'r Castall wedi iddo ada'l y Fedw Deg.'

'Angharad Wen!' meddai'r wraig gan bwyso pob gair yn ofalus. 'Hel dychmygion yr wyt ti rwan. Mi wyddost bod y T'wysog a'i osgordd wedi gada'l am Ddyffryn Conwy ers oria'. Neithiwr yr oedd o a'r osgordd yn y Castall yn gwledda a thrafod hyd yr oria' mân er eu bod nhw wedi llwyr ymlâdd wedi'r siwrna' hir o wlad Powys. Mi es i allan i'r maes y pnawn yma gan 'i bod hi mor braf a'r dynion wedi gada'l am Abargwyngregyn. Rhaid dal ar y tywydd braf i gribinio'r maes achos mi fydd digon o angan meddyginiaeth ar glaf pan ddaw'r gaea'.'

Dal i brepian yr oedd yr eneth.

'Mi roedd ar Gruffudd isio gweld y T'wysog yn arw iawn. Mi fasa Gruffudd yn licio gweld y T'wysog o hyd ac mi gafodd o bresant gan y T'wysog o'r Gorora'.'

'A be' gest ti, Gruffudd?' gofynnodd y wraig yn eiddgar.

Agorodd y bachgen ei law chwyslyd ac yno roedd yr addurn bychan o bedol mewn pres gloyw. Edrychodd Meistres Mererid yn hir ar y bedol yn llaw yr hogyn. Meddai, 'Cyn i chi fynd, yr hen blant, mi â' i i stafall y Tŵr i chwilio am flwch i ti ga'l cadw'r bedol yn ddiogal, Gruffudd. Nid gwiw i ti golli honna. Mi gei di'i gwisgo hi ar y march wedi i ti dyfu i fyny. Mi fydd yn drysor i ti!'

Hyd yma nid oedd Angharad Wen wedi cael dweud ei stori hi ac meddai mewn osgo o hanner swildod,

'Meistres Mererid! Mi ges i ddeunydd sidan lliw sgarlad ac mi ges i freichled gan Ithel ond mae mam wedi'u cadw nhw yn y gist nes y bydda' i yn bymthag oed. Ond mi ga' i edrach arnyn nhw cyn hynny medda mam ond cha' i mo'u gwisgo nhw. . . . O farchnad Abar-miwl y daethon nhw.'

'Ac ymhle mae'r fan honno?' gofynnodd Meistres Mererid.
'Yn ymyl Castall Dolforwyn,' oedd ateb yr eneth yn llawn pwysigrwydd.

'Bobol bach, rydach chi'n gw'bod y cwbwl ddyliwn. Ac ymhle mae Castall Dolforwyn?' gofynnodd y wraig wedyn.

Y tro hwn edrychodd y ddau blentyn mewn syndod y naill ar y llall ac ysgwyd pen.

'Na hidiwch am hynny,' oedd yr ymateb caredig. 'Wn inna' ddim 'chwaith. Ond, dowch efo mi i stafell y Tŵr a siawns na chawn ni flwch bach i Gruffudd ga'l gosod y bedol bres ynddo fo.'

Dringodd y tri i fyny ochr y Garthau tua'r Castell a'r plant mae'n amlwg mewn rhyw fyd llesmeiriol. Roedd Meistres Mererid hefyd yn hapus yng nghwmni'r plant ac eithriad iddi hi oedd teimlo felly. Dilynodd y ddau blentyn hi drwy neuadd y Castell gan gerdded ar flaenau eu traed ac eistedd wedyn y naill ar ôl y llall yn y gadair dderw anferth lle bu'r Tywysog yn eistedd. Roedd cyffwrdd gwrymiau'r addurn yn y pren yn cydio dyn wrth y cenedlaethau. Yma bu dwylo y naill dywysog wedi'r llall yn rhwbio'r union bren hwnnw. Gan mor dawel oedd y lle hawdd oedd credu bod ysbryd y cenedlaethau coll o hyd yn y neuadd. Oedd, roedd popeth yn neuadd y Castell yn gysegredig i'r plant ar ddiwedd y pnawn hwnnw.

Pan ymadawodd y ddau blentyn o'r diwedd roedd yr hogyn Gruffudd yn cario pedol bres ei Dywysog mewn blwch efo deunydd sidan o'i fewn. Roedd Meistres Mererid wedi rhoi cod fechan i Angharad Wen yn hongian wrth wregys ar ei braich. Bu hon rywdro yn perthyn i wraig o'r llys ond bod amser wedi'i breuo. Roedd y mân berlau yn gloywi hyd-ddi yn haul y pnawn a'r eneth wedi cael modd i fyw. Dyna wraig garedig oedd Meistres Mererid yn darganfod trysorau cudd yn stafell y Tŵr.

Wrth ffarwelio efo'r plant daeth pang o hiraeth i galon Mererid. Drwodd a thro digon trymaidd oedd bywyd ond rywsut rywfodd ym mhlygion y diwrnod hwnnw roedd yno lonaid côl o lawenydd iddi hithau. Fe'i gwelodd yn ffurf y plant wrth eu gwylio yn gadael ffordd y Castell ac yr oedd o yno hefyd yn eu hymlyniad wrth y Tywysog ac wrthi hithau. Yn ddiweddar yr oedden nhw'n mynnu rhannu pob cyfrinach efo hi.

Erbyn hyn roedd y daith yn ôl i'r Fedw Deg yn ddigon blinedig i'r ddau blentyn ac yn fuan wedi pasio'r Llan dyma eistedd yng nghysgod coeden. Coeden dderwen fawr a welodd lawer o oesau. Yn y fan honno dechreuodd Angharad Wen blymio i ddyfnderoedd pethau.

'Gruffudd!' meddai'n ystyriol, 'pam rwyt ti'n meddwl bod y T'wysog yn dwad ag anrhegion i ti? Dydy o ddim yn dwad ag anrhegion i neb arall.'

Ysgydwodd yr hogyn ei ben yr un mor ystyriol. Meddai hithau wedyn, 'Mi ofynn'is i i mam ond doedd hitha' ddim yn gw'bod 'chwaith. Rhyfadd yntê, Gruffudd!'

Ni ddwedodd yr hogyn ddim. Dim ond dal i syllu a phendroni ac ymlid y gwybed plagus i ffwrdd. Syrthiodd tawelwch hir rhwng y ddau nes i'r eneth ofyn y cwestiwn poenus hwnnw,

'Dwyt ti ddim yn perthyn i mi, wyt ti, Gruffudd?'

'Nac ydw . . .'

'Ond leiciet ti fod yn perthyn i rywun?'

'Leiciwn,' meddai yntau wedi pendroni'n hir cyn ateb ac meddai o'r diwedd, 'Mi rydw i'n leicio Meistres Mererid yn y Castall.'

'A finna', Gruffudd.'

Cododd y ddau ar hynny ac erbyn hyn, wedi'r siwrnai yn ôl a blaen o'r Fedw Deg i'r Castell roedd y mymryn cloffni wedi gafael yn ffêr yr hogyn. Dilynodd y ddau lwybr y coed tua'r Fedw Deg. Erbyn hyn hefyd fe fyddai'r Tywysog wedi cyrraedd pen ei siwrnai yng nghyffiniau Caerhun tua gwaelod Dyffryn Conwy. Daeth min nos o'r diwedd. Min nos dechrau haf pan oedd byw yn felys ond yn llawn dirgelwch.

VIII

Mis Mai, 1272

Fe aeth blwyddyn arall heibio a digon prin oedd y newyddion a ddôi i glyw gwerin Cymru a phan ddeuent roedden nhw'n hen. Yr oedd yr Ymennydd Mawr, meddid, a'r Brawd Flavius wedi hen ddychwelyd i Abaty Aberconwy o grwydro gwledydd Cred. Aeth y sôn am yr Ymennydd Mawr ar led am y tybid ei fod yn hŷn na'r Hen Ddihenydd ei hunan! Cadw'n glòs i'r Abaty yr oedd o mwyach ond ei grebwyll mor finiog ag erioed. Aethai ei enw yn ddihareb gwlad er nad oedd i'w weld byth yng ngŵydd y bobl. Dywedid bod ei freuddwydion erbyn hyn yn borthiant i'r cymedrolwyr yn ogystal ag i'r eithafwyr. Ymhob oes tuedd henaint oedd peri i ddynion barchuso yng ngolwg cenhedlaeth newydd a hyn a ddigwyddodd efo'r Ymennydd Mawr. Aeth yn angof ddyddiau gwrthryfel y gwylliaid yn Eryri yn amser Gruffudd ap Llywelyn ond roedd rhai o garcharorion y cyfnod hwnnw yn rhydd yn y mynyddoedd erbyn hyn. Un o'r rhai hynny oedd Castan Ddu a ddihangodd o'r gaer yng Nghricieth ddegawd cyn hyn.

Roedd sibrydion hefyd am garfanau newydd yn crynhoi yn yr ucheldiroedd ac fe ddwedai rhai fod Meibion Uthr Wyddel yn heidio i Ddyffryn Conwy. Ond hyd yma y cwbl a wnaeth y rheini oedd dwyn defaid a lladrata oddi ar uchelwyr Uwch Aled. Cedwid pob sibrydion am Feibion Uthr Wyddel o dan glo!

Gyda'r sôn am yr Ymennydd Mawr yn dychwelyd o grwydro gwledydd Cred soniodd rhywrai am Elinor ferch Symwnt Mymffwrdd yn alltud yng ngwlad Ffrainc a bod ei brawd Guy wedi lladd Henry o Almain, nai brenin Lloegr. Yn eglwys Viterbo yn yr Eidal y digwyddodd hynny ac yn ôl gwŷr y llys rhoi tanwydd yn y fflamau oedd hynny gan atgyfodi'r hen elyniaeth yn erbyn tylwyth y Montfordiaid. Os felly, pa obaith oedd i Elinor Mymffwrdd ddod i'r llys yn Abergwyngregyn nac ychwaith pa obaith oedd y genid yr hir-ddisgwyliedig fab i'r Tywysog Llywelyn ap Gruffudd? Roedd y ddyweddi Elinor erbyn hyn yn ugain oed a blynyddoedd ei beichiogi ym myd tywysogion yn lleihau. Ond na hidiwn, meddai'r bobl, canys y mae meibion gan y mab iau Dafydd ap Gruffudd a'i wraig Elisabeth Ferrers, ferch Iarll Derby o dylwyth brenin Lloegr. Roedd y wraig honno'n gynhyrchiol iawn ac nid oedd unrhyw berygl felly i'r olyniaeth yn hanes tywysogion Gwynedd!

Digon prin fu ymweliadau'r Tywysog â'r lle hefyd yn ystod y flwyddyn arbennig hon gan ei fod yn brysur yn gwarchod tir y Gororau ac yn codi caer yn Nolforwyn ar lannau Hafren ac yr oedd y fangre honno ymhell o Ddolwyddelan a thir Gwynedd. Gwŷr y llys yn unig oedd yn gwybod am arglwyddi'r Norman fel Rhosier Mortimer, Gilbert de Clare a Humphrey de Bohun, y gwŷr yn llygadu caer newydd y Tywysog yn Nolforwyn fel barcutiaid. Ni ddaeth i glyw'r werin ychwaith fod yr hen frenin Harri Tri yn gwanychu ac y byddai'r bombast o dywysog — Edward wrth ei enw — yn dychwelyd i wlad Lloegr yn y man o'r Crwsâd. Hyd yma ni welodd y genhedlaeth iau ymhlith y Cymry un argoel o storm yn unman.

Y mis Mai hwn yn Nolwyddelan roedd yr holl wlad wedi ireiddio ar ôl y glaw a'r coed i gyd, y dderwen, yr onnen a'r llwyfen yn ddeiliach mân o wyrdd gloyw. Y dyddiau hynny cymerodd yr hogiau Gruffudd a Deio arnynt eu hunain farchogaeth dros y gefnen i gyfeiriad Cwm Penmachno. Roedd y ddau yn breuddwydio am yr amser pan gaent gario saethau yn y cwdyn ynghlwm wrth y cyfrwy efo'u traed yn ddiogel yn y gwarthaflau. Bu'r ddau hefyd yn dal rhyw greadur neu'i gilydd a'u hongian wrth wialen ar yr ysgwydd. Cwningen neu rugiar fynychaf i'w rhannu i dlodion y Llan a hen wragedd fel mam Ifan Rhyd.

Digiodd Angharad Wen braidd wrth yr hogiau ac ar y bore arbennig hwn o Fai oedodd hyd y maes yn esgus astudio'r tyfiant ym môn y perthi. Roedd y lle yn llawn o flodau'r ddraenen wen ac ambell glwstwr o friallu yn swatio mewn cilfach. Tueddu i gecru y bu'r tri phlentyn yn ddiweddar a Gruffudd yn ei swrcod o groen carw yn lluchio'i gylchau hyd y lle. Rhwng popeth nid oedd mor bleserus â chynt i'r eneth.

'Pam rwyt ti'n llusgo fel malwan, Angharad Wen?' oedd cwyno dyddiol Deio.

'Hogan ydy hi,' meddai Gruffudd fel tase hynny'n anfri mawr ar yr eneth. 'Fedar hogan ddim dal i fyny efo bechgyn!'

Ond yr oedd hithau yn barod ei hateb hefyd.

'Mi wn i enwa' creaduriaid a bloda'.'

Troes wedyn yn herfeiddiol at Deio.

'Wyddost ti, Deio'r Coediwr, pam y bydd Meistres Mererid yn hel llysia' pan fydd y lleuad ar ei dyfiant?'

Ysgydwodd y llanc ei ben yn sgornllyd. Digon amwys oedd sylw'r eneth hefyd pan ddwedodd, 'Am mai peth da ydy hel llysia' yr adag honno a pheth drwg ydy hel llysia' pan fydd y lleuad yn 'i wendid.'

'Gwendid merchaid!' oedd sylw nesaf y llanc.

'Nid gwendid oedd o, Deio, i Meistres Mererid roi ffisyg y clafrllys mawr i ti at y peswch a mendio troed Gruffudd.'

Trodd yr eneth wedyn at y ffefryn a dweud, 'Ac mae dy droed di wedi gwella yn tydi, Gruffudd?'

Ond parhau i'w herian yr oedd Deio.

'Wyddost ti, Angharad, fod gwrachod yn godro llyffaint duon i 'neud gwenwyn?'

'Wel, Deio'r Coediwr, mi wn i nad ydy Meistres Mererid yn godro llyffaint. Gwella pobol nid 'u gwenwyno nhw y bydd hi!'

Tynnodd ei thafod allan ar hynny ar y llanc. Busnes anodd oedd y busnes tyfu i fyny yma. Yn ddistaw bach roedd yr eneth yn dyheu am gael deall llysiau'r maes a chael eu trafod efo Meistres Mererid er mwyn medru trin clwyfau a hel y felan i ffwrdd ac iacháu plant tlodion. Hyd yma doedd ganddi neb i'w dysgu a blinodd ar ddysg Pedr Grwm o Briordy Beddgelert. Roedd hwnnw yn credu ei bod yn ddwl ond am Gruffudd, yr oedd hwnnw yn llyncu ei ddysg. Merch oedd hi yn mynnu torri ei chŵys ei hun.

Cyn diwedd pnawn y dydd hwn o fis Mai daeth Gruffudd dros y gefnen efo grugiar waedlyd yn hongian wrth wialen dros ei ysgwydd. Ffromodd Deio am nad oedd wedi llwyddo i ddal yr un creadur y diwrnod hwnnw. Gofynnodd yn sorllyd, 'Ac i ble'r wyt ti'n mynd â'r grugiar yna, Gruffudd?'

Caeodd Gruffudd ei wefusau'n dynn gan droi y ferlen i gyfeiriad y Castell.

'Os mai am bobol fawr y Castall yr wyt ti'n hwylio mynd, mi gymra' i y goes am adra!' meddai Deio. Ac i ffwrdd â fo. Peth da oedd cael ei gefn mewn gwirionedd ac yno ger godre tomen y Castell roedd Angharad yn aros amdano. Ni ddwedodd yr un ohonynt air dim ond dringo'r ffordd yn araf at y porth mawr. Tyfodd dealltwriaeth gyfrin rhwng y ddau hyn. Byddai rhyw nerfusrwydd yn dod drostynt yn wastad wrth nesu at y Castell oherwydd mawredd a hynafiaeth y lle yn bennaf. Torrodd yr eneth y garw o'r diwedd.

'Does dim raid i ti ofni, Gruffudd. Fydd Meistres Mererid ddim yn deud y drefn.'

Mewn gwirionedd, dyna'r peth olaf a ddisgwyliai'r hogyn y pnawn hwnnw wedi'r fath ymdrech i ddal y grugiar. Ofn cael ei alw'n ffŵl yr oedd, yn sefyll o flaen y porth mawr efo'r creadur gwaedlyd ar ei ysgwydd.

Clymodd y ddau y ddwy gaseg wrth y dderwen oddi allan i'r porth cyn canu cloch y Castell. Gellid clywed y gloch yn atseinio drwy'r muriau cerrig trwchus i'r pellteroedd. Ymhen y rhawg ymddangosodd ceidwad y Castell, sef Hywel Tudur, a dau filwr i'w ganlyn. Ar y dydd arbennig hwn roedd y ceidwad yn ddigon serchus ei wala ond aeth y ddau blentyn yn fud. Meddai,

'Druan o'r grugiar hefyd. Mi gollodd honno ei bywyd ac mi gollodd y ddau ohonoch chi eich tafoda', ond gad i mi weld corff y grugiar, Gruffudd, i mi ga'l deall sut anelwr wyt ti.'

Cydiodd y gŵr yn y creadur marw a'i astudio'n ofalus. Meddai gyda nodyn o ganmoliaeth, 'Mi 'nelaist yn union, Gruffudd, a phrin bod y deryn wedi diodda' dim. Mi wnei filwr da ryw ddiwrnod.'

Cododd Gruffudd ei ysgwyddau y mymryn lleiaf. Dyna braf oedd canmoliaeth gŵr y Castell. Trodd y gŵr at Angharad wedyn. Meddai,

'A be' ddaliaist ti, Angharad, mwy na chadw trefn ar yr hogyn Gruffudd?'

Nid oedd hynny wrth ei bodd. Llaciodd ei thafod o'r diwedd a dweud,

'Meistar Hywal Tudur! Mae arna' i isio gair efo Meistras Mererid . . . dyna pam y dois i yma efo Gruffudd.'

'Os felly,' meddai'r gŵr, 'mi gei di air efo Meistras Mererid'. Tynnodd y gŵr yn rhaff y gloch gyda llawer mwy o rym nag eiddo'r plant. Pan ddaeth Meistres Mererid i'r golwg o'r diwedd meddai,

'Wedi dal grugiar y mae Gruffudd. Anelwr o'r siort ora' ond mae ar y ddau eisiau i chi lacio llinyn eu tafoda'.'

Unwaith y cafodd Angharad gefn Hywel Tudur fe ddechreuodd barablu.

'Gruffudd sy' wedi dal grugiar ar y llechwadd ar ffordd Penmachno ac yn meddwl y basach chi'n licio pastai, Meistres Mererid. Dim ond newydd ladd y grugiar y mae o. Dydy'r gwaed ddim wedi oeri eto.'

Synhwyrodd y wraig bod y ddau ar drywydd rhywbeth neu'i gilydd. Meddai,

'Mi awn ni drwodd i'r gegin a hwyrach fod yno ddiod o laeth a theisen gri i grwydriaid blinedig.'

Fodd bynnag, wrth fwrdd y gegin roedd y plant eto'n fud. Eisteddodd Gruffudd yn anesmwyth wrth ochr Angharad gan osod y wialen efo'r deryn ynghlwm wrthi dros gefn y fainc. Edrychodd Meistres Mererid yn ddigon petrus o'r naill i'r llall yn yfed y llaeth yn ddigon awchus ond heb ddweud dim. Nid oedd yr eneth wedi cyffwrdd yn y gacen gri hyd yma.

'Angharad Wen! Rwyt ti wedi bod i fyny yn y mynydd yn colli d'archwaeth.'

'Fues i ddim yn y mynydd. Mi es i allan i'r maes i aros i'r hogia' ddwad yn ôl.'

'Mi wela' i. Pnawn digon unig felly.'

Gruffudd oedd yr un i neidio i'r adwy y tro hwn. Roedd canmoliaeth ceidwad y Castell wedi rhoi hyder ynddo. Meddai,

'Mi wel'is i Angharad yn trio asio coes deryn du yn y Gartha' ac yn rhoi eli ar glwyf grugiar.'

Torrodd Angharad ar ei draws.

'Ond ddaru nhw ddim mendio, yn naddo Gruffudd?'

'Naddo, achos roeddan nhw wedi hanner marw yn barod.'

Roeddynt wedi torri'r garw erbyn hyn.

'Mi wela' i,' meddai Meistres Mererid, 'rydw i'n synhwyro bod arnat ti, Angharad, eisiau bod yn llysieuwraig yn gneud ffisyg ac eli, ac felly mi fydd yn rhaid i ti ddysgu'r grefft.'

Sylwodd fod yr eneth yn gwyro'i phen.

'Oes yna bry' yn y gacan,' gofynnodd y wraig, 'neu oeddat ti am ofyn rhywbath, Angharad? Beth am i ti ddwad o gwmpas y caea' efo mi ac i lawr i'r gors i gasglu planhigion? Cofia di mai gwaith ara' deg fydd dysgu bod yn llysieuwraig. Gwaith greddf a phrofiad.'

Gwenodd yr eneth a thyllu i'r gacen gri. Trodd y wraig ar hynny at Gruffudd. 'A thra bydd Angharad yn dysgu'r grefft o drin claf mi gei ditha' a Deio ymarfar efo'r milwyr ar y Gartha. Mi ddeudodd Hywal Tudur dy fod yn 'nelwr da.'

Hysiodd y plant i fynd adre efo'r sylw,

'Mi wna' inna' bastai efo'r grugiar ac mi fydd hynny'n plesio Hywal Tudur a'r hogia ogylch y lle.'

Wedi i'r plant ymadael fe deimlodd Mererid bod rhyw edeuon cudd yn dechrau clymu ynghyd er gwaetha popeth yn ei bywyd hithau. Onid oedd ei gŵr, Hywel Tudur, wedi dweud bod yr hogyn Gruffudd yn 'anelwr o'r siort ora'?'

Gallai bywyd fod yn garedig weithiau.

IX

DOLWYDDELAN

Dechrau Mehefin, 1272

Gan ei bod hi'n ddiwrnod o haf go iawn yn nyffryn Lledr a'r awyr yn las a digwmwl uwch ben Dolwyddelan a chribau Moel Siabod bron cyrraedd yr awyr, fe frysiodd Angharad Wen ar y ferlen i lawr o'r Fedw Deg nes cyrraedd porth y Castell. Heddiw yr oedd ei thaith gyntaf efo Meistres Mererid hyd y maes ac ochrau'r llechweddau yn hel blodau a llysiau. Gwers iddi gyfarwyddo efo enwau tyfiant y maes oedd hon i fod. Pa un a oedd deunydd llysieuwraig ynddi ai peidio amser yn unig a brofai hynny. O leiaf cafodd ddianc oddi wrth wersi Pedr Grwm yn llafarganu rhes o ferfau a gwaith y beirdd. Roedd Deio ar drafael yn rhywle hefyd a chafodd Gruffudd gyrlio'n braf fel pry genwair yn noethinebau'r athro. Trafod bardd mawr o Bowys yr oedd Pedr Grwm. Owain Cyfeiliog oedd yr enw. Canodd gerdd a elwid yn 'Hirlas Owain' ac yn y gerdd sonnid am wledd yn neuadd yr arglwydd yn dilyn brwydr a fu y bore hwnnw. Galwodd yr arglwydd ar y 'menestr' yn y wledd i dywallt y gwin i gwpan pob milwr un ac un. Ysywaeth nid oeddynt yno. Fe'u lladdwyd ar faes y frwydr y bore hwnnw. Aeth yr athro Pedr Grwm ati i lafarganu gyda rhyw dristwch a phathos dwfn y geiriau:

> Ochan Grist! mor wyf drist o'r anaelau,
> O goll Moreiddig, mawr ei eisiau.

Sôn yr oedd am y boen o golli'r gŵr ac i'r llanc Gruffudd y bore hwnnw fe ddaeth Angau ei hun yn rhywbeth byw ysgytwol. Bron nad oedd yn clywed griddfan yr arglwydd oblegid colli'r gwŷr. Ond yr oedd yno rai eto'n fyw. Pam felly digalonni gan fod yno wŷr i yfed i anrhydedd eu harglwydd? Bardd o filwr oedd y gŵr hwn o Bowys yn ôl Pedr Grwm ac felly y mynnai Gruffudd fod ryw ddydd yn trafod cledd yn ogystal â geiriau. Meddiannwyd y disgybl yn llwyr gan hud ambell awr fel hon ym mhresenoldeb yr athro rhyfedd hwn na fyddai byth yn codi'i ben o'i ysgwyddau crwm i edrych yn ei lygaid. Llafarganu â'i wyneb at y ddaear a wnâi fel rhyw ddewin o'r canrifoedd pell. Dysgodd Gruffudd hefyd resi o enwau arwyr y cynfyd. Clywodd enwi Owain ab Urien a Chynddylan. Uniaethodd ei hun â'r enwau i gyd — Elfan, Cynan, Cynwraith, Cynon, Gwion a Gwyn. Roedd sôn am waed yn cochi daear mewn brwydr ac am goed yn cwympo ac yn crino. Dim ond agor cil y drws oedd hyn i'r llanc ac o bryd i'w gilydd fe ddôi beirdd llys fel Llygad Gŵr o Edeirnion a Bleddyn Fardd heibio i'r Fedw Deg. Siawns na châi ddysgu am y mesurau a'r gynghanedd wrth droed y meistri hyn. Eto, o bryd i'w gilydd dôi cynrhonyn aflonydd i gnoi ei fod. Sonnid am Owain fab Urien ac am Gynddylan fab Cyndrwyn, ond mab i bwy oedd o? Ar Angharad Wen yr oedd y bai yn mynnu holi a stilio parthed rhyw ddirgel bethau.

Pan gyrhaeddodd Angharad borth y Castell y bore hwn roedd Meistres Mererid yn aros amdani efo dwy fasged wellt — un ymhob llaw. Estynnodd y fasged fechan i'r eneth, un oedd wedi hen dreulio, ac meddai,

'Hwda! Mi gei di gario honna. Pan oeddwn i'n hogan yn dwad i Ddol'ddelan bob haf o Abargwyngregyn, mi fyddwn i'n cario'r fasgiad yn dilyn fy mam hyd y caea'.'

Rhoddodd y wraig ryw hanner ochenaid wedyn a dweud,

'Dyddia' braf oedd y rheini. Does dim fel dyddia' plentyndod. Ond tyrd, mi gychwynnwn ni.'

Roedd Mererid yn cario ffon i'w harbed rhag y drain a'r tyfiant bras yn y perthi. Erbyn hyn roedd tyfiant yr haf yn cyrraedd ei eithaf a'r wlad yn felys odiaeth. Rhyw lithro'i ffordd i lawr tomen y Castell a wnaeth Angharad efo'r fasged fechan yn ei llaw. Collodd ei gwynt yn lân ac erbyn cyrraedd y gwaelod roedd yn dda ganddi aros am Meistres Mererid. Dotiodd yr eneth at harddwch y wraig ac at dôn ysgafn ei llais oedd yn wahanol i bob person byw arall. Roedd hi'n hanner addoli'r wraig a'r olaf yn ei thro yn cael boddhad yng nghwmni bywiog yr eneth. Y diniweidrwydd cynhenid yn gymysg ag osgo henaidd yr eneth oedd yn apelio.

Hamddena o dan y perthi y bu'r ddwy. Roedd yno glystyrau o friallu a'r fioled ond tueddu i droi at flodau mwy eu maint ym môn y llwyni yr oedd y Feistres. Blodau oedd yn atgas gan Angharad oedd y rheini. Roedd yr eneth eisoes yn nabod bysedd y cŵn a dalan poethion oedd yn llosgi'r coesau. Ond sylw'r wraig bob tro oedd, 'On'd tydy o'n flodyn tlws!' Pwysleisiodd Mererid bod bysedd y cŵn yn dda at fyddardod a'r dalan poethion yn dda at grygni.

Dringodd y ddwy lwybr y mynydd a chyrraedd darn o dir glas o'r diwedd. Meddai Mererid,

'Mae gen i dama'd o fwyd yn y lliain yn y fasgiad yma, Angharad. Gan 'i bod hi mor braf does dim rhaid brysio. Siawns na chawn ni ddŵr o ffynnon y llechwadd ac os galwn ni yn nhŷ Sionad y Rhyd mi gawn lyma'd o laeth enwyn i dorri syched.'

Erbyn hyn roedd Angharad wedi hel tuswau o flodau'r maes i'w basged a dyna braf oedd cyrraedd y boncen agored o'r diwedd.

'Mi steddwn ni yn y fan yma,' meddai Mererid toc, 'ac os oes arnat ti isio diod rhed at y nant. Mae hi'n ddigon croyw ac mi fedri gwpanu diod yn dy ddwylo.'

Oedd, yr oedd y dŵr yn oer, oer ac yn fendithiol iawn. Pan ddychwelodd yr eneth at y boncen roedd yno liain gwyn wedi'i daenu ar y ddaear ac arno defyll o fara ffres a dau ddarn o gaws a theisen gri. Drwy drugaredd ni ddaeth yr un morgrugyn ar eu cyfyl ac yno bu'r ddwy yn mwynhau blas y mynydd ar y bwyd.

'On'd ydy'r dyffryn yma'n dlws, Angharad,' meddai Mererid. 'Mae hi mor dawel ymhobman.'

Bu Angharad yn pendroni am ysbaid ac meddai yn y man,

'Wyddoch chi, Meistres Mererid, mae Gruffudd yn deud nad oedd hi'n dawal yn Nol'ddelan bob amser a bod rhywrai wedi bod yn ymladd a thywallt gwaed hyd y lle.'

'Tywallt gwaed ers talwm hwyrach, ond mae hi'n dawal yma heddiw.'

'Wyddoch chi'r Tŵr yn y Castall, mae Gruffudd yn deud mai Iorwarth Drwyndwn oedd y tywysog a gododd hwnnw. Roedd trwyn Iorwarth Drwyndwn yn gam!'

Chwarddodd y Feistres ac wedyn doedd dim pall ar yr eneth.

'Mae Gruffudd yn sglaig ofnadwy,' oedd y sylw nesaf.

'Ydy yn ôl pob sôn.'

'Mae o'n dysgu iaith a gwaith y beirdd, ond wyddoch chi, Meistres Mererid, dydy Gruffudd ddim bob amsar yn hapus. Weithia' mi fydd yn drist iawn.'

Unig sylw Meistres Mererid oedd,

'Os ydy Gruffudd yn sglaig mi aiff drwy'r byd yma yn burion ddigon.'

53

Bellach gan fod y pryd bwyd drosodd cododd y wraig oddi ar y glaswellt gan ysgwyd y briwsion o'r lliain.

'Mi gaiff adar y mynydd y rheina, Angharad,' meddai. 'Cystal i ni fynd sbel i fyny llwybr y mynydd.'

Ac felly y trodd y ddwy eu cefnau am ychydig ar y dyffryn. Sylwodd Angharad ar glamp o genau-goeg yn symud yn hamddenol ar y llwybr. Ow! roedd yn gas ganddi'r creaduriaid ymlusgol hyn! Synhwyrodd y wraig ei hofn.

'Creadur digon atgas ydy o hefyd,' meddai, 'a fedrwn inna' mo'i oddaf o yn blentyn.'

Cyrraedd copa'r llechwedd o'r diwedd.

'Mi fydd y grug yn sioe o liw erbyn diwadd Awst a dyna i ti flasus ydy mêl migwyn mynydd,' meddai Mererid.

Medrid gweld i'r pellteroedd o'r fan honno.

'Tasa ni ganllath neu fwy yn uwch mi welen y môr,' meddai'r wraig wedyn. 'Leiciat ti weld y môr, Angharad?'

'Leiciwn yn ofnadwy, a Gruffudd hefyd.'

Dyna lle roedd yr eneth yn mynnu gwthio enw'r hogyn i bob sgwrs. Yna fe ddechreuodd yr holi.

'Meistras Mererid! Fuoch chi yn Abargwyngregyn erioed?'

'Do, ers talwm . . . ond ddim ers tro byd rwan. Ddim ers blynyddoedd o ran hynny.'

'Ydach chi'n leicio'r môr?'

'Na, mae'n well gen i'r mynydd.'

'Mi leicia Gruffudd ga'l bod yng ngosgordd y T'wysog yn Abargwyngregyn. Mae fan'no wrth y môr yn tydy?'

'Ydy. A be' wyt ti am fod?'

Edrychodd Angharad Wen yn ddigon amheus ar ei basged. Yn wir, doedd hi ddim yn siŵr erbyn hyn a oedd hi am fod yn llysieuwraig rhwng gweld y gwe-pry-cop hyd y perthi a'r genau-goeg a'r dalan poethion! Peth arall efallai fyddai dysgu rhoi rhwymyn am ffêr chwyddedig fel ffêr Gruffudd ers talwm.

'Na hidia,' meddai'r wraig garedig, 'mi gymar amsar i ti ddygymod efo gneud ffisyg llysiau ond os oes gen ti galon at y gwaith fydd yna yr un dim i'th lesteirio di. Mi awn ni ar ein penna' i lawr y llethrau rwan, Angharad, am fwthyn y Rhyd. Siawns na chawn ni dorri'n sychad yn y fan honno.'

Ond yr oedd yna un gyfrinach fach yr oedd yr eneth yn benderfynol o'i rhannu efo Meistres Mererid y pnawn hwnnw. Cydiodd yn sgert y wraig a pheri iddi aros.

'Meistras Mererid!' meddai yn ei dull hen ffasiwn o ddweud y gwir plaen. 'Mae Gruffudd am i mi ddeud 'i fod o yn eich leicio chi yn ofnadwy ac mi rydw inna' yn eich leicio chi hefyd yn ofnadwy iawn.'

Llanwodd llygaid Mererid efo dagrau ond ni ddwedodd air o'i phen. Ni wnaeth ddim ond pydru ymlaen i lawr y llwybr. Dyma ddiwrnod gogoneddus o braf o'r diwedd ym mis Mehefin a'r greadigaeth ar ei gorau a'r ferch hon yn mynnu ei brifo yn ei diniweidrwydd. Roedd y cwbl fel rhaff Tynged yn clymu amdani heb iddi byth allu ffoi rhagddi. Sychodd ei llygaid efo blaen ei llawes a daethant o'r diwedd at y Rhyd. Roedd yr hen Sioned wedi 'nabod sŵn troed y wraig o'r Castell.

'Dowch i mewn, yr hen blant!' meddai.

Unwaith y daeth llygaid Angharad i ddygymod efo tywyllwch y bwthyn wedi dellni'r haul, fe ddechreuodd astudio pob twll a chornel. Roedd y bwthyn yn lân ryfeddol ac ôl diwydrwydd Sioned ymhob cornel ohono. Cist fechan yn dal llwyth o ddillad newydd eu hel o'r perthi yn union wrth y pared lle roedd mur y gegin yn ffinio efo llety'r anifeiliaid. Yng nghanol y llawr pridd roedd yno le-tân wedi'i adeiladu o gerrig ac ar hwnnw drybedd a chrochan yn ffrwtian canu arno.

'Pwy sy' hefo ti?' gofynnodd Sioned o'r diwedd.

'Angharad Wen o'r Fedw Deg.'

'Merch yr Ynad Coch . . . o deulu peniog . . . cyfoethog.'

Trodd Sioned at yr eneth a dweud,

'Dwed i mi ymhle mae'r hogyn Gruffudd a hogyn y Coediwr fydd hefo ti hyd y lle yma?'

'Wn i ddim ymhle mae Deio,' oedd yr ateb, 'ond mae Gruffudd efo'r athro Pedr Grwm.'

'Hogyn peniog,' meddai Sioned wedyn, 'ac o dylwyth peniog.'

Torrodd Mererid ar ei thraws gan fod y sgwrs yn peri anesmwythyd iddi. Peth ffôl oedd iddi ddod ag Angharad i'r Rhyd mewn gwirionedd ac eto roedd rhyw ramant ogylch y Rhyd yn ei

55

denu yno drachefn a thrachefn. Hen ramant oedd yn gwrthod cilio gwaethaf yn ei dannedd.

'Mi gymar Angharad Wen lyma'd o laeth enwyn, Sionad, os oes gynnoch chi beth i'w sbario,' mentrodd Mererid.

'Wrth gwrs y ceith hi a chditha' hefyd.'

Daeth yr hen wraig â dwy gwpan iddynt o'r diwedd a chan dywallt y llaeth enwyn o'r potyn pridd roedd hi'n dal i barablu. Soniodd fel y bu i Mererid dynnu'r gwenwyn o'r clwyf pan aeth saeth i gefn llaw Ifan bach ers talwm.

'Sawl blwyddyn yn ôl yr oedd hynny, Mererid?' gofynnodd.

'Mae amsar yn cerddad ac anodd deud,' oedd ateb y wraig ifanc.

Daeth Angharad i mewn i'r sgwrs ar hynny. Meddai,

'Rydw i wedi pasio fy neuddeg oed.'

'Ac yn enath braf o'th oed,' ychwanegodd Sioned. 'Mi fyddi'n ddeunaw cyn i ti droi rownd ac yn wraig i arglwydd gwlad yn rhywla ar dy olwg di.'

'Pan fyddi di wedi gorffan yfad y llaeth enwyn yna, mi fydd yn amsar i ni 'i throi hi, Angharad,' gorchmynnodd Mererid.

Ond mynnodd Sioned barablu ymlaen am yr arglwydd Dafydd ap Gruffudd wedi hynny a'i wraig o Normanes.

'Ac mae honno'n ffrwythlon drybeilig yn ôl y sôn,' meddai. 'Tasa'r T'wysog Llywelyn ap Gruffudd yn marw'n ddietifadd mi ddaw hogia'r arglwydd Dafydd i'r llys yn Abargwyngregyn.'

Aeth ati wedyn i sôn am Owain ap Gruffudd yng ngharchar Dolbadarn ac yr oedd yr eneth Angharad Wen yn glustiau i gyd.

'Owain Goch oedd yr enw ar lafar gwlad,' meddai, 'a pheth brwnt oedd i frawd ddal brawd yn gaeth am gyhyd o amsar. Mae 'i goesa' o'n madru yn y lle meddan nhw.'

Roedd Sioned ar fin sôn am y gaer newydd yn Nolforwyn ar y Gororau pan gododd Mererid o'r diwedd i ymadael.

'Rhaid i ni fynd, Angharad,' meddai, 'cyn i gŵn y Castall ddwad i chwilio amdanon ni!'

Addawodd Mererid ddwad â llonaid piser o fwyar duon i Sioned cyn diwedd yr haf.

'Da chdi, paid â gyrru'r haf i gerddad cyn pryd,' oedd yr ateb cwta.

Ffarweliodd y ddwy ferch â bwthyn y Rhyd o'r diwedd gan adael yr hen wraig yn gogor-droi yn ei meddyliau. Roedd Meistres Mererid yn hollol fud wrth iddynt groesi dros y gefnen tua'r Llan a'r foment honno fe ddechreuodd Angharad Wen ogor-droi yn ei meddyliau hithau. Roedd hi'n teimlo'n flinedig rhwng gwres y daith a siarad y merched hŷn ym mwthyn y Rhyd. Rhyw hanner ddeall pethau yr oedd hi. Tybed a fentrai hi ddweud wrth Meistres Mererid bod Gruffudd yn bygwth y gallai'r arglwydd Dafydd ap Gruffudd ladd y Tywysog a'i fod o'n chwennych cael meddiannu tir Eryri iddo'i hun? Na, bod yn dawel oedd orau. Cododd Angharad glwstwr o'r briallu o'i basged a rhwbio'u petalau melfed ar ei boch. Cafodd gysur o hynny. Ni thorrwyd gair rhwng y ddwy ohonynt am y gweddill o'r siwrnai.

Yno wrth y porth mawr yr oedd y ddau fachgen Gruffudd a Deio yn aros amdanynt a merlen yr eneth yng ngofal yr hogyn Gruffudd. Roedd golwg boenus ar yr hogiau. Ymhle roedd Meistres Mererid a'r eneth wedi bod cyhyd? Pam yr oedd y ddwy mor welw? A oedd neidr wedi brathu'r eneth neu a oedd draenen wedi gwthio i fys gwraig y Castell? Torrodd Meistres Mererid ar ei mudandod o'r diwedd.

'Angharad Wen! On'd wyt ti'n lwcus efo'r ddau hogyn yma'n aros amdanat ti?'

Ar hynny cymerodd Gruffudd arno ei fod yn gloff.

'Dwyt ti erioed yn cwyno efo'r ffêr yna eto, Gruffudd?' gofynnodd y wraig.

'Cogio y mae o,' meddai Deio, 'tynnu'ch coes chi, Meistras Mererid.'

'Tynnu coes yn wir! Pan mae hogia' yn dechra' tynnu coes maen nhw'n dechra' mynd yn fwy na'u sgidia'.'

Trodd y wraig wedyn at yr eneth.

'Oes, mae dechra' i bopath, Angharad, ac mi awn ni allan i'r maes rywdro eto, i astudio'r llysiau y tro nesa' a hynny pan fydd Gruffudd a Deio yn ymarfar efo'r bwa a'r saeth o dan lygad Hywal Tudur, y castellwr. Mae cael crefft mewn llaw yn dda i blant uchelwyr bob amser. Ffwr' â chi am adra, y tri ohonoch chi, rhag i gŵn hela y Fedw Deg ddwad ar eich gwartha' chi!'

Wrth eu gweld yn diflannu yng nghysgod y coed wedi pasio'r Llan ochneidiodd Mererid cyn troi am y Castell. Oedd, yr oedd tymor eu plentyndod hwythau yn prysur ddod i ben a gallai siwrnai bywyd fod yn un hir i'w thrafaelio. Pwy oedd yno yng nghysgod y porth mawr yn aros wrthi hithau ond ei gŵr, Hywel Tudur. Prin y byddai Mererid yn dangos unrhyw serchowgrwydd tuag ato ond yn ddiarwybod bron y tro hwn rhoddodd ei llaw ar ei ysgwydd a dweud, 'Mi wnei di ddysgu Gruffudd i daflu saeth a bod yn filwr da, oni wnei di, Hywel?'

Gwnaeth yntau arwydd o ddealltwriaeth a gosod ei law ar ei llaw hithau. Roedd cadernid yn y llaw honno a meddyliodd Mererid nad oedd siwrnai bywyd mor ddychrynllyd o hir wedi'r cwbl.

X

Canol Haf 1273

Mewn cwta chwe mis fe ddaeth y byd mawr i wthio'i bryderon i ganol Eryri a pheri bod y plant yn tyfu i fyny cyn eu hamser. Ar Ddydd Gŵyl Sant Cecilia, sef ar yr unfed-dydd-ar-bymtheg o fis Tachwedd y flwyddyn flaenorol bu farw'r hen frenin Harri Tri a'i gladdu yn Eglwys Westminstr, yr eglwys wych a gododd i goffáu ei arwr, Edward y Conffeswr.

Er dyddiau Cytundeb Trefaldwyn efo'r hen frenin fe fu Llywelyn ap Gruffudd ar begwn ei yrfa a'i Dywysogaeth yn ehangach nag eiddo yr un tywysog o'i flaen. O Fôn i afon Gwy chwifid baner y Tywysog ac yn ddiweddar rhoes ei fryd ar godi castell ar safle hen hen gaer yn Nolforwyn yng nghwmwd Cedewain ar lan Hafren. Ond cyn i gorff yr hen frenin oeri bron a phan oedd y mab Edward yn tario yng ngwlad Savoy, fe wysiwyd Llywelyn gan yr arglwyddi Normanaidd i ymddangos ger Rhyd Chwima i setlo materion y Dywysogaeth. Y pennaf o blith yr arglwyddi hynny oedd y cefnder o elyn, Rhosier Mortimer o Gastell Wigmor. Er i swyddogion y brenin â dau Abad ymgynnull ger Rhyd Chwima ar ddiwrnod oer o fis Ionawr ni ddaeth Llywelyn ar y cyfyl! Gwrthododd hefyd dalu'i ddyledion i deyrnas Lloegr fawr hyd nes y dôi Edward, y brenin newydd, adre o wledydd Cred.

Asgwrn y gynnen oedd y gaer newydd y mynnodd Llywelyn ei chodi ar hen, hen safle yn Nolforwyn nid nepell o Ryd Chwima ger Hafren. Wrth droed y gaer yn Nolforwyn yr oedd y farchnad newydd yn Aber-miwl a honno'n tynnu gwg arglwydd Castell Trefaldwyn a'r arglwydd Gruffudd ap Gwenwynwyn yng Nghastell Pool.

A phan oedd Llywelyn yn gwrthod ildio fe ddaeth yna lythyr arall yn enw'r brenin yn gwahardd i Dywysog y Cymry godi ceyrydd ar ei dir ei hun! Ac felly o'i lys yn Ninorben wrth ddychwelyd o'r Gororau tuag Eryri ar ddechrau'r haf newydd hwn fe ysgrifennodd Llywelyn ap Gruffudd ei lythyr protest a'i gyfeirio at y brenin Edward.

Rasusaf Frenin,

Daeth i'm llaw lythyr a ysgrifennwyd yn enw'r brenin, dyddiedig Westminstr yr ugeinfed dydd o Fehefin yn ein gwahardd rhag codi castell ar ein tir ein hunain ger Aber Miwl nac i sefydlu tref a marchnad yno. Yr ydym o'r farn na fu i'r llythyr hwn gael ei anfon gyda'ch caniatâd chwi . . . oblegid fe wyddoch chwi yn dda fod hawliau ein tywysogaeth ni yn gwahaniaethu oddi wrth hawliau eich brenhiniaeth chwi, er ein bod yn dal y Dywysogaeth yn unol â'ch awdurdod brenhinol chwi. Fe glywsoch ac yn rhannol fe welsoch fod yr hawl gennym ni a'n hynafiaid i adeiladu cestyll a cheyrydd a chodi marchnadoedd o fewn ein ffiniau heb waharddiad. Ymbiliwn na fydd i chwi roi clust i'r rhai a fynn wyrdroi eich meddwl yn ein herbyn. . . .

Mater arall fyddai i'r neges gyrraedd clust y brenin yng ngwlad Savoy.

Yn wir, er adeg Gŵyl Ieuan yr Haf pan ddaeth y neges gyntaf i'r Castell yn Nolwyddelan fod y Tywysog a'i osgordd yn bwriadu tario yno dros dro fe fu'r helwyr yn hela'r ceirw yn Eryri erbyn y gwledda mawr. Hwn oedd amser hela'r carw a'r hydd ac fe lyncwyd pawb gan fwstwr y paratoi.

Ni welodd y Castell yn Nolwyddelan odid ddim o gwrteisi llys ers llawer dydd am mai man cyfarfod arglwydd a deiliaid oedd y lle yn bennaf. Erbyn noson y wledd roedd yno basteiod cwningod ac adar a chig eidion yn ogystal â chig carw a digonedd o fara ar y trensiwr gan fod y gymdogaeth hyd lawr y Dyffryn wedi hel ynghyd. Eisoes roedd yno eirin cynnar wedi'u melysu efo mêl a digon o fedd yn y cyrn yfed.

Rai oriau cyn i'r Tywysog a'r prif swyddogion gyrraedd fe glywyd trwst uchel oddi allan i'r porth.

'Trystan Arawn a'r fflyd sy' wedi cyrra'dd!' gwaeddodd rhywun. 'Trystan Arawn y creadur ffroenuchel fel y gweddill o'i hil!'

Mab Rhisiart Arawn, un a fu'n ffefryn yr osgordd yn y llys yn Abergwyngregyn, oedd y llanc hwn, yn dalach na'r rhelyw o'r bechgyn ac mor hir ei dafod â hynny yn ôl rhai. Ei fodryb, chwaer ei dad, oedd Meistres Mererid y Castell ac yr oedd Trystan Arawn mae'n amlwg yn chwilio am ffafrau gan wybod i'w nain, y ffraeth Gwenhwyfar, fod yn trigo yn y lle yn nyddiau plentyndod y Tywysog Llywelyn ap Gruffudd a'i frawd Owain Goch. Un uchel ei gloch oedd y Trystan Arawn hwn.

Doedd y garfan a'i dilynodd fawr gwell nag yntau yn brolio'u ffordd drwy'r Castell wedi'u profiad cyntaf o fod yng ngosgordd y Tywysog yn ardal Dolforwyn ym Mhowys. Gellid credu bod yr haul yn codi ar eu galwad.

'Rhoswch chi iddyn nhw weld gwaed ar flaen gwaywffon a gwthio bidog i gnawd gelyn ac mi fyddan yn clochdar llai,' oedd sylw hen filwr.

Gorchmynnwyd i'r bechgyn Gruffudd a Deio helpu'r gwastrawd i arwain y meirch i'r stablau ac fe rythodd y ddau ar y Trystan Arawn hwn mewn cymysgedd o ryfeddod a syndod. Teimlodd Gruffudd ias o genfigen wrth wylio'r hogyn yn chwilio am faldod gan ei fodryb Mererid. O'r diwedd fe feddiannodd y fflyd y Garthau gan sgubo pawb o'r ffordd.

Erbyn i'r Tywysog a gweddill yr osgordd gyrraedd roedd hi'n rhyw ddechrau nosi. Hwn oedd y gŵr a welodd sylweddoli breuddwydion ac ymestyn ei lywodraeth ymhellach nag odid un tywysog arall a fu ar genedl y Cymry erioed. Hyd yma prin bod unrhyw beth wedi'i lesteirio yn ei waith nes bod y dur wedi sefydlu yn ei gyfansoddiad. Ond yn cuddio o dan yr haen haearnaidd roedd yno dynerwch a chariad angerddol at ei bobl ac yn arbennig pan roddai ei droed ar dir Eryri. Ond beirniedid ef yn hallt gan rai. Digon anniddig oedd y mân arglwyddi yn Ystumanner ac Ystumgwern ac mewn sawl maenor arall am fod y Tywysog yn hawlio treth ar eu hanifeiliaid i dalu am yr hawl ar ei Dywysogaeth i frenin Lloegr ac at y gaer yn Nolforwyn. Digon crintach oedd hi ar y beirdd hefyd am fod yn well ganddo ryfela meddent na gwrando ar eiriau clod. Yn wir doedd ganddo mo'r amser i wrando ar ormodiaith a chlecs y llys.

'Tasa ganddo fo Dywysoges mi gâi'r wlad sefydlogrwydd,' meddai rhywun, 'yn enwedig gan fod merch Symwnt Mymffwrdd yn nith i'r hen frenin. Mi roedd yna gwrteisi yn y llys yn Abargwyngregyn yn nyddiau'r tywysogesau yn ôl pob sôn ac fe gaed gwleddoedd slawer dydd a moliant y beirdd. Does yna sglein ar ddim rwan. Prin bod yr un rhuddin yn y Distain Tudur ab Ednyfed ag oedd yn ei frawd Goronwy chwaith a'i dad, Ednyfed Fychan, cyn hynny. Newyddian hefyd ydy'r pwysigyn Gronw ap Heilin o gwmwd Rhos.'

Prin y byddai unrhyw un o Arllechwedd yn cydnabod gwerth pobl Is Conwy ond yn ddistaw bach roedd y Tywysog yn mawrhau gwasanaeth y gŵr ifanc hwn. Gronw ap Heilin oedd y talaf o gorffolaeth a'r mwyaf deallus o swyddogion y llys. Byddai rhai wrth eu bodd yn torri crib y ceiliog ifanc hwn ond diolchodd Llywelyn unwaith yn rhagor am y Dynged ryfedd oedd arno. Anfonwyd ato ŵr ifanc o athrylith pan oedd yr hen Ysgrifydd, y Crebach, wedi peidio â bod. Roedd cyfnod newydd ar wawrio.

Cyrchodd y gwŷr i'r wledd yn y Castell o'r diwedd, yn amlwg ar eu cythlwng. Buont er adeg y Pasg yn gwersylla ar lan Hafren ac yn gwarchod codi'r gaer yn Nolforwyn. Wedi'r gwledda fe syrthiodd rhai er eu gwaetha' i gwsg trwm — cwsg y dychweledigion. Ond nid felly'r Tywysog. Roedd o wedi'i lwyr adnewyddu a'i lygaid yn treiddio i bob cornel o'r neuadd. Yn sicr roedd rhywbeth mawr ar droed a defod arbennig ar ddigwydd. Swyddogaeth y Gostegydd oedd taro gordd ar y piler ger y drws yn arwydd i'r gwesteion dawelu ond gan Hywel Tudur, ceidwad y Castell, yr oedd yr hawl i wneud hynny y nos hon. Roedd Meistres Mererid yn ffwdanu ogylch y lle hefyd ac yn sefyllian yn y gornel lle roedd yr hogiau Gruffudd a Deio yn swatio o olwg y gwŷr mawr. Nid yn unig roedd Meistres Mererid wedi gorchymyn y ddau i gynorthwyo'r gwastrawd ond rhoes orchymyn iddynt fod yn raenus eu gwedd a'u gwisg. Wrth i'r noson gerdded ymlaen prin y medrent glywed gair o'r hyn a ddwedid yn yr uwch-gyntedd ac yr oedd cwsg bron â'u llethu. Yn sydyn gorchmynnodd Meistres Mererid i'r ddau godi ar eu traed ac yna daeth Hywel Tudur a lluchio'i orchmynion yntau.

'Gruffudd! Deio! Sefwch ar eich traed. Sefwch yn syth! Y pen i fyny, y breichiau i lawr!'

Cyn i'r un ohonynt sylweddoli dim wedyn daeth llais uchel o'r uwch-gyntedd yn cyhoeddi'r enw, 'Gruffudd ab yr Ynad Coch!'

Ond nid oedd neb yn symud.

'Arnat ti mae o'n galw,' sibrydodd Meistres Mererid o'r tu ôl i'r hogyn Gruffudd.

Gorchmynnwyd iddo symud o'r diwedd gan swyddog o'r osgordd i ganol y neuadd. 'Dafydd ab Ieuan!' gwaeddodd yr un llais wedyn a'r tro hwn edrychodd mab y Coediwr mewn syndod o gael ei gyfarch gyda'i enw bedydd. Ac felly yr aed ymlaen i enwi nifer yn ychwaneg o'r bechgyn oedd i gerdded i lawr canol y neuadd y nos arbennig hon gyda'r hogyn Gruffudd yn eu harwain. Moment ingol oedd honno pan sylweddolodd Gruffudd am y tro cyntaf yr adwaenid o bellach fel Gruffudd ab yr Ynad Coch. Sut felly yr oedd disgwyl iddo adnabod ei hunan yn y dyrfa ddieithr hon heb sôn am ymateb i'r llais o'r llwyfan? Mewn byr o dro roedd y bechgyn wedi'u gorchymyn i sefyll yn rhes hir o flaen cadair y Tywysog a'i swyddogion o'i gylch. Gronw ab Heilin oedd y swyddog tal a roes y gorchymyn iddynt benlinio un ac un o flaen y Tywysog ac yn ei dro fe gymerodd yr olaf ddwylo pob un o'r bechgyn yn ei ddwylo ei hun. Pasiwyd llaw dde pob bachgen i law yr hynaf o'r gwŷr wedi hynny ac felly hyd at ben y rhes ac felly y rhoed iddynt ddeheulaw cymdeithas. Ymhen blwyddyn a diwrnod i'r diwrnod hwnnw fe'u derbynnid i osgordd y Tywysog yn y llys yn Abergwyngregyn. Erbyn bod y ddefod drosodd roedd y bechgyn yn foddfa o chwŷs a neb yn fwy felly na'r hogyn efo'r enw newydd sbon Gruffudd ab yr Ynad Coch. O hynny allan hyd ddiwedd y cyfnod o flwyddyn a diwrnod byddai ymarferion caled i'r bechgyn o dan warchodaeth ceidwad y Castell yn Nolwyddelan.

Bu'r llanc Gruffudd yn hir iawn yn cysgu y noson honno ar lawr neuadd y Castell. Tybiodd ei fod yn ddewisol i gael ei alw, y cyntaf o'r nifer, i ddod ymlaen i wyddfod y Tywysog ac ychydig a wyddai i'r olaf fod yn chwilio'r neuadd â llygad barcud am filwyr newydd i lanw'r rhengoedd yn ei fyddin. I arbed y ceyrydd ar y Gororau byddai angen yr hyn a elwid yn 'flodau marchogion' pan ddôi'r brenin newydd adre o wledydd Cred.

O leiaf yr oedd Gruffudd ab yr Ynad Coch yn cychwyn ar antur fawr ei fywyd y nos hon ac nid oedd neb yn falchach o hynny na Meistres y Castell yn Nolwyddelan.

XI

Drannoeth trodd y Tywysog a'i osgordd eu cefn ar y Castell ac wedi peth oedi i drafod materion y Faenor yn y Fedw Deg efo'r Ynad Coch, dyma gychwyn drwy Ddyffryn Lledr am Ddyffryn Conwy. Dihangfa i Lywelyn ap Gruffudd oedd troedio ei dir ei hun ymysg ei bobl ei hun ond eto tueddu i swatio yng nghefn yr ymennydd yr oedd y trafferthion. Mor bell oddi wrtho oedd y ddyweddi fechan, Elinor de Montfort, yng ngwlad Ffrainc ac yr oedd gweithred ei brawd, Guy, yn lladd Henry o Almain yn eglwys Viterbo yn drosedd anfaddeuol yng ngolwg y brenin newydd. Eto, roedd y llythyr a ddug yr Ymennydd Mawr o law Amauri de Montfort i Abaty Aberconwy yn llawn gobeithion. Roedd yr Amauri hwn yn barod i herio brenin gwlad Lloegr, os byddai raid, i gyflawni'r Cytundeb a wnaed rhwng y tad Simon a'r Tywysog. Mor wych, meddyliodd, fyddai cael gwaed tylwyth y Montfordiaid a fu unwaith mor bwerus dros wlad Ffrainc, yn rhan o olyniaeth tywysogion y Cymry. Gan mor braf oedd y greadigaeth o'i gwmpas y diwrnod hwn siawns na ellid creu rhyw undod yn y patrwm yn rhywle yng nghanol y cymhlethdod mawr.

Daeth sŵn chwerthin gwŷr yr osgordd. Rhai yn dychwelyd adre at eu gwragedd a rhai at eu cariadon. Doedd yntau, y Tywysog, ddim am ddychwelyd i'r llys yn Abergwyngregyn ar fyrder 'chwaith y noson honno. O! nac oedd. Pa groeso oedd i Dywysog mewn lle felly? Croeso hyd-braich swyddogion efallai a rhaid oedd iddo gydnabod mai cyfeillion tywydd teg oedd y rhan fwyaf o'i gydnabod bellach. Dyna Gwenhwyfar, gwraig ei hen gyfaill Rhys Arawn. Bu hi mor dafodrydd unwaith, yn gynhaliaeth iddo efo'i meddwl llym ac yn gosod llinyn mesur arno. Ond wrth heneiddio roedd cerydd y wraig hon yn llai miniog ac fe roes hi ei hamser yn ddiweddar i warchod buddiannau'r brawd o garcharor, Owain Goch yng Nghastell Dolbadarn. Fe dreuliodd y brawd hwnnw yn agos i ugain mlynedd yng ngharchar ei frawd.

Dyna'r hen Ysgrifydd ffyddlon, y Crebach, wedyn. Roedd tragwyddoldeb rhyngddo ac ef ac ni fedrai Tywysog gwlad, hyd yn oed, bontio'r cyfwng hwnnw. Yng nghell gudd y llys bu'r Crebach megis ei law aswy yn ceryddu a chanmol ar yn ail, yn edliw beiau a phorthi breuddwydion. Ni châi o byth weld y gŵr efo'r frest gaeth yn cwmanu uwch ben y memrwn ac yn gosod y Cronicl o dan glo yn y gist. Mae'n debyg i rywun ganfod ei gorff un bore oer ar lawr y gell. Cludwyd y corffyn eiddil i'w gladdu wedi hynny ym mynwent y Brodyr yn Aberconwy am mai yno y magwyd o. Hyd yma nid oedd Llywelyn ap Gruffudd wedi meddwl rhyw lawer am fyd arall. Doedd dim cyfle i hynny yng nghanol trafferthion gwlad. Ac eto, prin y byddai iddo anghofio'r digwyddiad ar lannau Hafren y nos y bu farw'r Crebach. Tybiodd iddo glywed y llais cras yn gweiddi arno o gaethiwed y frest wichlyd, *'Princeps Wallie . . . Princeps Northwallia . . . Princeps Aberffraw et Dominus Snowdonia'.*

Doedd yno neb ond y Crebach i'w gyfarch yn y modd hwn. Mae'n debyg bod y gell gudd ar glo yn y llys bellach a rhywrai wedi trosglwyddo'r memrynau i stafell ehangach. Swydd gweision newydd oedd hi dan reolaeth y Distain Tudur ab Ednyfed.

Wrth i Lywelyn farchogaeth drwy ddyffryn Conwy ar y dydd braf hwn roedd llais y Crebach eto yn ei glustiau efo'r un hen gwestiwn ag erioed, 'A phryd, fy Nh'wysog, rwyt ti'n meddwl priodi efo'r ddyweddi, Elinor ferch Symwnt Mymffwrdd?'

Yr eiliad nesaf gan nad oedd neb o'r osgordd yn dynn wrth ei sawdl fe feiddiodd lefaru'n uchel yn ôl arfer y blynyddoedd,

'Atal dy dafod, y Crebach! Ymlaen efo'th waith . . . efo'r memrwn a'r cwilsyn!'

Bron na ddaeth eco i'w lais o ryw bell graig yn rhywle efo'r geiriau, 'Ymlaen efo'th waith, Llywelyn. . . . Ymlaen, Llywelyn!'

Pwy a allai wadu nad oedd y marw yn siarad?

Yn ddiweddar dysgodd y swyddog ifanc, Gronw ap Heilin, gadw llygad manwl ar ei arglwydd ac wrth ei weld yn oedi camrau'r march gofynnodd, 'F'arglwydd! Oes rhywbath yn bod arnat ti neu a ydy'r march yn cloffi?'

Deffrôdd hynny Lywelyn o'i fyfyrdod. Trodd at Gronw a'i gyfarch.

'Wr ifanc! Rwyt ti'n wleidydd addawol iawn ac fe ddysgi di lywio gwlad ond mae'n rhaid i gennad y Tywysog ddysgu bod angen tawelwch ar dywysog hyd yn oed o bryd i'w gilydd. Mi welais ddeugain mlynedd a mwy ac mae deugain mlynedd bron cymaint ag oes rhai dynion. Mi welais golli cymdeithion. Bu farw Gronw ab Ednyfed, y gŵr a roddodd gyfarwyddyd i mi ym materion gwlad. Bu farw eraill di-sôn amdanynt a'r cwbwl wedi'u plethu o fewn patrwm oes dyn. Ar un felly, y di-sôn amdano, roeddwn i'n myfyrio gynna', Gronw.'

Roedd rhywbeth o gwmpas Gronw ap Heilin yn ei gadw o, Llywelyn, yn fythol ifanc. Câi hwn ei gyfarch wrth ei enw cyntaf.

Trodd y gŵr ifanc yn ddigon haerllug ei wala at ei arglwydd ar hynny, 'Dwyt ti ddim yn hen, f'arglwydd! O leia' nid am y rhawg eto ond gwell dal ar amsar tra bo hi'n addas i ddyn!'

Daeth hanner gwên i wyneb Llywelyn ar hynny ac mae'n amlwg bod meddyliau'r ddau ŵr yn troi i'r un cyfeiriad.

'A beth sydd yn dy feddwl, y Gronw ystrywgar?' gofynnodd. 'Rwyt ti'n dangos stumiau'r Diafol ac am dynnu dy arglwydd i ddistryw!'

'Nid i ddistryw, f'arglwydd!' mentrodd y gŵr ifanc yn gellweirus ac yna sibrydodd rywbeth yng nghlust ei arglwydd gan beri hefyd i'r march godi'i glustiau i wrando. Roedd cynllun ar waith rhwng y ddeuddyn.

'Mae gwlad Ffrainc a Montargis mor bell, a'r Crebach druan ymhellach na hynny,' meddai Gronw. 'Does dim i'w golli o ga'l tipyn bach o hawddfyd. Mae hi'n ganol haf a'r brenin newydd o hyd yng ngwledydd Cred!'

Roedd ei arglwydd yn deall yn burion ond meddai,

'Mi fydd Trystan Arawn a'r hogiau yn cario clecs i'r llys os na chyrhaeddwn ni mewn da bryd.'

'Ond ceffyl marw fydd yr arglwydd na fynn ddihangfa o bryd i'w gilydd.'

Erbyn hyn roedd yr osgordd yn marchogaeth ar y chwith i afon Gonwy gyda godreon Arllechwedd. Chwalodd y gwŷr o'r diwedd yn garfanau. Aeth Trystan Arawn a'r criw iau ar garlam tua thre a sŵn eu chwerthin yn llenwi'r awyr. Oedodd Gronw ap Heilin a nifer o'r gwŷr hŷn yng nghysgod y Tywysog a rhyw ddealltwriaeth cyfrin rhyngddynt. Nid hwn fyddai'r tro cyntaf iddynt oedi uwch Dyffryn Conwy cyn cyrraedd y llys yn Abergwyngregyn.

O'r diwedd daeth bloedd olaf y to iau wrth iddynt ddiflannu dros y gefnen — hogiau'r Tywysog bob gafael yn marchogaeth yn orfoleddus tua'r llys yn dilyn eu hymgyrchu cyntaf ar lannau Hafren.

Tyfodd y rhain i fyny pan oedd eu tadau yn ymladd ym mrwydrau cynnar Llywelyn ap Gruffudd a phan estynnwyd terfynau'r dywysogaeth i ffiniau pellach nag yn nyddiau yr un tywysog arall. Onid da oedd bod yn fyw! Y nhw a'u Tywysog oedd piau'r hawl ar yr holl wlad o gyffiniau Buellt hyd Ynys Môn ac yr oedd dyffrynnoedd Hafren, Clwyd a'r Ddyfrdwy yn dragwyddol heol iddynt. Buont hefyd yn dyst i sŵn curo morthwylion gwŷr Ceri a Maelienydd oedd yn codi'r castell newydd yn Nolforwyn a chyn dim o dro roeddynt i ddychwelyd yno eto. Roedd pob un ohonynt yn barod i herio'r Norman balch hyd y Gororau. Naw wfft i'r sôn bod Edward y brenin newydd wedi bod yn copïo adeiladwaith cestyll gwledydd Cred mewn mannau fel Yverdon, Saillon a Chillon.

Wrth glywed gweiddi'r bechgyn dros y cefnen cofiodd Llywelyn fel y bu yntau unwaith yn ymarfer ei areithiau o ben Bwlch y Ddeufaen gan gyhoeddi'i freuddwydion i'r awyr las. Tueddu i gymylu yr oedd breuddwydion efo canol oed. Gwyddai hefyd bod ei feirniaid fel cigfrain yn barod am ei ysglyfaeth ond y nos hon, o leiaf, roedd am guddio rhag yr ysguthanod. Teimlai'n ddiogel yn y mynyddoedd. Nid oedd y mynyddoedd yn newid dim ac yr oedd yr Wyddfa fawr yn ddisymud yng nghanol Eryri. Dynion oedd yn newid. Pa ots ychwaith ei fod yntau o bryd i'w gilydd yn troi gydag eithafwyr yn ddiweddar a thrwy hynny yn chwyddo pwrs y llys i dalu dyledion Cytundeb Trefaldwyn erbyn y dychwelai'r brenin newydd?

Efo'r meddwl hwn fe droes ben ei farch tua Neuadd Uthr Wyddel yng nghwmni Gronw ap Heilin a chylch ffyddlon ei osgordd.

XII

Roedd Neuadd Uthr Wyddel yn swatio yng nghysgod craig uwch ben y Ro-wen ar ochr Dyffryn Conwy i gwmwd Arllechwedd. Wrth weld y mwg ffres yn codi'n domennydd o'r fan honno ac arogleuon cig rhost yn llenwi'r awyr roedd trymder siwrnai hir yn diflannu. Cystal oedd i'r Tywysog gydnabod hefyd bod atyniad arall iddo o fewn y neuadd ryfedd hon a bod cynhesrwydd cnawd yn medru llonni ysbryd dyn.

Lle digon tywyll oedd y neuadd ar y gorau a phrin y byddai gŵr diarth yn mentro i'r fan heb fod yno rywun yn ei ddisgwyl. Y nenfwd yn isel a'r trawstiau heb fod yn llawer uwch na thaldra gŵr chwe throedfedd fel Gronw ap Heilin. Y nos hon roedd y lle yn llawn mwg diweddar ac arogleuon gwledd yn dderbyniol wedi dydd braf o haf. Yn ddigon llechwraidd serch hynny y cerddodd y Tywysog a'i wŷr dros y rhiniog ond mae'n amlwg bod disgwyl mawr amdanynt.

Ar amrantiad daeth y gŵr Uthr Wyddel ei hun o'r hanner gwyll i'w cyfarch. Sylwodd Llywelyn bod y gŵr yn ei gyfarch yn union fel y gwnâi'r Crebach gynt efo'r geiriau: *'Princeps Wallie'.* Ond yn wahanol i'r Crebach, digon i'r gwrthryfelwr oedd y cyfarchiad cwta hwn gan ei fod yn cyfarch Llywelyn fel Tywysog holl Gymru. Calon gwir Gymro oedd yma a'r gwaed Gwyddelig a fu unwaith o fewn ei linach wedi gwisgo'n denau iawn erbyn hyn. Cydiodd y gŵr yn llaw y Tywysog efo cynhesrwydd mawr nes i'r olaf deimlo gwefr cenedlaethau a fu yn ireiddio'i waed. Calon wrth galon. Doedd dim croeso cyffelyb i hynny.

Arweiniwyd Llywelyn wedyn at yr uchel-sedd wrth fwrdd hir oedd yn ymestyn bron o un rhan i'r stafell i'r llall. Yn wir, prin bod yno stafell arall ar wahân i stafell y merched a rhyw fwtri helaeth yn ogystal â thai allan. Allan o olwg yr anghyfarwydd roedd grisiau yn arwain i lawr i stafell yng nghrombil daear.

Y min nos hon llanwyd y bwrdd yn ddiymdroi efo cigoedd a llysiau a llestri gwin. Yn raddol llithrodd dynion y byddai gwerin gwlad yn eu galw yn Feibion Uthr Wyddel i mewn i'r neuadd ond anodd oedd adnabod wynebau yn yr hanner gwyll. Daeth i feddwl y Tywysog y gallai fod ôl gwaed a chreithiau ar lawer i ddwylo yno. Rhyw hanner wybod am y Meibion yr oedd coel gwlad ond ped eid i ryfel rhwng Dyffryn Conwy ac aber afon Clwyd fe fyddai'r garfan hon ymlaen y fintai yn herio'r gelyn. Mewn cyfnod o heddwch ymroi i hela ac i ladd yr oeddynt heb barch i ddyn nac anifail.

Ond er garwed y Meibion dôi geiriau yn bersain dros wefusau Uthr Wyddel ar noson fel hon. Dwedid ei fod yn fardd ac yn meddu ar lais canu rhyfeddol ond mai anaml y byddai'n ymarfer y grefft honno. Hawdd y medrai'r Tywysog fod wedi teimlo'n anghyfforddus yng nghanol y garfan arw hon ond roedd fflam ym moliau'r Meibion yn cynnal fflam ynddo yntau ac yn cadarnhau'r ewyllys i barhau. Mor od, meddyliodd, yr oedd ei noddwyr cynnar wedi cilio un ac un ond yr oedd ymweld â charfan fel hon yn aildanio'r hen freuddwydion ac yn gyrru'r ias i gerdded. Mewn byr amser rhaid fyddai iddo arwain y gwŷr ifanc yn ôl i dir y Gororau.

Yn yr hanner gwyll o fewn neuadd Uthr Wyddel roedd ei freuddwydion eto'n troi'n ffaith. O flaen ei lygaid gwelodd y gaer newydd yn Nolforwyn yn codi'n urddasol uwch dyffryn Hafren ac fel barcud yn gwylio caer y Norman yn Nhrefaldwyn. Gwelodd diroedd y Dywysogaeth yn nyffrynnoedd ffrwythlon Clwyd a'r Ddyfrdwy, yr Hafren a Gwy. Yn ei ddychymyg medrodd ddilyn holl lwybrau cudd y mynyddoedd o Eryri dros y Berwyn a Chader Idris a hyd Bumlumon a Dyffryn Tywi. Yma, yn y neuadd hon teimlodd galon y genedl yn curo fel na theimlodd odid erioed cyn hyn ac yn y cyflwr meddwl hwn y bu gydol y wledd. Yna fe aed ati i oleuo'r torchau yn y mur lle roedd y Tywysog a rhai o'r osgordd. Taflwyd cysgodion dros weddill y neuadd fel mai anodd oedd gweld ffurf undyn yn glir. Yn reddfol, medrodd y Tywysog deimlo'n ddiogel yng nghysgod Uthr Wyddel. Doedd neb yn debyg o wthio cleddyf i gefn yr unig ŵr yn eu plith oedd yn ymgorfforiad o holl ddyheadau'r Cymry? Gallai fod ambell i hen garcharor fel Castan Ddu yn cuddio yn y dorf. Llwyddodd hwn i ddianc o garchar Castell Cricieth ddegawd cyn hyn a chael nodded efo carfan o wrthryfelwyr yn Eryri. Prin bod min ar wrthryfela'r llonaid llaw o'r hen brotestwyr oedd yn aros erbyn hyn. Na, roedd hi'n berffaith ddiogel i Lywelyn yn y neuadd amheus hon, o leiaf y noson arbennig honno.

Ond yn sydyn o'r tu cefn iddo fe glywodd sŵn cyffro bychan. Yn sefyll yn glòs yn ei gilydd fel tae'r naill yn cynnal y llall, roedd y ddwy efell, Collen a Llwyfen. Dwy o'r un mowld oeddynt ac i'r anghyfarwydd anodd oedd dweud y gwahaniaeth rhyngddynt. Gwallt lliw haul yn dechrau tywyllu oedd ganddynt, wynebau crwn bochgoch a dannedd gloyw rhwng gwefusau siapus. Ond fe welai'r cyfarwydd bod yr un a elwid Llwyfen yn gwyro at ei chwaer gan gydio'n dynn yn ei llaw. Ganed Llwyfen efo ochr wan ac wrth geisio sefyll byddai'n tueddu i blygu fel brigyn aethnen, yn ôl ei thad! Roedd yr enw Llwyfen yn dlws ond ni bu erioed enw mwy anaddas ar eneth na hwnnw. Bu farw'r fam ar eu genedigaeth a mopiodd y tad arnynt. Hwy oedd cannwyll ei lygaid, meddid, ac ef a roes yr enwau ffansïol arnynt am ei fod yn dipyn o fardd. Fe ddwedid hefyd ar lafar gwlad na fu i Uthr Wyddel ymyrryd ag unrhyw ferch yn y diriogaeth wedi marw'r fam ac iddo ymroi i gasglu'r Meibion ynghyd. Dwedid ei fod yn byw'n fras ar draul uchelwyr ymhell i mewn i'r Berfeddwlad a gorllewin Meirionnydd.

Anaml y gwelid yr efell Collen wrthi'i hun ac eithrio pan âi i hel tanwydd ar y llechwedd ac ar un o'r troeon hynny y gwelodd Llywelyn ap Gruffudd yr eneth ddeunaw oed hon gyntaf. Dotiodd arni ac roedd un edrychiad i lygad hon wedi'i rwydo'n llwyr.

Arwain ei farch i lawr tua Chaerhun efo'i osgordd yr oedd pan drawodd yr eneth yn ei lwybr. Aeth yr eneth yn swil pan welodd y Tywysog oblegid roedd hi'n adnabod ei wyneb yn burion ac wedi'i wylio'n pasio efo'i osgordd gydol blynyddoedd ei phlentyndod. Serch hynny roedd hi'n swil yng ngwyddfod ei Thywysog. Daeth yntau i lawr oddi ar ei farch y tro hwn a sefyll yn ei ffordd. Oedd, roedd ei dau lygad yn ei lwyr rwydo! Fferrodd ei eiriau am eiliad. Nid oedd erioed wedi gweld geneth ifanc yn union fel hon. Meddai wrthi o'r diwedd,

'A be' wyt ti'n 'neud yma wrth dy hun?'

Gwenodd hithau'n dirion arno yn union fel tase hi wedi gweld rhyfeddod.

'Hel tanwydd,' meddai.

'Ond rwyt ti'n llawer rhy ddel i fod yn hel tanwydd. Dwed i mi, oes gen ti ddim brawd fyddai'n hel tanwydd yn dy le?'

Atebodd hithau yr un mor swil.

'Dydy 'mrawd byth adra!'

'O . . . ac ymhle mae dy adra di?'

Y tro hwn fferrodd y geiriau ar wefusau'r eneth. Ysgydwodd ei phen heb ddweud gair. Rhoddodd yntau gais arall arni.

' 'Rwyt ti'n byw yn rhywla mae'n siŵr gen i ac yn gwisgo'n dda. Merch i uchelwr hwyrach?'

Roedd yr eneth yr un mor fud eto ond yn hanner gwenu am fod y sôn am dad o uchelwr yn peri digrifwch iddi. Ceisiodd yntau eto.

'Wel, gan nad oes gen ti na thŷ na thad hwyrach fod gen ti fam?'

Bu tawelwch hir ar hynny ac meddai'r eneth toc,

'Na, mae mam wedi marw . . . ond mae gen i chwaer.'

'A be' ydy enw dy chwaer?'

'Llwyfen.'

'A be' ydy dy enw di?'

'Collen.'

'Coeden arall. Mae'n rhaid bod yna fardd yn y teulu!'

'Nid dyna ydy'n henwa' go iawn ni. Enwa' ffansi ydyn nhw.'

'Mi wela' i. A faint ydy oed dy chwaer?'

'Yr un oed â fi.'

'Mi wela' i. Dwy efell hwyrach?'

'Ia.'

Ar hynny trodd yr eneth ei phen ar osgo cychwyn oddi wrtho.

'A be' ydy'r brys mawr?'

'Mae'n rhaid i mi fynd achos dydy Llwyfen ddim yn licio ca'l 'i gada'l yn hir wrthi'i hun.'

Diflannodd yr eneth ar y gair bryd hynny ac wrth iddi ymadael fe ddaeth y marchog Rhisiart Arawn ar ei farch ar drywydd y Tywysog. Rhyw fymryn o gerydd oedd yn ei lais pan ddwedodd,

'Yr osgordd yn meddwl na ddoech chi ddim. . . . Mi wela' i, wedi taro ar un o efeilliad Uthr Wyddel yr oeddach chi!'

Bellach fe aeth misoedd heibio er y digwyddiad hwnnw pan ddiflannodd yr eneth hon efo'i baich o danwydd dros y gefnen i lawr y llechwedd tua Chaerhun. Uthr Wyddel! Hyd yn ddiweddar nid oedd o wedi taro golwg ar y gŵr hwn o wrthryfelwr ond ar y nos arbennig hon dyna lle roedd o yn derbyn croeso fel y gweddai i Dywysog yn neuadd ddirgel y gŵr hwnnw. Beth ddwedai Rhisiart

Arawn? Roedd ei eiriau ar y mynydd y bore y gwelodd yr eneth wedi bod yn atsain yn ei glustiau droeon wedi hynny.

'Mi glyw'is ddeud, f'arglwydd, bod y Meibion yn ddraenen yn y cnawd, yn dwyn oddi ar uchelwyr ac yn sathru taeog dan draed. Peth peryglus ydy chwarae efo tân, yn enwedig i arglwydd gwlad. Mi fedar y Meibion ochri'n ddirybudd efo Dafydd ap Gruffudd a'i frawd Owain Goch, ac mi all bod yr hen wrthryfelwyr fel Castan Ddu yn gwthio allan o Eryri i chwyddo mintai'r Meibion. Does dim da ym Meibion Uthr Wyddal yn enwedig os bydd i arglwydd gwlad chwarae efo tân!'

Cofiodd Llywelyn fel y bu'n pendroni'n hir y bore hwnnw uwch ben geiriau'r marchog Rhisiart Arawn. Ond rhaid oedd iddo gyfaddef ar y nos newydd hon o haf bod yma gynhesrwydd anarferol yn neuadd ddieithr y gwrthryfelwyr. . . . Tir y Gororau ymhell a'r gelynion Rhosier Mortimer a Gilbert de Clare ymhellach na hynny. Ond ymhle tybed yr oedd y brawd iau, Dafydd ap Gruffudd, yn tario? Bu ei ymddygiad braidd yn feirniadol ohono yn ddiweddar, yn ffeindio bai ar bopeth hyd y Gororau. A beth am Gruffudd ap Gwenwynwyn? Rhyw flaidd mewn dillad oen oedd y gŵr hwnnw ar y gorau. Eto bu'r ddau hyn yn rhan o'i ymgyrch i dynnu i lawr gaer y Norman yn Senghennydd-is-Caeach. Beth am ddeiliaid y tir yn Eryri? Cwyno yr oedd y rhieni am fod eu Tywysog yn eu trethu'n drwm ar feddiant tir ac anifail o Ystumanner ac Ystumgwern hyd Arllechwedd.

Ond unwaith yn rhagor roedd yr eneth a gyfarfu ar y mynydd yn sefyll gyda'i chwaer o efell o'r tu cefn iddo. Yn y man symudwyd y ddwy ferch i eistedd rhwng y Tywysog a'u tad, Uthr Wyddel. I goroni'r hwyl y noson honno roedd yno ddiddanwyr yn canu ac adrodd chwedlau. Roedd yno hefyd y telynor gorau o fro Uwch Aled a'r gorau yn holl Wynedd yn ôl rhai.

Wrth i'r telynor ddechrau canu'r delyn fe gododd y ferch Collen gan gydio yn ei chwaer Llwyfen a'i symud gam yn nes at ochr y delyn. Ac yna fe ddigwyddodd rhywbeth a barodd syndod a rhyfeddod i'r Tywysog a'i osgordd. Fe ddechreuodd yr efeilliaid ganu mewn lleisiau persain ysgafn nes cyfareddu'r gwŷr yn y Neuadd a'r un pryd roedd y tad yn symud ei law a'i droed dde i rythm y miwsig ac yn canu mewn islais trwm yn gynghanedd ogoneddus i'r cwbl. Cafodd Llywelyn ap Gruffudd ei hun mewn byd hollol newydd a'r efeilliaid fel glöynnod byw neu blu'r gweunydd yn cario'r gynulleidfa wledig arw i'w canlyn. Yn y gorffennol fe glywodd y Tywysog y Telynor Cam o Fôn yn canu i ryfeloedd ac yn sôn am y tywysogion fel arwyr y bobl. Doedd dim sôn yng nghanu'r efeilliaid am gryfder bleiddiaid na hirhoedledd y dderwen nac am gyfoeth aur ac arian. Gwrandawodd y Tywysog yn astud ar y geiriau a genid ganddynt a chael eu bod yn canu i afon yn rhywle a chyfuniad tannau'r delyn yn cyfleu symudiad ysgafn y dŵr dros y cerrig. Yna'r afon yn ffarwelio efo'r mynyddoedd gan dreiglo'i ffordd i'r môr. Wrth i'r efeilliaid barhau i ganu'n ysgafn fe gryfhaodd llais y tad i ryw ddyfnder diwaelod ac fe gyflymodd tannau'r delyn yr un pryd. Wedi gorffen canu fe droes un o'r efeilliaid, sef Collen, i edrych yn swil i gyfeiriad y Tywysog a thorrodd gwên gynnes rhwng y ddau. Syllodd y gŵr ifanc Gronw ap Heilin yn eiddigeddus.

'Go dratia!' meddyliodd. 'Mi fedrai gŵr 'neud rhywbath efo hogan fel yna. Ond naw wfft i'r llall efo'r ochor wan! Mae'r efell, Collen, wedi ennill calon y Tywysog. Wel pwy fasa'n meddwl y basa'r gŵr yn syrthio mewn cariad yn neuadd Uthr Wyddal o bobman! Rhaid gwylio rhag i'r gŵr-rhyfal losgi'i fysadd efo rhyw lili'r dŵr o hogan fel hon!'

Roedd yn amlwg i bawb fod Uthr Wyddel yn deall y gelfyddyd o groesawu Tywysog ac ni welodd Llywelyn ap Gruffudd y fath gynhesrwydd ar aelwyd un pendefig cyffelyb i hyn o'r blaen. Wrth i'r nos brysuro ymlaen, ciliodd y telynor a'r efeilliaid yr un modd. Trodd Uthr Wyddel at y Tywysog a'i osgordd ar hynny a sibrwd yn isel,

'Mae'r daith i'r llys heno yn bell. Fe gewch letygarwch a chysgod yma. . . . Dowch! Fe awn ni i lawr grisiau'r gell o olwg y Neuadd. Mae gwinoedd gwlad Ffrainc i lawr yno!'

Gwenodd wedyn fel unrhyw bendefig hael ei groeso gan arwain y Tywysog a'i wŷr i stafell gysurus islaw'r Neuadd a thros yr oriau nesaf bu'n estyn y gwin ogylch ac yn adrodd hen chwedlau Cymru ac Iwerddon hyd yr oriau mân. Ond yn ysbeidiol byddai'n gadael ei westeion a dringo'r grisiau yn gyflym i'r Neuadd. Gallai fod trwst a chyffro hyd at waed yn y fan honno.

Efo'r sôn bod Llywelyn ap Gruffudd wedi tario yno fe

gyrhaeddodd carfan o gefnogwyr y carcharor Owain ap Gruffudd y lle o ardal Nant Peris a godre'r Wyddfa.

Ond y nos hon o leiaf roedd y Tywysog yn wyn ei fyd a phob gofid o'i ôl o dan hud y ferch Collen a gwinoedd Bwrdais a Gasgwyn.

XIII

Drannoeth deffrôdd Llywelyn i synhwyro bod rhywun yn sefyll o'r
tu ôl iddo. Ysgydwodd ei hun o drwmgwsg yn gynhyrfus ac yna
fe ddaeth y llais. Llais tyner merch ifanc.

'F'arglwydd! Does dim rhaid i chi ofni. . . . Fi sy' 'ma.'

Yn raddol trodd yntau a chanfod y ferch Collen yn sefyll yn union
o'r tu ôl iddo. Ei ymateb cyntaf oedd rhwystredigaeth am i rywun
ei adael yn y gell danddaearol hon yn ddiamddiffyn. Ond doedd
yr un arwydd o ofn na pherygl yn llais y ferch. Trodd o'r diwedd
a chydio yn ei braich. Gofynnodd,

'A pha un o'r ddwy wyt ti?"

'Collen.'

'Ti oedd yr un a wel'is i yn hel tanwydd ar ochr Caerhun. . . .
Aros di, i mi gael deffro'n iawn ac agor fy llygaid. Ond dwêd i mi
ymhle mae dy dad a'r hogia'?'

Oedodd hithau cyn ateb. Meddai toc,

'Mi â'th 'nhad a'r Meibion . . . yr hogia' . . . allan efo'r wawr.
Mynd i hela.'

'O, mi wela' i, ac i ble yr aethon nhw i hela?'

'I Uwch Aled.'

'Fyddan nhw'n mynd yn amal i hela?'

'Byddan o hyd.'

Ond wrth iddo ymlid ei drwmgwsg i ffwrdd fe ddaeth yr
anesmwythyd yn ôl. Cydiodd yn dynnach ym mraich y ferch nes
peri iddi weiddi.

'Mae hynna'n brifo, f'arglwydd!'

Edifarhaodd y gŵr. Meddai,

'Fynnwn i mo dy frifo ond pam yr aeth dy dad oddi yma heb
ddeud gair wrth ei Dywysog dwed?'

'Mi ddeudodd wrtha' i am ddwad i'ch gwarchod chi nes y
byddach chi'n deffro. Ond roedd 'nhad yn iawn,' pwysleisiodd yr
eneth, 'feiddia' neb ymosod arnoch chi efo Llwyfen a finna' yn eich
gwarchod chi. Mae arnyn nhw ormod o ofn 'nhad!'

'Mi wela' i. Dy dad ddaru dy anfon di felly?'

'Ia.'

'Ond ble mae dy chwaer?'

'Mae Llwyfen yn cysgu ond wedyn mi fydd yn deffro gyda hyn a fedra' i mo'i gada'l hi yn hir wrthi'i hun.'

Oedd, roedd Llywelyn ap Gruffudd yn berffaith effro erbyn hyn a daeth ofn gwirioneddol drosto am y tro cyntaf yn ei fywyd. Ymhle roedd ei ddynion? Ymhle roedd Gronw ap Heilin? Cododd yn wyllt a chael ei gymalau yn anhyblyg wedi glythineb y noswaith cynt. Cynddeiriogodd a gweiddi allan,

'Dwed i mi ymhle mae Gronw ap Heilin?'

Torrodd yr eneth allan i grio'n hallt. Cydiodd yntau yn egr yn ei braich drachefn. Ond Ow! Roedd ei chnawd mor frau a'i braich mor ysgafn. Toddodd yntau. Onid ei ewyllys wan oedd wedi'i anfon y noswaith cynt i diriogaeth y gŵr amheus ei fuchedd, Uthr Wyddel? O'r diwedd cododd yr eneth ei hwyneb crwn ifanc dagreuol i edrych arno'n ymbilgar. Meddai,

'Mi ddeudodd Gronw ap Heilin nad oeddwn i i ddeud dim oll.'

Tybiodd Llywelyn iddo glywed sŵn pryfoclyd cariadon o'r cefndir yn rhywle. Cynhyrfodd yn waeth.

'Wedi cael gafael ar ryw hoeden o forwyn cegin y mae Gronw mae'n debyg. Ond dwed i mi ymhle mae gweddill yr osgordd?'

'Maen nhw yn eich gwarchod chi ers oriau oddi allan i'r neuadd, f'arglwydd. Fydda 'nhad byth bythoedd yn eich gada'l chi, y T'wysog, yn ddiamddiffyn!'

Ymlaciodd y gŵr beth oblegid roedd rhyw bendantrwydd a chywirdeb anghyffredin yn perthyn i'r eneth hon. Meddai hithau gan geisio esmwytháu ei bryderon,

'Mae rhai o'r osgordd yn chwarae coetan ar y Gartha' ac mae pob un ohonyn nhw yn gwarchod eu T'wysog . . . ac mi rydw i wedi paratoi pryd i chi, f'arglwydd. Does neb o ferchaid y gegin ar ga'l heddiw!'

Chwarddodd hithau yn awgrymog ar hynny. Os felly, meddyliodd yntau, siawns na fyddai gwell hwyl ar yr hogiau wedi noson o fwrw chwant yn neuadd Uthr Wyddel a throi cefn ar fyd o ryfela. Ond amdano'i hun, cwsg yn nhŷ dyn diarth yn unig a gafodd o. Cydiodd drachefn ym mraich yr eneth ond yn dynerach y tro hwn. Meddai wrthi,

'Mi gaiff y pryd aros. Does byth archwaeth bwyd ar y Tywysog ar yr awr yma o'r bore.'

Arweiniodd yr eneth at fainc oedd yn pwyso ar fur y stafell.

'Tyrd, 'mechan i! Mi steddwn ni'n dau yn y fan yma.'

Protestiodd hithau.

'Ond beth tasa Llwyfen yn deffro?'

'Gad i Llwyfen gysgu 'chwaneg, Collen fach, o leiaf am hanner awr arall.'

Gofynnodd yn ddwys wedyn i'r eneth,

'Wyt ti ddim yn meddwl mai cam gwag oedd i'th dad adael Tywysog gwlad ar drugaredd dwy eneth ddiymadferth?'

Ysgydwodd hithau ei phen gyda phendantrwydd mawr.

'Na, mae 'nhad yn ffrind mawr i'r T'wysog ac mae o am roi gwobor i chi!'

'Gwobor ddwedest ti?'

'Ia, mi roith 'nhad unrhyw beth i gadw'r Cymry rhag y Norman!'

Rhyfeddol yn wir ac o'r mannau annisgwyl y daw ymwared yn aml, meddyliodd.

Ond beth tybed oedd ym meddwl y tad hwn o wrthryfelwr? O leiaf fe wyddai y foment honno bod yr eneth hon yn abwyd melys a'i bod yn mwynhau'r pleser o gael eistedd wrth ochr y Tywysog. Synhwyrodd nad oedd y tad Uthr Wyddel yn gwrthwynebu hynny ychwaith. Mor rhyfedd oedd troeon ffawd!

'Oes gen ti gariad?' gofynnodd i'r eneth toc.

'Na, yr un go iawn. Cha' i yr un gan 'nhad achos fedra i ddim gada'l Llwyfen.'

'Trist iawn felly. Ond gest ti gusan erioed?'

Yn amlwg roedd yr eneth yn gyndyn o ateb ei gwestiynau.

'Cusan wedi'i dwyn hwyrach,' awgrymodd yntau'n dawel ond nid oedd yr eneth am ddadlennu dim. Beth tybed, meddyliodd, oedd y cyswllt cyfrin rhwng y ddwy efell a'r tad o wrthryfelwr? Yn ôl siarad gwlad doedd Uthr Wyddel ddim wedi ymhel â gwragedd unwaith y bu farw'r fam ar enedigaeth yr efeilliaid. Ond sut yn union yr oedd gŵr fel hwn yn byw yn nirgelwch ei fyw beunyddiol? Beth os oedd rhwyd yn cau amdano yntau, y Tywysog? Syllodd yn hir ar yr eneth. Roedd hi'n dlos i'w rhyfeddu a phurdeb cyfrin yn byrlymu ohoni. Tynnodd ei law yn dyner drwy'i gwallt tonnog oedd

77

yn llawer rhy drwm i'w chorff eiddil mewn gwirionedd. Cododd y mymryn lleiaf ar ên yr eneth a dweud,

'Edrych arna' i, y Tywysog, Collen!'

Trodd yr eneth ddau lygad pefriog tywyll i syllu arno.

'Rwyt ti'n dlws on'd wyt ti, yn dlws fel blodau'r maes yn barod i flaguro,' meddai wrthi.

Chwarddodd yr eneth yn swil ar hynny.

'Pam rwyt ti'n chwerthin?' gofynnodd yntau'n chwareus a synnodd at ei allu ei hun i chwerthin wedi oes o frwydro a chynllwynio gwlad. Oedd, roedd yr orig hon yn un felys odiaeth a'r heliwr o dad yn amlwg bellach ymhell o gartre. Am ryw reswm dirgel fe adawodd y gŵr ei ferch ar ei drugaredd ef.

'R'on i'n chwerthin am eich bod chi'n siarad fel y beirdd,' mentrodd yr eneth yn swil wedyn. 'Fel'na y bydd Bleddyn Fardd a'r lleill yn siarad pan fyddan nhw'n dwad yma.'

'O, ac mi fydd y beirdd yn galw yma felly?'

'Byddan, achos maen nhw'n ca'l gwell croeso yma nag yn . . .'

'Nag yn Abergwyngregyn wyt ti'n feddwl mi af ar fy llw!'

Cywilyddiodd Collen am iddi fentro siarad mor feiddgar o flaen y Tywysog ond parhau i ymddwyn yn chwareus yr oedd y gŵr. Meddai,

'Cofia, wela' i ddim bai ar y beirdd weldi am oedi yn neuadd dy dad. Anaml y bydd y Tywysog gartref yn y llys a digon prin fu fy niddordeb i yn y beirdd ysywaeth. Amser i ryfel ac i lywodraeth gwlad fu hi arna' i.'

Ond roedd merch Uthr Wyddel fel mêl y gwenyn yn tynnu arno. Plygodd ei ben tuag ati.

'Cusan fach, Collen!' meddai.

Roedd ei gwefusau yn feddal a'i chorff yn deffro pob chwant ynddo. Cusanodd yntau ei gwallt a'i bochau. Mae'n amlwg nad oedd yr eneth hon yn anghyfarwydd â chyswllt dyn. Ond pwy allai fod yn deffro nwydau'r eneth? Ie, pwy? Mentrodd ei holi drachefn.

'Mae gen ti gariad on'd oes, Collen?'

Ysgydwodd hithau ei phen mewn anobaith. Roedd rhywbeth, mae'n amlwg, yn pwyso'n drwm arni. Ffrydiodd dagrau i'w llygaid. Meddai o'r diwedd.

'Na, f'arglwydd, does gen i ddim cariad go iawn.'

Roedd rhywbeth ar feddwl y ferch na fynnai ei ddadlennu ar boen bywyd. Nid oedd yntau am ofidio ychwaneg arni.

'Na hidia,' meddai'n dawel gan sychu'i llygaid â llawes ei gwisg. Yna fe ychwanegodd y sylw hwn:

'Cofia di, fe allet fod yn addurn i arglwydd gwlad.'

Meddai hithau'n eiddgar,

'Roedd fy mam yn arglwyddes ac o deulu Rhodri Mawr ymhell bell yn ôl. Rydan ni, Llwyfen a finna', o hil y Tywysogion medda' 'nhad.'

'A hawdd y medra' i gredu dy fod di, yr un fach, ac mor hawddgar ag un merch uchelwr a welodd y Tywysog erioed.'

Llithrodd ei law hyd gefn ei braich a hyd gnawd ei gwddf. Yna agor bodis ei gwisg ac yr oedd ar fin cwpanu ei bronnau aeddfed ifanc pan dorrodd lleisiau gwŷr ar ei glyw. Ymataliodd.

'Rhywdro eto, Collen. . . . Cyfrinach rhwng y ddau ohonom. Cadw di'n glòs at dy chwaer Llwyfen rhag i'r un gŵr ddod i'th boenydio.'

Efo'r sylw olaf llwydodd gwedd yr eneth drachefn. Mynnodd yntau ei chysuro ac meddai,

'Os daw'r gŵr atat, meddylia di am y Tywysog. Dwed di enw'r Tywysog yn ddistaw bach wrthat dy hun os bydd o'n ymyrryd efo ti a hwyrach y medri di ei oddef o wedyn!'

Cusanodd hi'n wyllt cyn ymadael efo rhyw angerdd oedd yn newydd iddo yntau. Fe allai o'n hawdd roi cyllell yng nghefn y gŵr hwnnw oedd yn mynnu ymyrryd â hi ond gallai fod y gŵr hwnnw yn fwy hyddysg nag o, hyd yn oed, yn y gwaith o wthio cyllyll i ymysgaroedd gwŷr!

Bellach roedd lleisiau'r osgordd yn codi'n uwch o gyntedd y Neuadd a hynny'n deffro'r efell Llwyfen. Yna daeth llais egwan yr olaf yn galw'n orffwyll bron yr enw 'Collen! Collen!'

'Dos di'n dawel rwan, 'merch i' gorchmynnodd Llywelyn, 'ac mi a' inna' am bryd o fwyd yn y cylla' cyn cychwyn drosodd am Abergwyngregyn.'

Llyncodd ei forefwyd yn eitha brysiog gan fod ei wŷr yn aros amdano a'r wawr wedi hen dorri.

Tybiodd Llywelyn bod golwg digon euog ar wyneb y ffyddlon Gronw ap Heilin oddi allan i'r Neuadd y bore hwnnw. Pwy tybed a fu'n gywely i'r gŵr? Rhyw hoeden wyllt o forwyn cegin efallai, meddyliodd. Ceisiodd Llywelyn guddio'i deimladau rhag yr osgordd ond wrth ddringo'r ffordd tua'r ucheldir o Gaerhun llanwodd ei galon â llawenydd dieithr. Pe methai â chael gafael ar Elinor ferch Symwnt Mymffwrdd fe allai o gael cysur o ferch Uthr Wyddel. Roedd cnawd yr eneth mor felys a'r gwaed Cymreig yn llechu'n ddwfn ynddi er gwaethaf tras Wyddelig y tad. Lledodd tosturi dros ei galon wrth sylweddoli mai aderyn mewn cawell oedd y ferch heb gael y rhyddid i hedeg. Efo merch fel hon hyd y lle pa raid oedd priodi efo Normanes na wyddai ond ei henw? Pa raid oedd aros i sicrhau'r olyniaeth erbyn y dôi'r brenin newydd adre? Wfft i'r Norman ac i bob cwrteisi llys!

Yn rhywle cyn cyrraedd y copa yn Arllechwedd, fe adfeddian-nodd Gronw ap Heilin beth o'i hen hyder. Cadwodd yn glòs o'r tu cefn i'w arglwydd yn disgwyl cerydd am iddo fethu â chadw'i wyliadwriaeth a gadael ei Dywysog ar drugaredd merch y gwrthryfelwr. Diolchodd i'r Drefn bod ei Dywysog eto'n fyw gan synnu yr un pryd nad oedd y gŵr yn cynnig gair o gerydd. Unig sylw ei arglwydd ar yr awr hon o'r bore oedd,

'Mae'r awel yn dyner ac yn argoeli'n dda am y cynhaeaf.'

Beth yn y byd oedd yn bod arno? A oedd efell Uthr Wyddel wedi gwenwyno ei fwyd?

Ond unwaith y daeth Llywelyn ap Gruffudd i olwg afon Menai efo'r llys yn cysgodi oddi tano dechreuodd ei freuddwydion yntau bylu a daeth yr hen ofnau i ddwysbigo. Synnodd Gronw ap Heilin nad oedd ei arglwydd hyd yma, yn ôl arfer y blynyddoedd, wedi dechrau trafod materion trannoeth yn y llys. Ai chwithdod am yr hen Ysgrifydd, y Crebach, oedd arno? A oedd yn ofni tafod y wraig Gwenhwyfar? Na, roedd holl feddwl y wraig honno bellach ar warchod Owain Goch, y cripil o garcharor yng Nghastell Dolbadarn. Neu a oedd o'n pryderu rhag bod ambell i hen gastiwr fel Castan Ddu yn llechu ymysg y Meibion ac yn ochri efo'r brawd iau, Dafydd ap Gruffudd?

O'r diwedd parodd Llywelyn i'w farch aros yn stond. Eisteddodd yntau yn llonydd ar y march gan edrych drosodd ar Ynys Môn a phen y Gogarth Mawr gyda darn o'r môr rhyngddynt. Yna fe ddechreuodd y lleisiau a fu'n boendod iddo holl ddyddiau ei fywyd. Sgrech y wraig Gwenhwyfar a ddaeth gyntaf,

'Feiddiat ti ddim! Merch Uthr Wyddal yn Dywysogas Abargwyngregyn! Fe dynnet y Fall ar dy gefn a gyrru'r Dywysogaeth yn chwilfriw!'

Llais main y Crebach yn dilyn efo'r cyfarchiad,

'*Princeps Wallie!* Merch Symwnt Mymffwrdd ydy'r un i ti fy Nh'wysog, o dylwyth yr hen frenin Harri Tri!'

Ond yr oedd cysur bonheddig yn y llais nesaf. Llais yr hen Ddistain pwyllog Gronw ab Ednyfed.

'Fe dyfaist i fod yn ŵr ifanc call a magu doethineb yn dy ganol oed, Llywelyn. Mympwy, chwilen sy' yn dy ben di y funud hon ac fe wisgith i ffwrdd efo amser.'

Yn dilyn daeth tro sydyn sgilgar o chwareus i lais yr hen Ddistain.

'Fe allet titha' gadw gwraig ordderch oni fedret ti, Llywelyn?'

Peidiodd y lleisiau a chofiodd yntau fel y bu i Gronw ab Ednyfed garu ei wraig ordderch tu hwnt i gariad gwragedd. Sbardunodd yntau ei farch drachefn ond ymataliodd yn sydyn. Trodd a chanfod y gŵr ifanc, Gronw ap Heilin, yn edrych mewn syndod arno. Meddai'r olaf,

'Gweld yr olwg ar eich wynab chi, f'arglwydd — golwg bell, bell.'

Unig ateb ei Dywysog oedd,

'Tynged, weldi. Dim byd gwaeth na Thynged!'

Wrth iddynt gyflymu'r meirch ar y goriwaered dechreuodd Gronw ap Heilin bendroni. Clywodd am salwch mawr y Tywysog ddegawd a mwy cyn hyn ac na fu ond y dim iddo farw bryd hynny. Beth pe bai ei arglwydd yn marw ac i'w bobl ddod o dan iau y Norman? Ac eto, rywsut rywfodd nid osgo marwolaeth oedd ar y Tywysog y bore hwn. Beth tybed a ddigwyddodd i'w arglwydd tra oedd o'n cofleidio'r hoeden gynnes honno yn Neuadd Uthr Wyddel?

Tybed? Tybed? Merch y gwrthryfelwr hwyrach oedd gwraidd y drwg. Collen . . . Llwyfen? Ni wyddai o'r gwahaniaeth rhyngddynt. O bosibl fe wyddai Llywelyn ap Gruffudd! Pa ots? Byr oedd parhad bywyd ar y gorau a byd o ryfela yn ormesol ar brydiau. Cystal fyddai ganddo yntau gael esgus i droi camrau tua Neuadd Uthr Wyddel yng nghwmni'r Tywysog eto a chael coflaid o'r hoeden geneth honno!

Sbardunodd Gronw ap Heilin ei farch yntau yn wisgi tua phorth y llys yn Abergwyngregyn. Gwenodd am fod tro chwareus weithiau ym mywyd hyd yn oed y Tywysogion.

XIV

Ddeuddydd cyn i Lywelyn ap Gruffudd gyrraedd y llys roedd y wraig dafodrydd, Gwenhwyfar, drwy drugaredd wedi gadael am Gastell Dolbadarn a bwthyn Tabitha. Gadael efo dau o'r osgordd ac Orion, ei ffefryn o blith morynion y llys. Ddwywaith y flwyddyn byddai Gwenhwyfar yn mynd i gadw golwg ar y carcharor, Owain Goch yng Nghastell Dolbadarn. Gadawyd o yno yn agos i ddeunaw mlynedd cyn hyn gan y brawd Llywelyn yn dilyn Brwydr Bryn Derwin. Aeth yr Owain grymus, gwyllt, gwallt coch yn henwr o gripil a phob breuddwyd wedi marw ynddo.

Wrth ymlwybro efo godre Dyffryn Ogwen y tro hwn roedd Gwenhwyfar hefyd yn teimlo'i hoed. Eto, hawdd y medrai hi deimlo'n ddigonol efo'i merch Mererid yn feistres y Castell yn Nolwyddelan a'i mab Rhisiart Arawn a'i dylwyth yn llawes y Tywysog yn y llys. Serch hynny, roedd hi'n ddigon trist ei gwala wrth gyrchu'r Castell yn Nolbadarn. Drwy ei pherswâd hi fe ofalwyd bod y carcharor dros y blynyddoedd yn cael bwyd a diod, ymgeledd dillad a'r hawl i farchogaeth o dan wyliadwriaeth y milwyr o fewn cylch y Castell. Ond pa fath ar fyw oedd hwn mewn gwirionedd? Unwaith, byddai Owain wedi croesawu marwolaeth ond gan fod hwnnw yn hir yn dod daeth i ddygymod â'i fyd gwag diymdrech. Nid oedd Tynged am iddo farw a magodd yntau haen o hunan-dosturi. Peidiodd y beirdd â galw yno a dwedid bod y cyfle i ganu yn llys Llywelyn mor brin ag aur. Peidiodd yr offeiriad â galw yno ac am hynny ni roid iddo gysur yr Eglwys. Aethai Owain yn rhan o ryw orffennol pell a chododd cenhedlaeth newydd oedd yn ddieithr iddo. Magwyd y genhedlaeth newydd yn sŵn antur byddinoedd Llywelyn ap Gruffudd. Y nod oedd dyrchafu gwlad Gwynedd a chadw'r Norman draw.

Wedi'r daith araf y tro hwn i Ddolbadarn fe drodd y ddau filwr, yn ôl yr arfer, i'r Castell a gweithiodd Gwenhwyfar a'i morwyn, Orion, eu ffordd i lawr y Dyffryn i fwthyn Tabitha. Bu'r daith yn flinedig a throellog o Abergwyngregyn yng ngwres dechrau haf. Serch hynny, swatio wrth y tân yr oedd Tabitha ac arwyddion henaint yn ei phryd a'i gwedd. Troi bodiau yr oedd hi a hel meddyliau yn ôl arfer hen wragedd ar derfyn dydd.

Oddi allan i'r bwthyn roedd dillad yn chwifio yn awel min nos. Golchwraig dda oedd Tabitha a hi fu'n diddosi Owain y carcharor efo'r gwaith hwnnw dros y blynyddoedd. Golchi a thrwsio a choginio wrth raid a wnâi hi bellach gan fod bywyd wedi gadael ei draul arni. Cododd yn ddigon trwsgl i gyfarch y wraig o'r llys a'i morwyn. Ei chyfarchiad yn wastad oedd,

'F'arglwyddes! Dyma chi wedi cyrra'dd, y ddwy ohonoch. Dowch, 'steddwch ac estynnwch at y ford.'

Roedd Tabitha yn amlwg yn eu disgwyl. Mwynhai Gwenhwyfar ei chyfarchiad ac ni cheisiodd ei chywiro erioed. Doedd yno yr un arglwyddes yn y llys pa un bynnag! Pwtan gron yn llawn chwerthin oedd Orion y forwyn. Unwaith y daeth hi drwy ddrws y bwthyn fe edrychodd yn betrus o gwmpas yn chwilio am Dafydd fab Tabitha.

Dafydd oedd atyniad Orion ar y siwrnai hon. Peidiodd ei chwerthin gan nad oedd arwydd o'r gŵr ifanc hyd y lle. Nid oedd y fam, Tabitha, yn fyr o sylwi chwaith ar y siom yn wyneb yr eneth. Rhoddodd y fam ochenaid fechan ac fe sylwodd Orion ar ei phetruster hithau gan fod gradd o ddealltwriaeth rhwng y ddwy. Torrodd yr hen wraig y garw o'r diwedd,

'Tydy Dafydd ddim hyd y lle. Mi adawodd ddwy noswaith yn ôl am y mynyddoedd.'

Torrodd yr eneth ar ei thraws hithau,

'Roeddwn i'n meddwl bod Dafydd wedi gorffen bugeilio ochrau'r Wyddfa ers tro.'

Rhoddodd Tabitha ochenaid fechan eilwaith.

'Digon gwir. Aeth o ddim yn ôl i'r Wyddfa wedi marwolaeth Reuben ei frawd . . . ofn ca'l y cryd yn y cymala' fel Reuben. Fuo Dafydd a finna' byth yr un wedi marwolaeth Reuben. Does unlle fel yr hen fynydd am ladd. . . . Ond, dowch, f'arglwyddas, mi anghofiwn ni am hynny.'

Roedd peth cynnwrf yn llais y fam a hwnnw'n rhan o ryw anesmwythyd oedd yn y gwynt hyd y lle yn ddiweddar. Gallai pethau rhyfedd fod yn digwydd yn y mynyddoedd! Unwaith y rhoddodd

Orion ei phen ar y gobennydd fe syrthiodd i gwsg trwm o lwyr flinder ac fe beidiodd pob ochenaid ar hynny.

Bore drannoeth yn gynnar fe weithiodd y wraig Gwenhwyfar ei ffordd i fyny'r Dyffryn tua'r Castell. Dilyn ochr y llyn am hydoedd. Bore tawel oedd hwn heb ddim ond cynnwrf isel yn y brwyn ac ambell aderyn mynydd yn gwibio heibio. Heddiw edrychai'r wlad yn fendigedig. Clogwyn Du'r Arddu yn fygythiol mae'n wir tua Nant Peris a'r clogwyni serth wedyn yn codi i'r chwith o'r copäon. Yno'n swatio yng nghesail y cwbl roedd y gaer yn Nolbadarn ac am a wyddai Gwenhwyfar yno yr oedd hi ers cyn cof. Doedd amser dyn ar y ddaear yn golygu dim iddi fel y cyfryw. Ystod bywyd ei thylwyth ei hun oedd ei llinell fesur. Digon oedd hynny ganddi. Wrth nesu tua'r Castell cofiodd mai surni Owain ap Gruffudd oedd amlycaf y ddau dro diwethaf ac nid oedd dim yn wahanol i'w ddisgwyl y tro hwn.

Yn ôl ei harfer cerddodd yn betrus tua'r porth. Yno roedd dau wyliwr yn aros amdani gan ei harwain i neuadd y Castell. Yno'n eistedd fel brenin yn ei sedd frenhinol wrth dalcen y bwrdd mawr roedd y carcharor hir ei gaethiwed, Owain ap Gruffudd. Cyfarchodd y wraig gyda thinc o ddirmyg yn ei lais cryg.

'Gwenhwyfar! Druan fach, rwyt titha' mor gloff ag Owain Goch erbyn hyn. Does ddichon y medri di redag ond mi fedri gerddad ar draws neuadd groesawgar Castall Dolbadarn i gyfarch mab hyna' Gruffudd ap Llywelyn o linach Tywysogion Gwynadd!'

A oedd Owain yn dechrau drysu wedi'r caethiwed maith? Cododd y carcharor ei law dde wedyn yn dangos y bysedd wedi camu efo'r cryd. Prin y byddai'n abl i afael mewn cleddyf mwy. Ond tybed? Roedd unrhyw beth yn bosibl gydag Owain. Ie, yr hen Owain oedd hwn, yn llawn asbri a rhyw gynllwyn yn cuddio yng nghilfachau'i feddwl yn rhywle. Ar hynny byrlymodd ei eiriau yn llifeiriant.

'Y brawd o Dywysog ar ei ffordd i lys Abar meddan nhw . . . wedi aros yn Neuadd Uthr Wyddal . . . tario noson ar y ffordd drwy Ddyffryn Conwy a throi efo gwehilion cymdeithas.'

Cododd y wraig ei breichiau mewn protest.

'Rwyt ti'n colli yn dy ben, Owain!'

Chwarddodd yntau.

'Na, dydy Owain ap Gruffudd ddim yn colli yn 'i ben hyd yma

ond mae pob newydd yn cerddad yr hen fynyddoedd yma yn gynt na'r gwynt weithia' ac mae pob newydd drwg am y brawd o Dywysog yn codi calon y brawd hyna'.'

Ymataliodd Gwenhwyfar ar hynny ac meddai'r gŵr, 'Mi wn i ar dy osgo na wyddat ti ddim oll am hyn, Gwenhwyfar!' Bu saib ar hynny nes i'r gŵr fyrlymu ei druth ymlaen.

'Mi glyw'is i ddyddia'r hen frenin Harri Tri ddwad i ben fis Tachwadd dwytha ac i Edward, y brenin newydd, fod ar fin marw yng ngwlad yr Iddew. Mi gafodd wenwyn o ryw saeth ac mi a'th 'i wraig Elinor ati i sugno'r gwenwyn allan o'i gorff o. Dyna i ti wraig gwerth 'i cha'l Gwenhwyfar. . . . Efo'r brenin newydd ar 'i ffordd yn ôl i wlad Lloegar hwyrach y medrat ti ga'l fy llusgo i allan o'r Castall felltith yma, Gwenhwyfar. Tasa rhuddin y Frenhines Elinor ynot ti mi ddangoset drugaradd yn lle chwarae'r ffon ddwybig fel pawb o wŷr y llys.'

Ond pwy oedd yn cario straes i'r carcharor? Ac a oedd y straeon am Lywelyn ap Gruffudd yn wir? Roedd sbïwr yn rhywle. Ond parhau i fwrw ymlaen yr oedd Owain.

'Wyddat ti fod y brawd o Dywysog yn codi caer ar lannau Hafren yng nghwmwd Cedewain ac yn tynnu gwg Rhosier Mortimer? Pen mawr weldi, yn meddwl y medar o reoli gwlad o Wynadd i Ddeheubarth. Does fawr yma nad oedd o'n herio'r Iarll Gilbert de Clare yn Senghennydd-is-Caeach ac yn tynnu i lawr y gaer yno. Ond Gwenhwyfar fach, mae'r brawd o Dywysog ar ormod o ffrwst ac yn debyg o losgi'i fysadd. Pan fydd o'n llosgi'i fysadd mi fydd drws agorad i'r brenin newydd yna wthio'i ffordd i Eryri!'

Cymerodd y carcharor anadl fer cyn chwerthin yn goeglyd a dweud,

'Mae gan y brawd iau, Dafydd ap Gruffudd, hogiau yn yr olyniaeth tra bod y brawd o Dywysog yn aros i ferch Symwnt Mymffwrdd ddwad drosodd o wlad Ffrainc. Mi fedar aros hyd Sul y Pys. Nid da gen i mo'r brawd Dafydd 'chwaith a ffrind sâl ydy o i'r brawd o Dywysog. Yn perthyn yn rhy agos i frenin Lloegar efo'r wraig fach yna sy' ganddo ac yn rhwbio efo arglwyddi'r Gorora'.'

Plygodd y wraig ei phen mewn anobaith gan na chlywodd erioed o'r blaen y fath huodledd geiriol ar draul y Tywysog ei hun.

Syrthiodd mudandod trwm yn y neuadd rhwng y ddau a fu'n herian ei gilydd yn blant ar y Garthau yng Nghastell Dolwyddelan. Mor greulon oedd hynt a helynt dynion meddyliodd Gwenhwyfar wrth i ryw feddyliau sinistr wawrio arni. Beth os oedd cyswllt rhwng y Tywysog ac Uthr Wyddel a'r Meibion?

Owain ei hunan a dorrodd y garw rhyngddynt o'r diwedd am fod ganddo galon feddal tuag at Gwenhwyfar mewn gwirionedd. Ceisiodd godi'i ddwylo llesg i fyny.

'Weli di'r dwylo yma, Gwenhwyfar? Fyddai'r rhain yn da i ddim i godi mewn gwrthryfal . . . ond cofia di bod gwrthryfal yn y galon serch hynny. Hwyrach y bydd Owain ap Gruffudd yn mynd i'w fedd yn ŵr siomedig ond synnwn i ddim na fydd rhywun ryw ddiwrnod yn cofio am y gŵr hir ei gaethiwed a fu yng ngharchar 'i frawd 'i hun yng Nghastall Dolbadarn.'

Daeth dagrau i lais y gŵr gwrthodedig hwn yn y man ac meddai, 'Mae gen i un deisyfiad, Gwenhwyfar, sef cael dychwelyd i wlad Llŷn cyn marw a cha'l gorwadd yno. Yno y bûm i hapusa'.'

Toddodd Gwenhwyfar hefyd ar hynny fel bod geiriau yn pallu rhwng y ddau. Yng nghraidd ei bod fe wyddai'r wraig syml hon y medrai hynt a helynt dynion newid mewn munudyn a phan ddaeth ei geiriau o'r diwedd roeddynt yn llawn cysur i'r carcharor.

'Hwyrach na fydd raid i ti aros yn hir eto, Owain, a phan ddoi di'n rhydd mi ddo' inna' efo ti bryd hynny i wlad Llŷn. Mi fyddwn ni wedyn ar ffordd y pererinion tuag Enlli. Siawns na chawn ni anadlu'n rhydd, y ddau ohonon ni, cyn troi cefn ar yr hen fyd yma.'

Diwrnod digon trwm a fu hwn i Gwenhwyfar yn y Castell ac yn bur llesg ei gwala y trodd ei chefn ar y lle yn niwedd y dydd hwnnw. Ymlwybrodd yn ôl efo min y llyn a geiriau Owain Goch yn creu cynnwrf yn ei meddwl. Daeth o'r diwedd i olwg y bwthyn lle roedd Tabitha ac Orion yn aros amdani.

XV

Yn ôl yn y bwthyn y bore hwnnw bu Orion yn gwylio'r hen wraig wrth ei gwaith beunyddiol. Roedd cynhesrwydd wedi tyfu rhwng y ddwy dros y troeon diwethaf pan fu'r forwyn llys efo'i meistres yn y Dyffryn. Tueddu i fod yn dawedog yr oedd y ferch ac meddai'r hen wraig,

'Fe ddylsai'r arglwyddas fod wedi mynd â thi i'w chanlyn i'r Castall, Orion.'

Gwenodd y ferch wrth feddwl am ei meistres fel 'arglwyddes' ond nid oedd ar unrhyw gyfrif am fradychu'r wraig oedd mor garedig wrthi. Orion oedd yr unig forwyn llys na fynnodd Gwenhwyfar fwrw blas ei thafod arni. Heb yr 'arglwyddes' ni fyddai hi ym mwthyn Tabitha ar y bore arbennig hwn ac ni fyddai wedi dod ar draws y mab Dafydd. Yn ddistaw bach roedd Orion wedi colli'i chalon i Dafydd fab Tabitha. Ond gwerinwr oedd Dafydd a hithau yn forwyn llys.

'Hwyrach fod yr arglwyddas am fynd wrthi'i hun i'r Castall, Tabitha,' mentrodd Orion yn y man. Nodiodd y llall.

'Ia, siwrnai ddirgal,' meddai. 'Felly'n union y bu hi gydol y blynyddoedd er y dydd y gwel'is i hi gynta' erioed. Gofyn i mi estyn llaw at y carcharor yn y Castall wnaeth hi, am mai fi oedd yr unig wraig yn y Dyffryn ac wedyn pan beidiodd y bechgyn â bugeilio'r praidd i'r Brodyr o Abaty Abarconwy hyd ochra'r Wyddfa mi dda'th noddad y llys yn werthfawr.'

Wrthi'n brysur yn tylino'r toes yr oedd Tabitha pan ddwedodd hi wrth yr eneth, 'Mae arna' i flys gneud torth getal erbyn te i'r arglwyddas a ninna'. Mae Dafydd wedi hel digon o fiswail gwartheg a'i sychu i mi roi tanwydd o dan y trybar.'

Mân sgwrsio y bu'r ddwy a phan oedd y dorth yn barod rhoddodd y wraig hi yn y cetal a chaead ar hwnnw. Allan â'r ddwy wedyn at gefn yr hoewal wrth dalcen y tŷ. Roedd cysgod yn y fan honno a chylch crwn o olion hen dân lle bu Tabitha yn crasu dro ar ôl tro. Aeth y wraig i'r hoewal i gyrchu'r trybedd haearn a'i osod yn y cylch ac wedyn mofyn y biswail sych o'r hoewal yn boethwal.

Cynheuodd hwnnw efo tân o'r aelwyd ac mewn byr dro roedd y poethwal yn wynias. Fe geid tân gloyw di-fwg o'r biswail.

Tra bu'r dorth yn crasu fe aeth y ddwy i lawr at y ffrwd a bu Tabitha yn strilio sachau o'r dŵr. Tabitha oedd y gyntaf i sôn am y mab.

'Mi ddylai Dafydd fod yn ôl heddiw. Mi heliodd 'i draed i rywla rai dyddia' yn ôl. Nid gwiw gofyn i ble mae o'n mynd ddyliwn!'

'Hwyrach iddo fynd i'r mynyddoedd,' awgrymodd y ferch yn ochelgar.

'Chaiff neb w'bod dim gan Dafydd,' ychwanegodd y fam.

Gwasgodd y wraig y sachau gwlyb yn ddigon ffyrnig wedyn a'u taenu ar y perthi. Bu'r ddwy wedyn yn aros i'r dorth grasu a Tabitha yn cario ychwaneg o'r biswail sych mewn basged wiail o'r hoewal i borthi'r tanwydd. Wrth wylio'r tân yn cynhesu o gylch y trybedd fe ddechreuodd y fam fwrw'i hofnau wrth y ferch.

'Mi wn mai morwyn llys wyt ti ond mi rwyt ti'n ferch onest ac yn ffond o Dafydd.'

Nodiodd yr eneth ei phen yn swil.

'Tasa Dafydd yn gw'bod dy fod di yma mi fasa'n ôl fel awal o wynt, achos mae o beunydd yn esgus rhyw sgwrs i sôn amdanat ti. Mi fydda' i'n meddwl bod dyn yn ca'l cysur i'w enaid wrth enwi person mae o'n 'i garu hyd yn oed tasa hwnnw ymhell o'i gyrra'dd. Ond mi ŵyr Dafydd na feiddia' fo ofyn am law morwyn llys. Gwerinwr tlawd ydy Dafydd, ond mae ganddo fo galon o ddur a fo ydy cefn 'i fam weddw.'

'Ond be' os na ddaw Dafydd yn ôl?'

'Os gwn i r'wbath mi fydd Dafydd wedi cl'wad dy fod di yma. Fe synnat ti fel y mae newyddion, yn ddrwg a da, yn cerddad yr hen fynyddoedd yma.'

Oes gynnoch chi syniad, Tabitha, i ble mae Dafydd yn mynd yn y mynyddoedd yma?' gofynnodd Orion yn ochelgar drachefn.

Sobrodd y wraig efo'r cwestiwn hwn ac meddai,

'Rwyt titha' fel finna' yn pendroni. Fedar Dafydd ddim diodda' gormas y gwŷr mawr. Duw a ŵyr be' wnâi o i ddial ar y rheini! Mae'r hen ysfa wedi gwreiddio'n ddwfn yn y tylwyth ac mae Dafydd yn casáu'r Norman. Er pan fu Reuben, ei frawd o, farw mae o'n dueddol o hel o gartra ar berwyl diarth.'

Cododd y wraig gornel ei barclod at ei llygad gan geisio cuddio'i gofid yr un pryd. Ond roedd Orion yn ferch ffeind ei chalon a rhoddodd ei braich ar ysgwydd y wraig a dweud,

'Be' am i ni fynd i mewn i'r tŷ, Tabitha, a cha'l diod bach dros y galon? Mi a' i i roi'r dŵr yn y crochan.'

'Y siort ora' 'mechan i'.'

Rhedodd Orion ar y blaen yn llawn awydd i estyn cysur i fam Dafydd. Unwaith yn ôl yn y bwthyn teimlodd y ddwy yn hapusach efo'r pethau cyfarwydd — y garreg aelwyd, y ford a'r gist a'r gath yn canu grwndi'n felys. Yn y fan honno, y mynegodd y fam ei hofn pennaf wrth yr eneth.

'Orion fach! Ofn i Dafydd ddwad i afael gwŷr y llys y bydda' i. Ofn ei fod o'n troi efo *nhw* . . . mi wyddost ti pwy?'

'Dynion y mynyddoedd ydach chi'n feddwl?'

'Ia . . . y Meibion . . . does gen i ddim i brofi, cofia, ond hen amheuaeth yn y galon 'i fod o ar berwyl drwg. Ofnau hen wraig sy' wedi arfar cadw at ddeddf y Mediaid a'r Persiaid ac ofn i'r hogyn ga'l 'i ladd a marw fel Reuben 'i frawd.'

'Ond hwyrach nad ydy'r Meibion yn ddrwg i gyd, Tabitha. Mae rhai yn y llys yn deud bod yn rhaid i genedl y Cymry wrth ddynion felly — dynion yn mynd y filltir arall.'

Ond yr oedd yr 'arglwyddes' wedi cyrraedd a chalon honno hefyd yn ferw i gyd.

Merched oedd yma yn ddiymadferth yn wyneb mympwyon a chynllwyn gwŷr. Mewn byr o dro casglodd y tair ohonynt ogylch y ford ac fe aeth Tabitha ati i rannu'r dorth getal ffres a thaenu menyn drosti nes bod hwnnw'n toddi'n llymaid. Egwyl o ollyngdod wedyn wrth i'r sgwrs droi o gwmpas rhinweddau'r wraig Tabitha. Roedd y dorth getal mor flasus.

XVI

Fel yr oedd y merched yn sgwrsio fe welwyd cysgod yn pasio heibio i ddrws y bwthyn ac fe ddiflannodd yn sŵn eu lleisiau. Cododd Gwenhwyfar ei haeliau a gofyn,

'Beth oedd yna Tabitha?'

Meddai honno toc,

'Deryn mynydd goelia' i, wedi hedag allan o'i gynefin. Mi fyddan yn dwad o gwmpas y Dyffryn o flaen drycin.'

'Deryn go fawr ar 'i gysgod o, Tabitha,' ychwanegodd Gwenhwyfar.

'Ia,' meddai'r llall yn bwyllog, 'mae yna adar, f'arglwyddes, yn Eryri ac ar ben yr Wyddfa fawr na fyddan nhw'n dwad i fyd dynion yn amal.'

Edrychodd Gwenhwyfar yn bryderus ar y ferch ac meddai,

'Orion! Mi fyddwn ni'n gada'l y Dyffryn efo'r wawr 'fory rhag bod 'chwaneg o adar drycin hyd y lle!'

Edrychodd Tabitha a'r ferch Orion mewn syndod y naill ar y llall. Tybed a oedd rhyw gyfrinach ddirgel wedi dod i glyw yr 'arglwyddes' hefyd ar ei siwrnai i'r Castell y diwrnod hwnnw?

Roedd Orion bron yn siŵr mai Dafydd oedd y 'deryn drycin' a aeth fel cysgod heibio i'r drws a phrin y medrodd lyncu'r tamed olaf o'r dorth getal heb iddo gydio yn ei llwnc. Cododd Tabitha i guro cefn yr eneth ac i'w rhyddhau o'i gwewyr. Oedd, roedd hi'n deall stumiau'r eneth yn burion! Yn y cyfamser llithrodd Dafydd i lawr at y llyn i olchi'r budreddi oddi wrth ei gorff.

Yn flinedig wedi'r siwrnai i'r Castell fe drodd y wraig Gwenhwyfar i orffwys ar fainc y simnai. Mewn byr o dro roedd yn slwmbran cysgu ac fe frysiodd Tabitha i osod clustog o dan ei phen a charthen drosti. Drwy hir brofiad fe ddysgodd yr hen wraig mai da o beth oedd boddhau'r 'arglwyddes' ond y min nos hon roedd hi'n fwy cyfrwys nag arfer.

Trodd Tabitha wedyn i'r bwtri a dychwelyd efo crochan bach yn ei llaw. Bachodd hwnnw wrth y craean uwchben y lle-tân ac ymhen dim cododd aroglau bwyd hyd y lle. Taflu cip sydyn dros ei hysgwydd wedyn ar yr 'arglwyddes' cyn codi'i bys at ei cheg ac ystumio'r geiriau,

'Potas brwas i Dafydd, Orion!'

Erbyn hyn roedd calon yr eneth yn neidio fel calon dryw bach yn ofni i'w meistres ddeffro, ond yr oedd honno mae'n amlwg ymhell yng ngwlad cwsg. Cododd yr hen wraig y crochan ar y pentan cyn troi i godi caead y gist wrth y pared. Ystumiodd ei gwefusau wedyn a dweud,

'Dillad glân i Dafydd. Dos di i lawr at y llyn yn ddistaw bach, Orion, ac mi gadwa' inna' lygad ar yr arglwyddas. Dos tra cei di. All dyn byth droi'n ôl!'

Ond cyndyn i symud oedd Orion. Rhoddodd Tabitha arwydd iddi ei dilyn wedyn i gefn y bwthyn. Meddai,

'Dos di at Dafydd. Ddeffrith yr arglwyddes ddim y rhawg. Mae golwg arni fel tae hi wedi'i thynnu drwy'r drain. Fel yna y bydd hi'n wastad wedi iddi fod yn y Castall yn Nolbadarn. Owain ap Gruffudd wedi'i chythruddo hi efo'i siarad hannar call. Peth anodd ydy i garcharor a fu allan o'r byd cyhyd gadw yn 'i synhwyra', yn ôl Dafydd.'

Ond dal i oedi yr oedd Orion. Synhwyrodd Tabitha ei hofn.

'Mae'n well gen ti garu'r hogyn o bell goelia' i, ond ddoi di byth i'r lan wrth fod felly. Un swil ydy Dafydd yn y bôn er 'i fod o'n ddigon garw yr olwg, ond mae o wedi dechra' dy licio di, Orion. Rhed i lawr at y dŵr am fymryn o awyr iach a mymryn o ryddid . . . ond dim penrhyddid cofia! Peth digon prin ydy rhyddid i forwyn llys dybia i, a chaethiwed ydy bod wrth draed yr arglwyddas beunydd. Ffwr' ti! Ŵyr yr arglwyddas ddim fod Dafydd o gwmpas y lle.'

Cychwynnodd y ferch yn ddigon petrus o'r diwedd i lawr y llwybr oedd yn arwain o fuarth y bwthyn yn union at y llyn. Yn sydyn fe welodd rywbeth a barodd iddi weiddi,

'Gwaed . . . gwaed!'

Dyna lle roedd smotiau gwaed hyd y gwellt ar ymyl y llwybr. Beth os nad Dafydd oedd yno wedi'r cwbl a bod gŵr gwyllt o'r mynyddoedd yn cuddio yn yr hesg? Cerddodd yn garcus wedyn gydag ochr y drain a'r mieri ond hyd yma ni welodd arwydd o neb. Ond fel yr oedd yr awel yn codi o'r llyn i'w hwyneb, fe glywodd swn cwynfan a chael cipolwg ar ŵr yn ei blyg uwch ben y dŵr. Yn noeth o'i wasg i fyny a'i fraich chwith yn amlwg yn peri loes iddo. Cerddodd hithau ar flaenau'i thraed tuag ato.

'Dafydd,' meddai'n dawel, 'y fi, Orion, sy' yma. Mae ar dy fam eisiau gw'bod dy fod yn ddiogal. Heb dy weld ers dyddia'.'

Cyndyn oedd y gŵr o symud a'i fraich chwith yn amlwg hyd at y penelin yn nŵr oer y llyn. Gan nad oedd y gŵr yn ymateb mentrodd hithau'n nes. Medrai Orion fod yn ddigon tafodrydd pan ddôi galw. Nid ar chwarae bach y bu hi byw yn y llys yng nghysgod gwraig llym ei thafod fel Gwenhwyfar.

'Dafydd! Gad i mi weld be' sy'n bod arnat ti! Mi fydd dy fraich di wedi rhewi'n gorn os byddi di'n 'i dal hi lawar yn hwy yn y llyn. Alli di ddim cuddio 'chwanag. Mae gen ti glwyf on'd oes?'

Ar y geiriau trodd Dafydd ei wyneb i edrych arni. Wyneb garw arswydus o wyn fel tae'r gwaed wedi rhedeg allan ohono. Prin y medrodd yngan gair, a pha un bynnag nid oedd am ddadlennu dim i'r ferch oedd yn byw yn y llys yn Abergwyngregyn. Ond roedd y ferch hon wedi hen arfer â gweld clwyfedigion yn y llys er nad oedd hi erioed wedi trin clwyf. Cydiodd yn dyner yn ei fraich. Meddai,

'Gad i mi weld y clwyf, Dafydd!'

Wrth glywed tôn ei llais roedd yntau yn adennill ei hyder. Medrai merched gynnig cysur i ddyn mewn ffordd od weithiau!

'Blaidd,' sibrydodd yntau. Ond ni fedrodd ei thwyllo.

'Mi wn i'r gwahaniaeth rhwng dannedd blaidd a chyllall dyn, yr hen ddyn i ti! Rwyt ti wedi bod mewn sgarmas yn rhywla on'd wyt ti?'

Syllodd y ddau lygad yn anesmwyth arni wedyn. Nid oedd yn yngan gair.

'Aros lle rwyt ti, Dafydd,' gorchmynnodd hithau, 'ac mi a' i i'r tŷ at dy fam i chwilio am rywbath i drin dy glwyf di.'

Cythruddodd hynny'r gŵr.

'Paid â deud wrth mam ar boen bywyd! Mi fydd honno am fy lladd i.'

'Mae'r clwyf yn debycach o dy ladd di lawar, 'ngwas i, ac fe synnat ti fel mae mamau yn cadw ar eu meibion pan maen nhw mewn trafferthion.'

Mae'n amlwg bod y gair 'Meibion' yn brathu'n waeth na'r clwyf ond doedd Orion ddim am gadw dim rhagddo.

'Ia'r Meibion, Dafydd. Efo'r rheini y cest di'r clwyf yntê, i fyny yn y mynyddoedd yn rhywla?'

Trodd ei chefn arno ar hynny a rhedeg am y bwthyn. Ar stepen y drws yn y fan honno roedd Tabitha yn aros amdani a chyn i'r wraig bryderus honno gael yngan gair fe dynnodd Orion hi ar ei hôl i'r hoewal.

'Mae Dafydd wedi ca'l clwyf . . . dim byd i boeni yn 'i gylch, Tabitha, ond mae angan dŵr cynnas mewn dysgl a llienia' ac eli dail y Fendigaid ar yr hogyn.'

'Ond does gen i mo'r eli hwnnw,' sibrydodd y fam yn boenus. 'Hwyrach y basa'n well i ni ddeffro'r arglwyddas, Orion, achos mae hi'n gw'bod sut i drin clwyf.'

Cododd y ferch ei llaw yn erfyniol arni. Meddai,

'Nid ar boen eich bywyd, Tabitha. Mi fedrwch 'neud gwely i Dafydd yn yr hoewal. Mae'n rhaid iddo ga'l cysgod dros nos ac mi wn i ble mae'r eli i'w ga'l.'

Mae'n rhyfedd fel y mae dyn yn mynnu herio pob rhwystr ar adeg o boen ac felly y cerddodd Orion ar flaenau'i thraed heibio i'r 'arglwyddes' ac i mewn i'r siambr. Yn y fan honno roedd blwch yn llawn eli — y math ar gyffur y byddai Gwenhwyfar yn ei gario i'r carcharor Owain ap Gruffudd yn y Castell. Siawns nad oedd yno rywbeth at ei rhaid y foment honno. Cydiodd Orion mewn potyn priddin bychan o'r eli gwyrdd. O leiaf ni fedrai hwn ladd neb, meddyliodd. Roedd hi wedi gweld ei meistres yn defnyddio hwn at yn agos i bob clwyf.

Erbyn iddi gyrraedd y buarth gwelodd fod Tabitha yn cychwyn cerdded i lawr y llwybr at y llyn. Cydiodd Orion yn chwyrn yn ei braich, a fu ond y dim iddi droi'r dŵr cynnes o'r ddysgl briddin i'r llawr o ddwylo'r fam bryderus.

'Tabitha!' meddai, 'cadwch olwg ar yr arglwyddas rhag i honno ddeffro a gadwch i mi ymgeleddu Dafydd.'

Roedd rhywbeth digon penstiff o gwmpas yr eneth, meddyliodd Tabitha a throdd hithau yn ddigon crynedig at ddrws y bwthyn.

I lawr ar lan y llyn digon tawel fodd bynnag oedd pethau rhwng y ddeuddyn ifanc. Y llanc yn gwingo gan y boen ac yn gwrthod dweud gair a'r eneth am ei hoedl yn gweini arno. Golchodd y clwyf yn lân ac yna'i sychu cyn taenu'r eli arno. Roedd cynnwys y potyn priddin bychan yn wyrdd ac yn arogli'n union fel eli dail y Fendigaid. Rhoddodd weddi fechan i'r Forwyn Fair ei hunan yn erfyn y byddai'r trwyth yn gloywi'r cnawd yn y man ac yn ceulo'r gwaed. Ond beth petai'r cnawd yn madru a Dafydd yn marw? Roedd yr eli mae'n amlwg yn llosgi'r llanc i'r byw. Gwingodd ac yna tawelu. Rhoddodd hithau ochenaid o ryddhad. Meddai,

'Mi rown ni liain main dros dy fraich rhag bod gwenwyn yn mynd i'r clwyf. Llonydd sydd eisiau arnat ti i'r cnawd ga'l amsar i ddwad ato'i hun ac i'r dolur gramennu.'

Gwnaeth Dafydd osgo i godi ar hynny ond hyd yma prin ei fod wedi dweud gair.

'Ac i ble rwyt ti'n meddwl dy fod yn mynd, Dafydd?' gofynnodd Orion yn wyllt.

Meddai yntau o'r diwedd mewn llais digon gwantan o gysidro maint y gŵr a chryfder ei gyhyrau,

'Mynd i guddio rhag yr arglwyddas gythril yna mewn cwt mochal yn rhywla yn y Dyffryn yma.'

'Dafydd! Wnei di mo'r fath beth! Mae dy fam wedi paratoi gwely i ti yn yr hoewal a dysga beidio â rhegi pan fydda' i o gwmpas y lle!'

Roedd rhywbeth yn llais yr eneth yn meithrin mwy a mwy o hyder ynddo wrth i'r amser gerdded ymlaen. Cydiodd Orion yn ei fraich dde o'r diwedd a'i arwain allan o'r brwyn i'r llwybr ar lan y llyn.

'Pwysa arna' i, Dafydd,' gorchmynnodd. 'Pwysa ar fy 'sgwydda' i ac mi awn ni'n ddistaw bach i fyny at y tŷ. Mi fydd dy fam yn aros amdanom ni.'

Yn sydyn arafodd Dafydd a dweud,

'Aros, Orion! Mae gen i rywbath i'w ddweud wrthat ti. Rwyt ti'n hogan dda yn trin y clwyf i mi. Gwerinwr tlawd a garw ydw i wedi arfar yn yr hen fynyddoedd yna a thitha' yn forwyn llys yn troi efo'r gwŷr mawr. . . . Wnei di addo dwad yn ôl i'r Dyffryn yma eto, Orion?'

Ar hynny ceisiodd y gŵr clwyfus estyn bysedd ei law dde ati a dal ei bochau rhyngddynt. Meddai,

'Rwyt ti mor frau . . . ac mor deg, Orion.'

Gwenodd hithau ac yr oedd dealltwriaeth cyfrin rhwng y ddau yr eiliad hwnnw.

'Os Duw a'r Forwyn a'i mynn fe ddo' i'n ôl i'r Dyffryn atat ti a Tabitha rhyw ddydd, Dafydd,' oedd ei hateb. Fodd bynnag roedd hi'n pryderu ym mater yr eli gwyrdd. Beth os nad eli dail y Fendigaid oedd yn y potyn priddin wedi'r cwbl a beth petasai o'n lladd Dafydd? Ond mae'n amlwg ei fod eisoes yn adfeddiannu ei nerth. Cydiodd y gŵr yn ei hysgwydd o'r diwedd a dweud,

'Oes, mae gen i gyfrinach, Orion. Dyn yr arglwydd Owain ap Gruffudd ydw i i'r carn. Mi fuo Reuben fy mrawd a minna' yn cario bwyd a dillad glân iddo fo i'r Castall er y dydd y daeth yr arlwyddes yma gyntaf erioed. Dyn da ydy'r arglwydd Owain a phan fydd hi'n ffrae rhwng y Meibion . . .'

Ymataliodd ar hynny ond yr oedd Orion yn deall yn burion.

'Mi wn i, Meibion Uthr Wyddel, ac yr wyt ti yn un ohonyn nhw?'

'Rydan ni i gyd yn rhan o'r Meibion o bryd i'w gilydd . . . efo nhw ac wedyn eu gada'l nhw. Mi ges i'r clwyf pan aeth hi'n sgarmas rhwng gwŷr y T'wysog a hogia' Nant Peris i fyny yn ucheldir Dyffryn Conwy y nos o'r blaen. Ymosod y byddwn ni pan fyddan nhw yn dilorni'r arglwydd Gruffudd a dyna wnaethon nhw pan oedd y Tywysog yn Neuadd Uthr Wyddel.'

Erbyn hyn roedd Tabitha yn cario cawl cynnes mewn powlen i'w mab i'r hoewal.

'Dos di, 'ngwas i,' meddai Orion yn dyner. 'Mi gawn ni siarad am y Meibion a'r T'wysog a phetha' felly rywbryd eto. Dos rhag i'r arglwyddes ddeffro ac mi a' inna'n ôl at lan y llyn. Cuddio fel tasa neb yn dallt i ni'n dau fod yno erioed. Dos Dafydd!'

Digon cyndyn i fynd oedd y gŵr serch hynny, a thybiodd Orion iddi weld deigryn bychan yng nghornel y llygad yn ceisio dweud wrthi am frysio'n ôl i'r Dyffryn. O'r diwedd diflannodd Tabitha a'i mab clwyfus i nodded yr hoewal a dyn a wyddai beth oedd cyfarchiad y fam iddo y noson honno. Rhedodd Orion bob cam yn ôl at lan y llyn i'r union le yn y brwyn lle bu hi a Dafydd. Eisteddodd ar ddarn o graig yn y fan honno yn gwrando llepian y dŵr yn y cerrig. Roedd hi'n fis nos braf o Fehefin, y llyn yn llonydd a'r creigiau bygythiol yr ochr draw am unwaith yn llwydlas. Cododd wedyn ar ei thraed a sefyll ar ddarn o graig yn union uwch ben y dŵr. Oedd, roedd ei chysgod yn y dŵr ac fe estynnodd grib o asgwrn bychan o boced ei barclod a dechrau cribo'i gwallt.

'Cribo fy ngwallt i Dafydd,' meddyliodd, ac yr oedd chwerthin ei hwyneb i'w weld ar wyneb y dŵr.

'Orion! Orion!' gwaeddodd y llais.

O'r diwedd torrwyd ar y tawelwch gan waedd wyllt ei meistres. Ar amrantiad gwthiodd Orion botyn priddin bychan yr eli i blygion ei gwisg a chuddio dysgl Tabitha a'r llieiniau gwaed yn yr hesg. Erbyn hyn roedd Gwenhwyfar bron wedi cyrraedd glan y llyn ac mor wyllt ei thymer ag erioed.

'Ac yma yr wyt ti, yr eneth haerllug, yn gadael dy feistres ar drugaredd gwerin gwlad. Yr hoeden benwan i ti! Mi ddeffr'is a doedd dim golwg ohonat ti na Thabitha. Ond diolch i'r Drefn mai yma yr wyt ti wrth dy hunan. Mi allai rhyw hwrgi gwyllt o'r mynyddoedd fod wedi dy dreisio di a gosod ei had ynot ti.'

Erbyn hyn roedd Tabitha hefyd wedi cyrraedd glan y llyn gan ryw hanner moesymgrymu o flaen yr 'arglwyddes' yn llawn esgusodion.

'Y fi oedd ar fai, f'arglwyddes! Yn eich gweld chi'n cysgu a'r enath wedi bod o gylch y bwthyn gydol y dydd. Yn rhyw feddwl y basa awelon y llyn yn bywiogi'r enath erbyn y siwrna' yn ôl i'r llys.'

'Dyna ddigon, Tabitha. Mi gawsoch ddeud eich deud ond peth anghyfrifol oedd gada'l i'r hogan grwydro wrthi'i hun ac mi fedrai gelyn fod wedi torri i mewn i'r bwthyn a'm lladd inna'. Ond dyna, does dim disgwyl i'r werin wybod am beryglon pobol y llys. Tyrd, Orion! Mae'n amsar i titha' noswylio a chyntad yn y byd y gadawn ni'r Dyffryn yma gora' yn y byd i bawb fydd hynny!'

Rhyw fân gerdded o'r tu ôl i'r wraig gythryblus yr oedd Orion a Tabitha erbyn hyn a'r ddwy yn ofni eu cysgod. Ond roedd yr eneth wedi cyffwrdd â thant tyner iawn ym mywyd tlodaidd di-ddigwydd mam Dafydd. Gwenodd yr hen wraig arni yn union fel tae'n dweud,

'Mi fyddi di'n ôl yn y Dyffryn yma eto er gwaetha' pob arglwyddes llys!'

Ond cwsg anesmwyth iawn a gafodd Orion y nos hon yn gorwedd yn lletraws ar waelod gwely ei meistres. Roedd yn dechrau meddwl bod rhyw bwysau mawr ar ei meistres hefyd yn dilyn y siwrnai ddirgel i'r Castell y bore hwnnw. Pa ddirgelion a ddadlennodd y carcharor iddi? Dyna Dafydd wedyn. A oedd o yn cario clecs i Owain ap Gruffudd yng Nghastell Dolbadarn ac a ddoi gwŷr y llys i'w gymryd yn eu hafflau? Hwyrach bod creithiau a gwaed dynion ar ei gorff ac aroglau tân yn ei ddillad ond a oedd ei ymwneud â'r Meibion yn peri ei fod yn troi ymysg hen wrthryfelwyr fel Castan Ddu? Soniodd Dafydd hefyd am y Tywysog yn y mynyddoedd yn Neuadd Uthr Wyddel. Yn wir, roedd cyfrinachau trwchus fel niwl hyd y lle ond pam roedd yn rhaid i hynny bwyso ar ei bywyd dinod hi? Y gyfrinach oedd ei bod wedi ymserchu yn yr hogyn Dafydd fab Tabitha. Rywdro cyn toriad gwawr gweddïodd ar i'r Forwyn wella clwyf y gŵr yn yr hoewal ar fyrder ac y câi hithau ddychwelyd yn y man i'r Dyffryn. Syrthiodd i gysgu o'r diwedd ond ymhen dim o dro fe'i deffrowyd o drwmgwsg gan lais ei meistres. Erbyn y bore roedd llais honno wedi tymheru cryn lawer wrth gyfarch ei morwyn llys.

Cyn gadael y siambr llwyddodd Orion i wthio potyn priddin yr eli i flwch cyffuriau ei meistres ac fe gafodd gip ar Tabitha yn cario dysgl o fwyd o gyfeiriad yr hoewal. Roedd y fam yn gwenu a'r cwbl yn arwydd i'r ferch nad oedd yr eli gwyrdd wedi lladd Dafydd. Ond yng nghanol ei llawenydd roedd arni dristwch a hiraeth lond ei chalon wrth droi cefn ar y Dyffryn.

Siwrnai flinedig a fu'r dychwelyd i'r llys i'r cwbl ohonynt, y ddwy ferch a'r ddau filwr o'r Castell. Yn fuan wedi iddynt godi o'r gwastadedd fe ddaeth y glaw. Glaw trwm dechrau haf yn mynnu ireiddio'r pridd ac anesmwytho dynion. Cofiodd y wraig Gwenhwyfar am y cysgod a ddaeth heibio i ddrws bwthyn Tabitha y min nos cynt a'r hen wraig yn haeru mai deryn mynydd oedd yno. Clamp o dderyn mynydd yn darogan drycin. Coel gwlad efallai ond yn aml roedd gwirionedd ym mhlygion y darlun yn rhywle. Yn wahanol iddi hi fe wyddai'r ferch Orion mai'r mab Dafydd oedd y deryn mynydd hwnnw.

Erbyn iddynt gyrraedd yn ôl i'r llys roedd y Tywysog Llywelyn wedi troi i'w hynt unwaith yn rhagor a rywsut rywfodd fel yr oedd ei blynyddoedd yn heneiddio, fe gollodd Gwenhwyfar yr awch i dreiddio i ddirgelion pethau. Aeth trywydd yr amserau yn drech na hi. Amser oedd drechaf nid dyn.

XVII

GWLAD POWYS

TUA DOLFORWYN
Ionawr 1274

Yn fuan wedi Nos Ystwyll yn y flwyddyn arbennig hon cychwyn-
nodd Llywelyn ap Gruffudd a rhan o'i osgordd o Eryri tua'r gaer
newydd, sef Dolforwyn ym Metws Cedewain ar y Gororau. Gellid
credu bod y gŵr ar ben ei ddigon a'i bŵer yn ymestyn o eithaf y
gogledd hyd at afon Gwy. Gadawyd Eryri yn y cefndir a chroesi
afon Dwyryd ac ymlaen gyda godre'r gaer yn Harlech. Cyrraedd
morfa Dyffryn Ardudwy wedi hynny a thario yn y Faeldre cyn symud
ymlaen i neuadd y cwmwd yn yr Ystumgwern. Ers tro byd roedd
cost breuddwyd y Tywysog o amddiffyn y Gororau yn syrthio'n
drwm ar y deiliaid yn Arllechwedd. Trodd yntau glust fyddar i
gwynion y bobl yn Eryri a throi y tro hwn at drigolion
Ardudwy-is-Artro.

Ond cwyno'n ddistaw bach yr oedd y deiliaid hyn hefyd am fod
y Tywysog yn pori'r da ar eu porfeydd cynhyrchiol hwy gan ymestyn
i gyfeiriad Nantcol gyda godre'r Moelfre. Serch hynny, fe fyddai'r
gwŷr ifanc wedi rhoi llawer am gael ymladd ym myddin y Tywysog
a chael troi cefn am dro ar ddilyn yr aradr a chribinio byw ar y
moelydd. Uchaf yn y byd yr eid at y Rhinogydd gwael oedd y tyfiant.

Wedi saib yn Ardudwy-is-Artro a derbyn gwrogaeth arglwydd y
cwmwd dyma droi yn fuan wedyn o'r gwastadedd yn Nhal-y-bont
a marchogaeth drwy Fwlch-y-Rhiwgyrch a chyda godre'r Llawllech.
Yna gostwng i lawr i ddyffryn Mawddach yng nghymdogaeth y
Bont-ddu. Taith gymharol fer wedyn i Abaty Cymer lle roedd Urdd
y Sistersiaid. Roedd eu croeso wrth fodd Llywelyn yn wastad.
Bellach yr oedd pob un o Dai'r Sistersiaid yn hunan-gynhaliol a
thros y degawd derbyniodd y Brodyr yn hael o nawdd y tywysogion.

Wrth i'r osgordd ddisgyn tua Dyffryn Mawddach yn hwyr y
pnawn hwnnw gwelent gopa Cader Idris yn glaer wyn ac felly yr
oedd copäon y Rhinogydd o'r tu cefn iddynt. Hyd yma bu'r gaeaf
yn gymharol dyner heb ddim ond eira ar ben y mynyddoedd a

smatrin yn unig ar dir y gwastadedd. Ond darogan gwae yr oedd y proffwydi tywydd, yn eira a cherrynt a gwyntoedd.

Wrth i'r osgordd gyrraedd porth yr Abaty yn y Cymer torrodd siantiau'r Brodyr ar eu clyw ar awr Gosber. Yno, yn sŵn yr hwyrol weddi fe deimlodd Llywelyn dangnefedd yn ei galon. Peth dieithr iddo oedd hynny ond yma yn anad unlle arall fe ddôi ei enaid aflonydd i gymundeb tawel â Bod Terfynol yn rhywle. Pe gofynnid iddo esbonio'r peth ni fedrai. Yma yn y Tŷ Sistersaidd yn swatio yng nghesail y mynyddoedd yn rhan uchaf Dyffryn Mawddach fe deimlai'n ddiogel. Dros y blynyddoedd oedodd yma sawl awr ar ei deithiau rhwng Gwynedd a Deheubarth a rhwng Gwynedd a Phowys. Roedd yr Abad yma hefyd mewn cytgord ag o ac o fewn cist gudd yn yr Abaty rhoddwyd dan glo nifer o gyfrinachau mawr y Dywysogaeth. Roedd yr Abaty ymhell o bob tiriogaeth ac yn ddiogelach na Thai eraill y Brodyr oedd yn ffinio ar dir y Norman.

Ar y nos arbennig hon pan oedd yr hwyrbryd drosodd i'r Tywysog a'i osgordd galwodd yr Abad ef i'w stafell yn ôl arfer y blynyddoedd. Gŵr wrth fodd calon Llywelyn oedd hwn ac mor wahanol i'r Esgob Anian o Lanelwy y dwedid iddo hanu o'r Nannau gerllaw. Er mor heddychlon ei ymarweddiad oedd Abad Cymer, fe ddaeth i feddwl Llywelyn y medrai hwn yn hawdd wthio cleddyf i gefn gelyn pe dôi'r galw! Roedd y gwaed Cymreig yn curo'n gynnes yng nghalon hwn yn erbyn gormes yr estron hefyd. Wrth i Lywelyn gyrraedd y stafell arwyddodd yr Abad arno eistedd.

'Mi wrantaf fod pen-milwr dy osgordd yn dy warchod!' meddai.

'Ydy, f'arglwydd Abad . . . ger trothwy'r drws.'

'Da, fy mab! Ni charwn i unrhyw anhap ddigwydd i Dywysog y Cymry o dan gronglwyd y Brodyr yn y Cymer.'

'Da y gwn hynny, f'arglwydd Abad, a gwiw fu gen i gael nodded yr Abaty dros y blynyddoedd.'

Yn ddiarwybod bron cafodd Llywelyn ei hun yn siarad yn yr un goslef ymadrodd â'r gŵr eglwysig. Gan mor agos oedd y berthynas rhwng y ddau symudodd yr Abad y ganhwyllbren aur fel y medrent weld wyneb y naill a'r llall. Ni fynnodd adael cysgodion rhyngddynt yn y stafell. Synhwyrodd Llywelyn bod yr Abad ar drywydd rhyw neges neu'i gilydd y nos hon. Cychwynnodd y gŵr eglwysig drwy ganmol menter y Tywysog.

'Mae swyddogaeth arglwydd gwlad yn fraint ac yn dwyn cyfrifoldeb ac fe fu'n wiw gennyt ti, Llywelyn, barchu'r egwyddor honno.'

Parhaodd yn y dull clodforus hwn dros ysbaid o amser heb osio newid y gogwydd na thorri ar gyfeiriad y sgwrs. O'r diwedd cododd gan gyffwrdd ag ysgwydd Llywelyn. Yna gwneud arwydd y Groes a symud ei wefusau mewn ystum gweddi. Er nad oedd gair o'r weddi hon yn glywadwy fe deimlodd Llywelyn wefr fel llinell o drydan yn treiddio drwy'i gorff. Teimlodd yn llesg a'r un foment gollyngodd yr Abad ei gorff yn ôl yn y gadair. Yr Abad oedd y cyntaf i siarad wedyn.

'Amseroedd anodd, fy mab! Adar drycin yn crynhoi fel y gwelsom ni lawer gwaith o Fôr Iwerddon a'r niwl yn cau am Ddyffryn Mawddach.'

Saib aflonydd yn dilyn a'r Tywysog yn hollol fud.

'Fe gefaist ti hindda, fy mab, er dyddiau Cytundeb Trefaldwyn efo'r hen frenin ac amser i grynhoi'r tiroedd concwest, tiroedd yr hen Gymry, ac i rymuso dy awdurdod, sef awdurdod cynhenid y tywysogion. Ond fy mab, cystal i ti wrando ar eiriau'r Beibl Lladin. Mi wranta na chlywaist ti erioed mo'r geiriau hyn.'

'Naddo yn sicr, f'arglwydd Abad.'

'Y Pregethwr sy'n llefaru a sôn y mae fod amser i bopeth dan y nefoedd. Sonia am drueni dyn ac na ŵyr dyn pryd y bydd hynny. Daw amser, meddai, pan arglwyddiaetha dyn ar ddyn er drwg iddo.'

Newidiodd goslef llais yr Abad wedyn a daeth angerdd i bob gair o'i eiddo. Bellach roedd yn siarad yn gyfrinachol mewn islais.

'Mae sibrydion yn cerdded y mynyddoedd yma er pelled yw Cymer o Abaty Ystrad Marchell ac o'r Gororau. Gwylia, fy mab, rhag bod rhywrai yn chwennych drwg i ti, rhai o'r un gwaed efallai yn llyfu llaw i ladd.'

Ond yr oedd y nos eisoes yn cerdded ymhell ac awr noswylio'r Abaty yn cychwyn i sŵn cloch diwedd dydd. Cododd yr Abad o'i gadair gan arwyddo i'r Tywysog gilio o'r stafell. Cododd ei law eilwaith.

'Un gair arall, fy mab. Nid lle Abad yw taenu sibrydion dynion ond fe deimlaf ym mêr fy esgyrn y bydd a wnelo'r lle hwn â thi

101

rywbryd eto, Llywelyn. Hyd hynny, Duw a Mair a'th gadwo rhag drwg weithredoedd dynion!'

Mewn byr o dro syrthiodd tawelwch llethol dros yr Abaty ond digon anniddig oedd cwsg y Tywysog. Pwy, wedi'r cwbl, a roes yr hawl i wŷr eglwysig siarad mewn damhegion? Nid oedd siarad felly wrth fodd gweinyddwr gwlad.

XVIII

Drannoeth yn blygeiniol fe groesodd y Tywysog a'i osgordd i gantref Meirionnydd ond parhau i ganu yng nghlustiau'r arglwydd Llywelyn yr oedd geiriau Abad Cymer. Beth yn union oedd y sôn am adar drycin ac am rywrai yn llyfu llaw i ladd?

Wrth iddi oleuo gellid gweld bod yr awyr yn glir a phen Cader Idris yn gwthio'n herfeiddiol yn y copäon. Pam lai? Felly'n union yr oedd yntau, Llywelyn, yn teimlo. Onid oedd blynyddoedd ei goncwest wedi profi ei fod yn anorchfygol? Mynnodd yr Abad sôn am drueni dynion ac am arglwyddiaeth y drwg. Wrth i'r osgordd bydru ymlaen collwyd golwg ar gopa'r Gader heb ddim ond ei hafnau duon yn aros yn gilfachau dirgel tywyll. Dychwelodd yr anesmwythyd a lleisiau taer y presennol yn llanw'r ymennydd. Cododd y mân sibrydion yn blith draphlith o batrymau yn nilyniant y blynyddoedd. A oedd Ffawd bellach yn dechrau llacio yn ei hymylon o'i gylch ac yn chwalu breuddwydion? Nid cynt y talodd yn ddrud i'r hen frenin Harri Tri am wrogaeth yr hen elyn Maredudd ap Rhys Gryg o Gastell y Dryslwyn nag y bu i'r olaf farw. O fewn mis i hynny bu farw y câr Rhys Fychan, arglwydd Dinefwr. Arglwyddi newydd oedd yn Nyffryn Tywi erbyn hyn — Rhys ap Maredudd yn y Dryslwyn a Rhys Wyndod yn gwarchod tir Dinefwr. Y bore hwn roedd ei feddyliau yn dannod iddo ei esgeulustod dros dde-orllewin y Dywysogaeth. Yna yng Ngheredigion bu farw'r teyrngar Maredudd ab Owain a rhannu'r tiroedd rhwng y meibion. Felly hefyd y digwyddodd yn Nyffryn Maelor pan rannwyd y diriogaeth rhwng pedwar mab Gruffudd ap Madog.

Ond y sôn am adar drycin oedd yn ei boeni. Ers degawd a mwy bu'r hen elyn Gruffudd ap Gwenwynwyn yn talu gwrogaeth iddo i'r de o Ddyffryn Tanat. Ond beth am wraig y gŵr hwnnw, y ddraenen o Normanes Hawise Lestrange? Aderyn o'r unlliw â'i fam oedd ei fab Owain, meddid, ac os gwir y gair roedd hwnnw yn rhwbio efo'r brawd iau, Dafydd ap Gruffudd.

Soniodd Abad Abaty Cymer rywbeth am 'rai o'r un gwaed yn llyfu llaw'. Yn ddiweddar bu Dafydd yn gwarchod y Gororau drosto ond o bryd i'w gilydd byddai dau lygad trawiadol y brawd iau yn ei archwilio o'i gorun i'w sawdl fel pe'n dweud,

'Hyd yma does dim wedi sefyll yn dy ffordd di, Llywelyn. Fe allet ti ddal pegwn yr Wyddfa yn dy ddwylo. Ond does gen ti na gwraig na mab yn yr olyniaeth. Mi briodais i â merch Robert Ferrers o dylwyth brenin Lloegr. Mae gen i ddwy ferch a dau fab bychan yn yr olyniaeth. Pan fyddi di farw, Llywelyn, fe fydda' i yn Dywysog y Cymry.'

Fodd bynnag, wrth i'r osgordd nesu am Gastell y Bere y bore hwn fe giliodd yr ofnau. Daethant eto i olwg y môr a dyna lle roedd dyffryn cyfoethog Dysynni o'u blaen. Gwych gan Lywelyn oedd cyrraedd am nodded y gaer hon yn wastad ond byr fu'r oedi y tro hwn. Roedd tir Cyfeiliog a gogledd Arwystli i'w teithio cyn cyrraedd Cedewain a'r gaer yn Nolforwyn.

Daethpwyd o'r diwedd i lannau Hafren a tharo yno am beth amser. Aed ati i archwilio'r gaer ac yr oedd Llywelyn wrth ei fodd. Dotiodd at ddyfalbarhad y Cymry hyd y Gororau, y bobl a ddioddefodd ormes yr estron dros y cenedlaethau. Deallodd yn gliriach nag erioed nad oedd dim o fewn Amser yn gallu lladd cof cenedl. Fe ymroes gwŷr Ceri a Maelienydd, Elfael a Chedewain at y gwaith o godi'r gaer. Yn wir daeth yno grefftwyr a chariwyr cerrig a choed o dueddau Buellt a Brycheiniog.

Ni welwyd erioed y fath frys a brwdfrydedd ymysg dynion a rhoes hynny hwb i galon Llywelyn. Buont wrthi yn cymynu coed a'u llifio wedyn, yn cloddio cerrig a'u naddu. Chwys a llafur oedd y cwbl fel pe bai i dalu iawn am ddioddefaint y tadau hyd y Gororau.

Wrth archwilio'r gaer canfu Llywelyn bod y domen wedi'i gwastatáu a'r ffos yn ddofn ogylch y graig serth fel yr oedd y tir yn goleddfu at y dyffryn. Yn y fan honno roedd afon Miwl yn uno â'r Hafren. Oedd, roedd muriau'r gwrthglawdd yn cryfhau'n ddyddiol a thywydd y gaeaf hyd yma o'u plaid. Y Tŵr sgwâr wedi'i orffen a'r Tŵr crwn yn y broses o'i adeiladu. Y neuadd a'r gegin yn gysgod diddos i filwr a gweithiwr fel y'i gilydd. Ychydig fisoedd eto ac fe fyddai'r gaer yn orffenedig. Rhaid oedd gorffen cyn y dôi'r brenin Edward adre o wledydd Cred.

Yn wir roedd yma fangre ddelfrydol i gaer yn Nolforwyn uwch ben Aber-miwl. I'r gorllewin roedd dolydd breision Cedewain yn cynnig ymborth i ddyn ac anifail yn enwedig felly pe dôi rhyfel. Roedd y farchnad hefyd wrth droed y gaer yn ffynnu ac yn tynnu dŵr o ddannedd yr arglwydd Gruffudd ap Gwenwynwyn yng Nghastell Pool. Dôi masnachwyr drosodd o Swydd Amwythig a Swydd Henffordd a gwerthid yno bob math ar ddefnyddiau lledr a llieiniau o bob lliw yn ogystal â bwydydd a gwinoedd. Câi Rhosier Mortimer a'r lleill brotestio faint a fynnent ond ganddo ef, Llywelyn, yr oedd yr hawl i bennu safle ei farchnadoedd ac i godi cestyll ar dir y Cymry! Roedd yn ei fwriad hefyd godi tref i'r de o'r gaer yn Nolforwyn i gystadlu â thref y Norman yn Nhrefaldwyn.

Yn ystod dyddiau olaf mis Ionawr y flwyddyn honno treuliodd y Tywysog oriau lawer yn astudio dogfennau'r gaer o stafell y Tŵr. O'r fan honno medrai weld y bont grog rhwng y beili a'r domen a'r gweithwyr yn cerdded yn ddi-dor drosti o dan eu baich. Mae'n wir bod y gaer yn uchel uwch dyffryn afon Hafren ac nad oedd yno ond dwy ffynnon i ddiwallu anghenion y lle. Mater arall i'w wynebu oedd ymosodiad y gelyn pe digwyddai i rywrai losgi'r gaer!

Ond nid oedd pethau yn fêl i gyd ychwaith er i Lywelyn droi clust fyddar i'r mân sibrydion oedd ynglŷn â'r gaer. Mynnodd y gweithwyr bod rhyw aflwydd yn codi'i ben yno'n feunyddiol. Rhan o fur y beili yn syrthio ac yn anafu gwŷr. Coed yn dymchwel a bwyell yn amddifadu dyn o law neu droed. Yn niwedd y flwyddyn torrodd afiechyd allan a lladd gweithwyr a phlant. Dal i haeru yr oedd rhai bod melltith ar y lle a bod gwrach yn trigo yn y bwthyn dros y gefnen o'r gaer. Gwrach oedd hon yn marchogaeth ar farch gwyn efo'r Penbwl yn ei dilyn, sef y brawd hanner-pan, ac anferth o gi ffyrnig wrth sodlau'r ddau. Aeth rhywun mor bell â haeru bod y wrach yn hanu o linach tywysogion Powys ymhell bell yn ôl ac mai ganddi hi yr oedd yr hawl i Ddolforwyn! Mynnent hefyd na ddôi'r wrach efo'r dannedd gwynion mawr a'r gwallt du fel y frân ar gyfyl y lle unwaith y dôi'r Tywysog yno. Coel gwrach oedd y cwbl yn ôl eraill.

Wrth i fis Ionawr ddod i'w derfyn fe syrthiodd yr eira yn Nyffryn Hafren. Eira trwm yn atal y gweithwyr wrth eu gwaith ac yn cadw gelyn yn ei dŷ. Byddai pob arglwydd yn ddiddos efo'i dylwyth — Dafydd ap Gruffudd yn Nhegeingl a Gruffudd ap Gwenwynwyn yng Nghastell Pool.

O fewn y gaer yn Nolforwyn yng nghwmni'r osgordd roedd

Llywelyn ap Gruffudd yn ddedwydd. Castell Dolforwyn oedd ei drysor pennaf ac yr oedd y sôn am bob aderyn drycin wedi cilio i gefn y cof.

Parhaodd yr eira i ddisgyn yn drwch hyd ddechrau'r Mis Bach.

XIX

O FFINIAU'R BERFEDDWLAD HYD LANNAU HAFREN

Dechrau'r Mis Bach

Pan ddechreuodd y dadmer mawr o'r diwedd fe gychwynnodd carfan flêr o wŷr meirch ar siwrnai gyda godre Moel Fama a Moel Fenlli gan osgoi'r llifogydd. Roeddynt yn amlwg ar berwyl arbennig a'r heth hir wedi'u hatal hyd yma. Buont yn dilyn y ffordd drwy Nantclwyd i Wyddelwern a heibio i odre Tan-y-gaer yn Edeirnion gan wau eu taith am lannau afon Dyfrdwy.

Daethant o'r diwedd i gyffiniau Llidiart-y-parc. Yn llusgo'n llechwraidd anfodlon yng nghefn yr osgordd flêr yr oedd Edwin Rhuallt na feiddiodd erioed wrthod gorchymyn ei arglwydd. Ond y tro hwn yr oedd Edwin yn ansicr iawn ei feddwl ynglŷn â phwrpas y siwrnai newydd hon. Gallai fod mor seithug â sawl un cyn hyn. Cynnig y byd iddo yr oedd ei arglwydd yn wastad gan geisio sylweddoli rhyw freuddwyd pell yn rhywle. Dynion diarth oedd gweddill yr osgordd iddo ond bod rhyw hen wrthryfelwr a elwid Castan Ddu yn eu canol. Dihangodd hwn, meddid, o garchar Castell Cricieth ymhell dros ddegawd yn ôl pan oedd y Tywysog Llywelyn yn wael ac ar ddarfod amdano. Byth wedyn fe fu Castan Ddu yn cuddio yn Eryri ac yn aros y dydd i dalu'r pwyth yn ôl i Lywelyn ap Gruffudd. Prin y byddai'r cyfarwydd wedi adnabod yr arglwydd ei hunan mewn mantell racsiog a phenwisg bron cuddio ei wyneb.

Ond digwyddodd Cnonyn bach y Parc, mab Iago'r cychwr, fod yn swatio o'r tu ôl i'r llwyni coed ger afon Dyfrdwy, fel yr oedd yr arglwydd a'i wŷr meirch yn ceisio rhydio'r dŵr yn y fan honno. Hogyn hanner ei oed yn feddyliol oedd y Cnonyn ond efo dau lygad treiddgarach na'r rhan fwyaf o ddynion a dwy glust fel cloch yn y pen.

Y noson honno wrth dân y bwthyn roedd y Cnonyn yn anesmwyth ei fyd.

'Rhywbeth yn dy gnoi di, Cnonyn?' gofynnodd Iago'r tad. 'Dwed wrth dy dad.'

'Dw' i ddim yn licio, 'nhad.'

'Mwya' rheswm felly dros i ti ddeud.'

'Ofn . . . ofn arglwydd gwlad, 'nhad.'

Fel y dôi pob 'r' dros weflau trwchus y Cnonyn byddai'n troi'n 'l' a pha un bynnag, anaml y rhoid coel ar ei eiriau.

Oddi allan ar y Berwyn yr oedd storm fawr yn cyniwair a'r dŵr yn prysur godi yn y Ddyfrdwy ger Llidiart-y-parc. Cystal oedd i Iago'r tad gyfaddef bod geiriau'r Cnonyn yn ei anesmwytho.

'Storm, 'nhad,' meddai'r Cnonyn wedyn.

'Prin y meder neb groesi'r afon heno oni bai 'i fod ar berwyl drwg,' ychwanegodd y tad gan obeithio y câi lusgo stori'r pnawn hwnnw o berfedd y mab.

'Ie, 'nhad . . . rhywun fel yr arglwydd hwyrach a'i osgordd.'

'Ond fyddai'r un arglwydd am groesi ar noson fel heno, y Cnonyn.'

'Ond mae o wedi croesi, 'nhad. Y fo a'r dynion blêr. Blêr iawn.'

'Taw â'th gleber. Breuddwydio rwyt ti.'

'Dim breuddwydio, 'nhad. Ond mi wel'is i wyneb yr arglwydd. Doeddwn i ddim yn 'nabod y lleill — dynion rhacsiog i gyd. Cuddio o'r tu ôl i'r llwyni wrth yr afon yr o'n i.'

'Breuddwydio wnest ti. Breuddwydio eu bod nhw yn dod drosodd yn y cwch?'

'Nid yn y cwch, 'nhad, ond dros y rhyd. Y meirch yn llusgo drwy'r dŵr a nhwythe'n mynd fel tase brain y byd ar eu sodle nhw.'

'Taw eto, y Cnonyn.'

Os nad oedd ei dad am ei goelio, cystal oedd iddo yntau gau ei lygaid o flaen tân gwresog y bwthyn a chau ei glustiau rhag sŵn y gwynt o'r Berwyn. Cas beth gan y bachgen oedd y gwynt. Fel yr oedd y Cnonyn yn dechrau chwyrnu'n ysgafn, cododd y tad o'i gadair gan ysgwyd ysgwyddau'r mab yn wyllt.

'Dwed i mi, pryd y gwelest ti'r arglwydd yn croesi'r rhyd?'

Ond doedd dim ateb. Ysgydwodd y tad y mab yn ffyrnicach.

'Pryd y pnawn yma y gwelest ti'r arglwydd? Oedd hi'n nosi?'

'Yn rhyw ddechre nosi,' meddai'r llanc rhwng cwsg ac effro.

'Ac mi aeth y garfan am y Berwyn?'

'Do, debyg.'

'Dros Bowys Fadog am Bowys Wenwynwyn?'

Ailgydiodd y Cnonyn yn ei gwsg gan adael Iago yn syllu'n syfrdan i'r tân. Fel cychwr a physgotwr fe ddôi straeon rhyfedd i glustiau'r gŵr o bryd i'w gilydd. Os gwir y stori i'r mab weld y fintai beth pe bai'r fintai wedi gweld y mab? Gwyddai Iago o hir brofiad mai gwaith hawdd fyddai i arglwydd gwlad wthio gwaywffon i gefn cychwr i'w dawelu. Wrth i'r glaw guro ar do'r bwthyn ac i'r gwynt ddyrnu'n egr dwysáu yr oedd amheuon y cychwr.

Erbyn hyn roedd yr arglwydd a'i osgordd flêr yn cysgodi o fewn neuadd gŵr digon amheus ei fuchedd ar y llethrau uwch Llanarmon yn Nyffryn Ceiriog, ac yn wlyb fel pysgod o'r afon. Gydol y noson honno ni pheidiodd y gwynt â dyrnu gan ddymchwel coed hyd y llawr a'r glawogydd yn prysur lenwi'r afonydd. Syrthiodd pontydd a llifodd dŵr dros y meysydd gan ddwyn y da a'r gweiriau o'r 'sguboriau i'w canlyn. Erbyn y bore roedd yr holl wlad yn noeth ac wrth i'r hin gynhesu fe doddodd yr eira gan ddwyn dinistr yn ei sgîl.

Yn y bore bach cychwynnodd y garfan flêr drwy Rydleos a thua Llansilin a Llangedwyn cyn croesi am Ddyffryn Hafren. Cynddeiriogi fwyfwy yr oedd y gwynt, a'r gŵr Edwin Rhuallt yn dal i ofyn pa werth oedd i'r holl ymdrech. Pydru ymlaen ar ei farch yr oedd ei arglwydd, y gwynt yn ergydio a'r glaw yn gyrru mân saethau i'r cnawd.

Daethant yn gynnar y pnawn i gyffiniau Abaty Ystrad Marchell ac amgenach na bwrw ymlaen fyddai chwilio am gysgod rhag y storm oedd wedi'u goddiweddyd hyd y Gororau. Caent eu chwythu oddi ar eu traed a'r meirch yn llithro yn y mwd a'r brigau coed oedd yn rhwystr hyd y ffyrdd. Duw ei hun a wyddai beth fyddai diwedd y siwrnai ryfedd hon! O'r pellter daeth sŵn gwan cloch eglwys Ystrad Marchell ac fe roesai Edwin Rhuallt y byd am gael dianc i Dŷ'r Brodyr ond gyrru'r march yn wyllt ymlaen yr oedd ei arglwydd. Fferrodd geiriau ar eu tafodau.

Y diwrnod hwnnw roedd y Brawd Andreas, brawd-lleyg o Ystrad Marchell, yn dychwelyd o warchod praidd y fynachlog a gedwid wrth odre'r Breiddin yn aros tymor yr wyna. Bu'r Brawd yno er adeg Nos Ystwyll efo dau o'r gweision. Erbyn hyn fe'i daliwyd yn y storm a fu'n bygwth ers pedair-awr-ar-hugain. Cymaint oedd grym y gwynt fel y tybid bod y greadigaeth yn symud ac wrth droed y

Breiddin curodd y glaw yn ddidrugaredd nes cipio teisi a gadael anifeiliaid yn wallgo o'r bendro.

Rhyw ddeuddydd cyn hyn torrwyd ar dawelwch y praidd gan nifer o wŷr arfog yn croesi'r ffin o gyfeiriad Swydd Amwythig. Nid bod hynny yn beth diarth gan y byddent yn torri drwodd yn trespasu a dwyn y da oddi ar y Cymry. Yn ôl un o'r gweision fe unionodd y gwŷr, efo acen y Norman, am Gastell Pool a elwid y Castell Coch. Yno roedd yr arglwydd Gruffudd ap Gwenwynwyn yn rheoli a'i wraig Hawise Lestrange a oedd o waed y Norman. Fe ddwedid bod y wraig hon yn dial ar y Cymry hyd y Gororau.

Ond ar ddiwedd y pnawn arbennig hwnnw pan oedd y Brawd Andreas yn marchogaeth ochr y Breiddin ac yn dychwelyd am Ystrad Marchell fe sylwodd fod y meysydd i gyd o dan y llifogydd. Penderfynodd ddilyn y llwybrau gyda godre'r bryniau ac yn ddirybudd daeth ar draws carfan o wŷr digon bratiog yr olwg yn ymdopi efo'r lli. Cymraeg oedd eu hiaith, yn wahanol i'r gwŷr arfog a ddaeth o Swydd Amwythig ddeuddydd cyn hyn. Gwelodd fod eu meirch bron at eu pedreiniau yn y dŵr ac yna'n sydyn clywodd waedd erchyll gŵr yn boddi yn y llif a llais yn galw,

'F'arlwydd! Mae Castan Ddu wedi'i ddal yn y llif!'

'Gad iddo!' oedd yr ateb oeraidd. 'Cystal iddo drengi yn y fan yma ag yn unman arall. Fe allai fod fel maen melin am ein gyddfau wedi i'r llif dreio!'

'Os ydych chi'n deud, f'arglwydd.'

'Dyna fy ngorchymyn, Edwin Rhuallt, a chyda thipyn mwy o ymdrech mi fedrwn groesi'r afon mewn man culach. Trowch bennau'r meirch yn ôl!'

Cododd chwilfrydedd y Brawd Andreas. Swatiodd o'r tu ôl i'r llwyni rhyngddo a'r afon. Fel gŵr eglwysig cas ganddo oedd gweld gwŷr meirch yn llawn o'r ysfa i ladd a heb atal gŵr rhag boddi. Yna'n ara' bach dilynodd y gwŷr diarth unwaith eto nes cael i fan lle gellid rhydio'r afon. Cafodd gip sydyn ar ddau ŵr o'r fintai a chan mor dreiddiol y foment fe seriodd yr wynebau yn y cof. Llygaid tywyll aflonydd y gŵr y tybiai ei fod yn arglwydd arnynt a gwep laes flinedig gŵr oedd yn glynu fel y gelen wrtho. Unwaith y cafodd y fintai i'r ochr draw i'r afon fe gollodd y Brawd Andreas olwg arnynt. Yn ddigon annedwydd ei feddyliau y troes y Brawd weddill y daith tuag

Ystrad Marchell. Ar noson fel hon collid pobl yn y llifogydd a thrannoeth cyn sicred â hynny fe fyddai nifer o ffoëdigion yn chwilio am nodded y fynachlog gan ddiolch i Dduw a'r Forwyn am eu harbed.

Erbyn i'r Brawd gyrraedd Ystrad Marchell synhwyrodd fod y storm wedi lliniaru peth er bod y terfysg o hyd yn yr awyr. Roedd milltiroedd o dir gwastad glannau Hafren hyd Fetws Cedewain yn gorwedd o dan y dŵr.

XX

Nos y storm

Ers wythnos a mwy roedd yr eira wedi disgyn a'r wlad ogylch yn wyn ac yna'n sydyn fe dorrodd y storm fawr hyd lannau Hafren. Wrth i'r storm gyrraedd ei hanterth fe grynhodd gweithwyr y gaer yn y neuadd newydd yn gwrando ar wŷr Maelienydd, Ceri a Chedewain yn adrodd hen chwedlau. Ar noson fel hon fe fyddai pob Norman o'r Gororau yn ddiddos yn ei gastell a phob Cymro o dan gronglwyd ei dŷ.

Swatiodd y Tywysog yn ddiddos yn stafell y Tŵr sgwâr yng nghwmni pennaeth ei osgordd, Gronw ap Heilin. Oddi allan roedd y gwynt yn chwyrnellu fel mil o leisiau rhwng holltau muriau'r gaer nad oeddynt hyd yma yn orffenedig. Llusgodd Gronw y fasged wellt yn stwrllyd hyd lawr y stafell i borthi'r tân o'r blociau coed oedd ynddi. Roedd digonedd o goed o gwmpas y gaer hon yn nhir Cedewain i losgi holl gyrff y gelyn! Dawnsiodd y fflamau ar fur tywyll y stafell. Syrthiodd colsyn o'r tân ar yr aelwyd lle roedd un o gŵn y gaer yn slwmbran cysgu. Anniddigodd hwnnw efo gwres y colsyn gan agor llygad a'i chau wedyn. Felly yr oedd rhawd dynion hefyd yn cau ac agor, agor a chau. Ac wedi nos y storm fe ddôi hindda'r bore.

O'r diwedd syrthiodd Gronw ap Heilin i gwsg trwm ac yr oedd y lle yn wag. Bellach yr oedd y marwydos yn syrthio'n llesg i'r aelwyd heb fod neb yn ymdrechu i adnewyddu'r tân. Yn y gwacter mawr hwnnw fe lithrodd rhyw hen ofn oesol ei hil i galon Llywelyn gan ei lethu. Roedd yn unig yn nos y storm heb gâr agos yn y byd mawr. Daeth geiriau Abad Abaty Cymer i aflonyddu arno unwaith eto efo'r sôn am adar drycin.

'Gwylia rhag bod rhywrai yn chwennych drwg i ti . . . rhai o'r un gwaed yn llyfu llaw i ladd.'

Nid gŵr i wastraffu geiriau oedd yr Abad ac yr oedd angerdd yng ngoslef ei lais wrth ynganu'r neges arbennig honno.

Gydol ei oes fe fu'r lleisiau yn bygwth Llywelyn ap Gruffudd ac nid cynt y cyrhaeddodd yr osgordd y gaer yn Nolforwyn nag y torrodd yr elfennau yn rhydd. Cofiodd fel y bu i un o'r osgordd yn nyddiau cynnar codi'r gaer ddweud wrtho,

'F'arglwydd! Mi awn ar fy llw fod yna rywbath na fedar dyn ei esbonio o gwmpas y gaer . . . rhywun yn gwylio . . . gwylio pob symudiad . . . yn gwneud dyn yn oer.'

Peth od oedd i ŵr glew cynefin â rhyfela sôn am ei waed yn oeri yng nghymdogaeth y gaer.

Prin fu cwsg Llywelyn y nos hon ac ar doriad cyntaf y wawr edrychodd allan drwy rigol mur y Tŵr. Ai breuddwydio yr oedd? Ni wyddai. Clywodd sŵn fel carnau march gyda gwaelod y gaer ac âi ar ei lw ei fod yn gweld y ferch efo'r dannedd gwynion mawr yn marchogaeth y march gwyn yn union fel y gwelsai hwy o fewn olion yr hen gaer yn Nolforwyn rai blynyddoedd cyn hyn. Y ferch a drodd yn wrach o dan ei olygon! Gallai haeru ei bod hi yma eto yn gwarchod ei threftadaeth — y ferch efo'r Penbwl o frawd a fynnai ei bod yn disgyn o dywysogion Powys ymhell bell yn ôl. Ciliodd oddi wrth y mur ac eistedd yn swrth yn ei gadair ger y tân oedd bellach yn ddim ond bonion du brau.

Deffrôdd Gronw ap Heilin ar hynny a chanfod yr arglwydd yn yr osgo rhyfedd hwn.

'F'arglwydd! Rwyt ti fel y galchan,' meddai, 'fel tae ti wedi gweld drychiolaeth.'

Caeodd y Tywysog fel blwch. Pe bai'n dadlennu rhywbeth o brofiad y bore hwnnw fe ddwedai Gronw bod y storm wedi atgyfodi merch yr hen chwedl — y chwedl am y Dywysoges Sabrina yn ffoi dros Bowys Wenwynwyn o flaen ei llysfam. Yng nghraidd ei fod fe gredai Llywelyn fod y ferch ar y march gwyn yn gwarchod y gaer iddo ef — iddo ef yn unig. Parodd hynny esmwythyd iddo.

Gynted ag y byddai'r storm wedi cilio byddai'n gorchymyn yr adeiladwyr i gydio maen wrth faen fel y gellid cwblhau'r gaer erbyn dychweliad brenin newydd Lloegr fawr i wlad ei dadau. Ei fwriad oedd dychwelyd ar fyrder heibio i Gastell y Bere gan alw heibio i Dŷ'r Mynaich yn y Cymer cyn troi am Wynedd. Rhaid oedd casglu'r 'dyledion mechdeyrn' oddi wrth y deiliaid i dalu'r ddyled fawr o farciau i'r brenin yn ôl Cytundeb Trefaldwyn. Hyd yma roedd wedi gwrthod talu'r ddyled i ddirprwyon y brenin — Rhosier Mortimer a'r gweddill. Ond yr oedd Llywelyn ap Gruffudd yn ŵr gonest a chyhyd ag y cadwai brenin newydd Lloegr at ei air fe delid iddo'r dyledion.

Roedd yn ei fwriad hefyd ddychwelyd i'r gaer hon yng Nghedewain adeg y Pasg ac ymweld â'i ddeiliaid ym Muellt a Brycheiniog. Roedd am ymweld hefyd â Thŷ'r Mynaich yn Abaty Cwm-hir ar y ffin rhwng Maelienydd a Gwerthrynion. Byddai egwyl o dangnefedd efo'r Brodyr yn yr Abaty ar Ŵyl y Pasg yn rhywbeth i'w chwennych. Roedd hi'n angenrheidiol i arglwydd gwlad ddod i gymundeb â'i enaid ei hun o bryd i'w gilydd yng nghanol byd o gynllwynion dynion.

Drannoeth y storm tybiodd y Tywysog fod y gaer yn Nolforwyn mor lân ei gwedd ag unrhyw Dywysoges a fu yno erioed ar lan Hafren. Ei drysor pennaf oedd y gaer.

XXI

ABATY YSTRAD MARCHELL
Drannoeth y storm

Yn ôl y disgwyliad fe alwodd nifer o ffoaduriaid yn y Fynachlog yn dilyn y storm a throi i'r eglwys i roi diolch i Dduw a'r Forwyn am eu cadw'n fyw.

Yn hwyr y dydd hwnnw fe gyrhaeddodd dau ŵr ar feirch borth y Fynachlog. Cyflwynodd y blaenaf ohonynt ei hun fel yr arglwydd Dafydd ap Gruffudd ac fel brawd ffyddlon y Tywysog Llywelyn. Agorwyd y porth iddo ar unwaith a rhoed iddo ef a'i was fwyd yn y ffreutur a llety noswaith.

'Y siwrnai'n flinedig, f'arglwydd Abad,' meddai Dafydd ap Gruffudd. 'Fe ddaethom bob cam o Degeingl. Y siwrnai ar y cychwyn yn deg ond yn ffyrnigo unwaith y daethom i dir Powys. Fe delir i chi am eich lletygarwch yn ôl balchder ac urddas arglwyddi gwlad.'

Mae'n wir bod y mynachlogydd hyn wedi derbyn yn helaeth dros y blynyddoedd o nawdd y tywysogion ac ni ellid ond estyn deheulaw lletygarwch i arglwydd fel Dafydd ap Gruffudd. Felly y bu y noswaith hon. Drannoeth roeddynt am droi i lawr tua Phowys Wenwynwyn ac i'r Castell Coch at yr arglwydd Gruffudd a'i wraig Hawise Lestrange. Doedd dim o'i le yn hynny.

Wrth i'r ddau ŵr baratoi i ymadael drannoeth digwyddodd y Brawd Andreas fod yn troi allan i'r maes. Sylwodd ar y ddau ŵr yn croesi heibio i borth y Fynachlog ac un o weision y stabl yn cyfeirio'u meirch tuag atynt. Fflachiodd rhyw ddarlun oedd wedi'i serio ar ei gof o flaen ei lygaid. Roedd yn sicr iddo weld y ddau ŵr o'r blaen. Ond nid oedd yn siŵr o ddim. Cofiodd fod y nos yn hel pan welodd y garfan wyllt yng nghanol y llifogydd ar lan Hafren wrth odre'r Breiddin ar nos y storm. Tybed? Yn anniddig ei fyd penderfynodd ddilyn y ddau ŵr hyd ffordd y gwastatir am filltir neu ddwy fel bugail yn dilyn ei braidd. Ond yn sydyn fe drodd y ddau ŵr i gyfeiriad Clawdd Offa a'i gwneud hi am Swydd Amwythig. Dau Gymro glân gydag acenion gwŷr y Gogledd, meddyliodd, yn troi tua gwlad y Norman! Nid bod hynny yn ddim o'i fusnes. Gwnaeth arwydd y Groes rhag i'w feddwl troëdig ei yrru i ddifancoll tragwyddol am i'w chwilfrydedd fynd yn drech nag o. Ond dros y dyddiau dilynol fe dorrodd pob math ar straeon ar dawelwch y Fynachlog.

'Y gwastadedde gyda glanne Hafren yn ddiffeithwch medden nhw wrth i'r llifogydd gilio . . . y de wedi trengi . . . y coed ar bob wtre wedi'u dymchwel . . . a gwŷr arfog yn farw gelen wrth ochre'r afon.'

Soniodd rhai am y cynllwyn i ladd y Tywysog.

'Am i ledd o yn y gaer newydd yn Nolforwyn efo llond dwrn o'i wŷr o ene i'w warchod. . . . Owain ap Gruffudd o'r Castell Coch i ymosod o gyfeiried Caereinion a'r tad Gruffudd ap Gwenwynwyn o gyfeiried Aber-miwl a charfan o'r Normanied o gyfeiried y gaer yn Nhrefaldwyn i groesi Rhyd Chwima fel tase gwaed y Tywysog ar 'u dwylo nhw . . . ar ddwylo'r Norman. . . . Dafydd ap Gruffudd wedyn, y Tywysog newydd, i arwyddo Cytundeb o briodas rhwng 'i ferch ac Owain fab Gruffudd ap Gwenwynwyn a Hawise Lestrange. . . .'

Gŵr tawel ac union ei galon oedd y brawd Andreas ond unwaith y clywodd y sibrydion mynnodd gael ei ddwyn at yr Abad.

'Mae gen i newyddion, f'arglwydd Abad,' meddai'n gynhyrfus.

'Dos ymlaen, y Brawd Andreas. Nid gŵr i leisio geiriau ofer wyt ti.'

Unwaith i'r argae dorri bwriodd y Brawd ei feddyliau ar y gŵr eglwysig.

'Ofn, f'arglwydd! Ofn cynllwynion y gwŷr mawr. . . . Y nhw oedd am ladd Llywelyn ap Gruffudd.'

'Ond does gen ti brawf o ddim,' brysiodd yr Abad.

'Na . . . dim prawf . . . ac eto mi awn ar fy llw.'

'Beth welest ti?'

'Gwarchod praidd yr Abaty yr oeddwn i wrth odre'r Breiddin pan ddaeth y lli mawr a boddi'r gweirgloddiau gyda glan yr afon. Mi weles y lli yn sgubo gŵr mawr o gorffolaeth a'i farch yn llipryn melyn marw. Drannoeth y bore fe welodd un o'r gweision gorff y ceffyl wedi'i hyrddio yn erbyn darn o graig. Yn ôl y gwas, roedd llygaid y march ar agor yn y farwolaeth a'r rheini'n edrych arno fel o fyd arall ac yn methu â deall trefn dynion.'

Syrthiodd distawrwydd rhwng y Brawd a'r Abad ond yr oedd mwy i ddod.

'F'arglwydd Abad! Ar nos y storm fe welodd rhywrai nifer o ddynion yn dringo'r allt tua'r Castell Coch . . . yn llithro i mewn drwy'r porth fel yr oedd y nos yn hel ac yn wlyb fel brain a'u cotiau rhacsiog yn glynu wrth y cyrff . . . ac fe gaed cyrff gwŷr o Gastell Trefaldwyn wedi'u golchi i'r lan ger Rhyd Chwima a chyrff gwŷr yr arglwydd Gruffudd o'r Castell Coch ar lan Hafren ger Aber-miwl. F'arglwydd Abad, fe roisoch chi lety noson i ddau ŵr o blith y fintai fechan a weles i wrth odre'r Breiddin ar nos y storm. Eu gweld nhw â'm dau lygad. Duw a'r Forwyn a faddeuo i mi!'

Cyn gorffen ei neges bron, gwnaeth y Brawd arwydd y Groes a dianc o wyddfod yr Abad yn foddfa o chwys. Mae'n wir iddo fod yn dyst i gynllwyn dynion ond sbïwr fyddai'r gŵr a fentrai at Arglwydd Abad i ddadlennu'r fath stori â hon.

Yn hwyrach y diwrnod hwnnw fe alwodd yr Abad y Brawd Andreas i'w stafell. Gwnaeth arwydd y Groes cyn gosod ei law ar ei ben a dweud,

'Bydded i'th enaid gael llonydd, y Brawd Andreas. Ti a wnaethost yn iawn. Cyfrifoldeb mynach lleyg yw dadlennu yn ôl ei gydwybod i'r Abad. Dyna a wnaethost ac am hynny fe roddaf arnat gyfrifoldeb mwy gan dy fod yn ŵr uniawn dy ffyrdd.'

Ymostyngodd y Brawd ar ei liniau o flaen yr Abad gan edrych yn ymbilgar ofnus.

'Cwyd, y Brawd Andreas! Does dim rhaid i ti ofni gwg dy Dduw na'r Forwyn. Fe'th anfonaf ar neges o dosturi drwy wlad ddieithr efo llythyr o dan sêl at Arglwydd Abad Abaty Cymer yn Nyffryn Mawddach.'

'Ond, f'arglwydd Abad, wn i mo'r ffordd!'

Yn ofer y protestiodd y Brawd.

'Siwrnai o ffydd,' oedd ateb yr Abad, 'ac fe fydd Duw a'r Forwyn yn goleuo dy lwybr. Bydd gweddïau'r Brodyr yn Ystrad Marchell yn erfyn dros dy ddiogelwch di a thros ddiogelwch y gŵr mawr hwnnw, Llywelyn ap Gruffudd, a chenedl y Cymry. Heb dy fenter di bydd diogelwch pawb arall yn y fantol.'

Drannoeth yn gynnar cychwynnodd y Brawd Andreas i'w daith wedi'i wisgo fel gwas cyffredin. Roedd i groesi ffiniau dieithr drwy dde Caereinion a chwmwd Cyfeiliog i gantref Meirionnydd. Yn wir roedd y Brawd hwn bellach yn rhacsiog ryfeddol ei wisg yn gadael yr Abaty yn Ystrad Marchell.

XXII

Neuadd fechan ddiolwg ddigon oedd neuadd arglwydd y cwmwd yn Nhafolwern ond roedd yno groeso tân a gwely ac ymborth i'r Tywysog a'i wŷr ar eu siwrnai frysiog yn ôl o'r Gororau i Wynedd yn nechrau'r Mis Bach. Wedi'r gwledda dyma ymgynnull ogylch y tân a galw telynor o wlad Powys i ddiddanu'r gwesteion. Prin bod hynny wrth fodd gwŷr Gwynedd am mai canu i arwyr Powys yr oedd y gŵr ac nad oedd fawr o gamp ychwaith ar dannau'i delyn. Mor wahanol, meddylient, oedd gwrando ar y Telynor Cam o Fôn yn y llys yn Abergwyngregyn. Medrodd hwnnw dynnu dagrau hyd yn oed o lygaid Llywelyn ap Gruffudd, Arglwydd Eryri a Thywysog Aberffraw! Pan beidiodd tinc digon salw'r delyn y nos hon yn neuadd Tafolwern fe gynullodd y gwesteion o amgylch y tân yn chwedleua. Wrth i ambell ddieithryn wthio hyd yr ymylon cododd anesmwythyd ymysg yr osgordd rhag bod cynllwynwyr yno ac yna daeth gorchymyn arglwydd y cwmwd.

'Caewch y ddôr ac archwiliwch y newydd-ddyfodiaid rhag bod arfau arnynt . . . rhag bod Gwalch Caereinion yn eu plith!'

Ond trigolion cwmwd Cyfeiliog oedd yno wedi dod o chwilfrydedd i weld y Tywysog.

'Fynnem ni ddim i unrhyw dramgwydd ddod yn ffordd ein Tywysog annwyl yma yn nhir Powys,' ychwanegodd yr arglwydd. 'Neswch at y tân, gyfeillion, a mwynhau'r egwyl tra bod Llywelyn ap Gruffudd yn ein plith. Digon prin yw ymweliadau gwŷr mawr â man anghysbell fel Tafolwern.'

Yng nghanol y dwndwr trodd y Tywysog a sibrwd yn wyllt yng nghlust ei brif swyddog Gronw ap Heilin.

'A phwy ydy Gwalch Caereinion? Pam na soniodd rhywun amdano cyn hyn? Peidio bod cynllwyn yn y gwersyll a ninnau'n tario yng nghanol gwlad Powys? A rois i ormod o ffydd yn nheyrngarwch y cymrawd Gruffudd ap Gwenwynwyn i warchod y parthau hyn a beth am y cymrawd arall, Dafydd ap Gruffudd? Fe fu hwnnw'n dawel ers tro byd. Wedi cael gormod o raff efallai wrth wylio'r ceyrydd hyd y Gororau dros ei frawd, y Tywysog? Mae

118

Dafydd fel plentyn yn rhedeg o'r rhwyd pan fynn. Rhaid i ni wylio'r brawd iau!'

Wrth glywed ei arglwydd yn gynnwrf i gyd rhoddodd y cawr tal o swyddog law gadarn ar ei ysgwydd mewn arwydd o heddwch a diogelwch. Meddai,

'Os daw'r Gwalch, pwy bynnag ydy hwnnw, i wyddfod gwŷr Eryri, mi fydd yn gelain wrth draed yr osgordd a thra bydd Gronw ap Heilin o gwmwd Rhos wrth ochr ei arglwydd ni raid i'r arglwydd hwnnw ofni am ei fywyd. Ond peidied yr arglwydd byth â mentro wrtho'i hunan allan o gylch yr osgordd mewn gwlad estron. Ffolineb fyddai hynny a gallai'r arglwydd golli'i fywyd.'

Daeth ymdeimlad o ollyngdod braf dros y cwmni yn niddosrwydd y nos a'r drws dan glo. Wrth i'r llygad ddod i arfer efo'r llwydni gellid gweld ffurf yr wynebau yng ngolau'r tân. Wynebau gwŷr Powys yn gymysg â gosgordd Gwynedd. Rhoddodd hyn foddhad i'r Tywysog. Bu yno adrodd hen chwedlau hyd yr oriau mân. Ond cyn i'r nos ddod i ben gwthiodd gŵr i flaen y cwmni — gŵr yn gwisgo cap melfed du fel cap gŵr eglwysig ond nad gŵr eglwysig mohono. Heb fod yn llawer hŷn na deg ar hugain efallai. Gellid clywed mân sibrydion rhwng y gwŷr.

'Weli di 'i ddwylo main o . . . dwylo merch? Fynnwn i mo hwnna i drafod fy nghorff marw i. Mi fydda' trachwant yn hwnna tasa fo'n cyffwrdd hyd yn oed â chelain marw.'

'Tewch â'ch cleber, wŷr Gwynedd,' sibrydodd Powysyn o dan ei anadl. 'Beth ŵyr gwŷr Gwynedd am allu Hal Feddyg i drin anafiade'r claf ar faes brwydr? Ma' gwyrthie yn nwylo meinion Hal a ma' fo wedi concro'r hen ysfa wreiddiol oedd yn 'i gorff e' i ymyrryd efo llancie. Gŵr rhyfeddol a ma' genno fo rywbeth i'w ddeud wrth Llywelyn ap Gruffudd. Gwrandewch ar 'i eirie o.'

Gwir y geiriau oblegid yn union wedyn fe ddechreuodd y gŵr siarad gan bwysleisio pob gair yn ofalus. Roedd yn amlwg o dan deimlad. Trodd at arglwydd y neuadd.

'Gyda'ch caniatêd, arglwydd Tafolwern, mi fynnwn i ddweud gair bech o gyferch wrth y Tywysog Llywelyn ap Gruffudd a gwŷr Gwynedd. Fe arhoses i'n hir am y cyfle hwn. Cof sy' gen i am y milwr dewr o Ddolwyddelen. Bu farw Ianto Nanw Llwyd — fel ene y mynne fe giel 'i alw — yn y Cwm Du yng nghwmwd Ystred

Yw wedi brwydro ar lanne afon Wysg dros 'i Dywysog. Y Distain Gronw ab Ednyfed o'dd yn arwen y garfan bryd hynny.'

Bu saib hir a'r Tywysog yn ymbalfalu yn ei feddwl dros y degawd a mwy a aeth heibio. Oedd, yr oedd y gŵr ar y trywydd priodol. Do, fe fu brwydro ar lan afon Wysg pan orfodwyd i Gronw ap Ednyfed a'i fyddin ffoi rhag y Norman Peter de Montfort ger y Fenni. Fe ddaeth yr eira mawr nes llorio gwŷr Gwynedd yn y fangre bell honno. Gwŷr a aeth yn angof yng nghwrs y blynyddoedd oeddynt. Ond pwy oedd y llanc ifanc a adawodd y fath argraff ar feddwl Hal Feddyg? Ianto . . . ie, dyna enw'r gŵr ifanc. Ailgydiodd y gŵr yn ei stori drist a thinc o hiraeth yn ei lais nes tynnu dagrau o lygad y caletaf o'r gwŷr yn y neuadd.

'Ar ffinie Cedewen y dois i gynta ar drews Ianto Nanw Llwyd ar 'i ffordd efo milwyr y Tywysog i ymledd ym Mrycheiniog. Wedi fy anfon o Fathrafel yr o'n i, yn blentyn heb ded na mem i ymledd yn erbyn y Norman. Hogyn amddifed o'n i ond ro'dd gen Ianto fem o'r enw Nanw Llwyd. Ro'dd Ianto'n gloff efo swigen ar 'i sodle, a meddwn i wrtho, "Ma' dy dred yn socen wlyb, ngwes bach i" . . . ond doedd Ianto'n dellt dim. Mi ethon ni wedyn i'r wtre a mi fu Ianto yn trochi'i dred yn nŵr y nant a fe dyfodd deëlltwrieth rhyngom ni. "Pinsied dde o halen," meddwn i, i giedw'r clwyf yn lên. Gwelech chi 'i wyneb e' yn boen i gyd a dagre yn y llyged. Sôn y bydde Ianto am 'i fam Nanw Llwyd. Ishie mynd adre i Ddolwyddelen at y Gwylie o'dd arno ond chedd o ddim.'

Bellach gellid clywed sŵn anadlu'r dynion yn y neuadd. Meddai Hal Feddyg,

'Mi ddeth dydd y brwydro o'r diwedd ac fe glwyfwyd Ianto yn 'i fraich. Mi ges i drin y clwyf a rhoi olew o'r gostrel arno a rhwymo'i fraich efo llien main glên. "Ianto bech," meddwn i, "mi fyddi di'n well efo tipyn bech o gwsg". Mi gedd ymgeledd yn nhŷ taeog wrth droed y Mynydd Du yn Ystred Yw.'

Daeth crygni i lais y gŵr ar hynny a phrin y medrid clywed ei eiriau.

'Roedd Ianto wedi digio beth wrtho i achos nad o'n i'n union fel y bechgyn erill, ond doedd gen i ddim help am hynny. Bai fy ngeni oedd 'mod i'n ciel fy nhynnu fel y gelen at ambell lanc ond ymyrres i 'rioed â Ianto. Wedyn wrth roi'r pridd dros 'i gorff 'e yn naear Ystred Yw mi ddiolches i Dduw a'r Forwyn am imi giel 'nabod y llanc o Nant Conwy o'dd ishie bod yn arwr ym myddin y Tywysog.'

Dangosodd ei ddwylo wedyn yng ngolau tân neuadd Tafolwern a dweud,

'Mi ddysges i y medrwn i drin clwyfe dynion ar faes brwydr efo'r dwylo meinion yma. Wrth drin Ianto Nanw Llwyd a'r hogie y dysges i hynny.'

Edrychodd Hal Feddyg wedyn yn syth i gyfeiriad y Tywysog. Meddai gyda rhyw ddwyster anghyffredin,

'Mi arhoses i'n hir cyn ciel dweud y stori hon wrth wŷr Gwynedd ond fe alla i dystio na chiedd Ianto Nanw Llwyd giam yn y byd o law Hal Bowysyn . . . ac os bydd ar y Tywysog Llywelyn ap Gruffudd angen rhywun i drin clwyf ar faes brwydr fe fydd Hal yno. . . . ac os yw'r hen wreigen, Nanw Llwyd, o hyd yn fyw dwedwch yr hanes wrthi ac fe fydd yn falm i'w hened hi.'

Oedd, yr oedd y Tywysog yn cofio'n burion erbyn hyn am y wraig Nanw Llwyd a gyfarfu'n gwlana yn Nyffryn Lledr. Cynigiodd ddarn o arian iddi a gwrthododd hithau gardod gan edliw iddi golli'r olaf o'i thylwyth ym myddin y Tywysog yn rhywle ar ffin Deheubarth. Efo'r cof hwnnw teimlodd yntau'r hen, hen wendid oedd ynddo o bryd i'w gilydd yn llethu'r galon.

'Y Tywysog! Mae o mewn llewyg,' gwaeddodd rhywrai.

Wrth i ddau o'r osgordd ei amgylchu protestiodd y lleill yn filain.

'Ar y Powysyn merchetaidd y mae'r bai. Yr Hal galon-feddal! Codi hen gnecs o faes brwydr a chodi gwendid ar y Tywysog. Dda'th 'rioed dda i wŷr Gwynadd o wlad Powys. Am adra gyntad y gallwn ni rhag i ni golli'r Tywysog ar dir Cyfeiliog!'

Ond unwaith eto roedd Hal Feddyg yn ei ffordd dawel ei hun wedi ennill y blaen ar wŷr yr osgordd. Cwpanodd ben y gŵr sâl yn ei ddwylo meinion hir gan rwbio'r aeliau a pheri i'r gwaed lifo'n ôl i'r gwythiennau. Dadebrodd y gŵr claf. Cododd ei ben fel gŵr holliach. Ond parhau i sefyll yn ei unfan yr oedd Hal Feddyg, yn sefyll fel marmor gwyn a'i ddwylo'n cwpanu'r gwacter o'i flaen. Yn dawel llefarodd y geiriau,

'Y gwaed . . . a'r cnawd . . . yn ddrylliog! O! Dduw gwared ni!'

Gweddnewidiwyd y gŵr yn y fath fodd nes syfrdanu gwŷr

protestgar Gwynedd. Oedd, roedd rhyw gynneddf ryfeddol yn perthyn iddo a theimlent ym mêr eu hesgyrn y deuent ar draws Hal Feddyg yn rhywle drachefn.

Mewn byr o amser roedd y Tywysog wedi adfer ei nerth cynhenid a heb fod yn or-ymwybodol o'r gwendid a'i meddiannodd gynnau. Ei dro ef bellach oedd peri i Hal Feddyg adfer ei hen hyder yn ôl. Meddai'n ystyriol,

'Fe fûm i'n gwrando'n astud ar dy stori, Hal Feddyg, ac os byth y bydd brwydro eto rhwng Cymro a Norman fe fynnwn y byddi di yno, Hal, yn dal pen y clwyfedig rhag iddo syrthio i'w dranc tragwyddol. Mae rhin yn dy ddwylo i adfer y byw a chysuro'r marw.'

Torrodd ias drwy galonnau'r gwŷr yn neuadd arglwydd Tafolwern y nos hon. Yr oedd ofn yr anweledig yn llenwi'r lle. Hyd yma nid oedd y rhan fwya o'r gwŷr ifanc wedi gweld tywallt gwaed na chyfnewid carcharorion na gorfod gadael penglogau cyfeillion yn cyhwfan yn y gwynt. Ond gallai yfory fod yn wahanol.

Wrth i'r cwmni chwalu o'r diwedd am y nos tynnodd rhywrai sylw'r Tywysog at ŵr unig a fu'n eistedd yn ddisymud bron gydol yr amser heb yngan gair o'i ben. Yr wyneb oedd yn tynnu sylw. Wyneb hir llwydaidd fel wyneb sant ac am ei gorff wisg racsiog flêr yn gudynnau llac ogylch ei lwynau. Pwy oedd y gŵr ac o ble y daeth?

'Pam y gadewaist ti hwn i mewn i'r neuadd?' gofynnodd y Tywysog i arglwydd Tafolwern.

'Chwilio am lety nosweth yr oedd y gŵr ac roedd ei eiriau mor felys a gonestrwydd mawr o'i gylch fel na fedrid ei wrthod. Mynd tua Dyffryn Mawddach y mae o. Efo'r wawr bydd wedi ymadael.'

Ni ddywedodd yr arglwydd mai acen y Gororau oedd ar wefusau'r crwydryn.

'Os mai ymdeithio tua Dyffryn Mawddach y mae o, yna mi gaiff ddilyn yr osgordd bob cam i Abaty Cymer,' gorchmynnodd Llywelyn, 'ac os sbïwr yw'r gŵr, yna fe fydd yn farw gelain yn rhywle rhwng gwlad Powys a thir Gwynedd.'

'Chreda' i mo hynny, fy Nhywysog,' oedd ateb arglwydd hynaws Tafolwern. 'Mae tangnefedd gŵr eglwysig ogylch y crwydryn. Tangnefedd hefyd fo i siwrne'r Tywysog a'i osgordd yn ôl i Eryri.'

XXIII

Wedi pryd yn gynnar drannoeth dyma brysuro i'r daith, yr osgordd a'r crwydryn i'w canlyn. Ni ddwedodd yr olaf air o'i ben gydol y siwrnai dros afon Dyfi tua'r gaer yn y Bere nac ychwaith wrth groesi i Ddyffryn Mawddach.

Unwaith y daethant i olwg Abaty Cymer roedd y nos yn cau amdanynt ac Awr Gosber drosodd. Agorwyd drws y porth mawr i'r osgordd ac yn y fan honno llaciwyd y wyliadwriaeth ar y crwydryn tawedog o'r diwedd. Arweiniwyd y Tywysog a'i osgordd i'r ffreutur ond digon tenau oedd yr ymborth yno ar y gorau.

'Cythril o le da i dderyn du bigo briwsion at 'i 'senna,' oedd sylw un o'r osgordd.

'Purion o le i'r hen grwydryn yna fu fel cysgod ar y siwrna',' medd un arall. 'Mi fedar hwnnw fyw ar 'i flonag yn union fel gŵr eglwysig. Mae'n amlwg nad oedd tafod yn 'i ben. Ddeudodd o yr un gair o Dafolwern i Ddyffryn Mawddach.'

Efo'r sylw olaf tynnwyd sylw'r gwŷr at y ffaith nad oedd y crwydryn yn eu plith.

'Sbïwr myn diawch i,' mentrodd gŵr arall. 'Mae hwnna wedi'n dal ni'n cysgu! Mi fydd wedi cyrra'dd Owain ap Gruffudd yng Nghastall Dolbadarn a rhyddhau hwnnw o'i gaethiwad a pheri i'r brawd Dafydd ap Gruffudd godi gwrthryfal yn Nhegeingl!'

Cyn i'r gŵr hwnnw gael gorffen ei druth fe ddaeth mynach ar frys i gyrchu'r Tywysog i stafell yr Abad. Nid bod dim yn rhyfedd yn hynny. Roedd yr Abad yn ŵr wrth fodd Llywelyn ap Gruffudd. Yn y Cymer yn anad unlle arall fe ddôi i gymundeb cyfrin ag ef ei hun yn wastad.

Y nos hon, fodd bynnag, wrth gael ei dywys i stafell yr Abad teimlodd ryw anesmwythyd. Fynychaf dôi'r Abad i'w gyrchu ei hunan fel y gweddai i arglwydd gwlad. Heno roedd pethau'n wahanol. Wrth iddo nesu at ddrws stafell yr Abad gwelodd fod yno gysgodion. Ymhle roedd y ganhwyllbren aur y mynnodd yr Abad ei chodi'n wastad fel y câi weld wyneb ei Dywysog? Daeth atgof o'r cyfarfod diwethaf un yn y Cymer pan soniodd yr Abad am 'adar drycin' ac am rai yn 'chwennych drwg'. Beth yn y byd mawr oedd yn digwydd iddo? Ond yr oedd rhyw lais oddi mewn yn gwastatáu pethau yn ôl arfer y blynyddoedd.

'Llywelyn! Cadw dy ffydd! Does neb wedi dy lorio di hyd yma. Mae gen ti genhadaeth i'w chyflawni . . . er mwyn dy bobl . . . er mwyn dy hunan . . . er mwyn dy blant rhyw ddydd!'

Bron na chredai mai llais Crebach yr Ysgrifydd ffyddlon oedd yno o dir marwolaeth yn ei dwyso ymlaen. Eto roedd yn synio bod rhyw ddrwg-argoel yn y gwynt yn rhywle.

Cofiodd eiriau'r Abad pan soniodd am adar drycin yn crynhoi o Fôr Iwerddon ac yn cau am Ddyffryn Mawddach.

Llais mwynaidd yr Abad oedd yno fodd bynnag yn ei gyfarch fel erioed o hanner gwyll y stafell. Cododd o'i gadair a pheri i Lywelyn ddod i mewn.

'Tyrd, fy mab, i ddiogelwch y stafell! Croeso Cymer i ti a bendith Duw a'r Forwyn Fair!'

Pam yn y byd roedd yr Abad yn sôn am ddiogelwch pan oedd ei osgordd wrth gefn yn y ffreutur?

'Tyrd, fy mab,' meddai'r Abad wedyn wrth ei weld yn oedi. Ond yr oedd person arall yn stafell yr Abad y noson honno. Nid oedd yr Abad erioed cyn hyn wedi rhannu cyfrinachau ag unrhyw berson byw arall pan oedd Llywelyn ogylch y lle. Rhagorfraint y Tywysog oedd hynny.

'Eistedd, fy mab, ar fy mhwys,' gorchmynnodd yr Abad wedyn gan fynd i gyrchu'r ganhwyllbren aur. Hyd yma nid oedd y person arall yn y stafell wedi syflyd llaw na throed. Roedd yno fel delw gerfiedig. Hwyrach mai delw ydoedd.

Rhoddodd yr Abad ei law ar ben y Tywysog gan ofyn i Dduw a'r Forwyn ei amddiffyn. Ond ei amddiffyn rhag beth? Roedd ofnau'r Eglwys rywfodd yn waeth i Lywelyn nag ofnau maes brwydr. Medrai ymdopi'n rhyfeddol â'r olaf. Cododd yr Abad y ganhwyllbren aur yn uwch ar hynny fel y gellid gweld yn gliriach hyd at fur y stafell. Gwelodd Llywelyn yno ŵr mewn gwisg eglwysig. Ond pam y daeth hwn i dorri ar gyfrinachedd stafell yr Abad? Yng ngoleuni'r ganhwyllbren fe welodd wyneb y gŵr o'r diwedd. Wyneb hir fel wyneb sant ac mor ddi-ddweud fel pe na bai tafod yn ei enau. Anesmwythodd y Tywysog. Roedd ar fin codi i ymyrryd â phresenoldeb y gŵr y bu ei osgordd yn ei warchod gydol y daith o Dafolwern i'r Cymer. Roedd dau lygad y gŵr yn syllu o'i flaen heb na chrych na symud arnynt yn union fel Dydd y Farn. Cododd yr Abad i dawelu'r dyfroedd.

'Fe soniais wrthyt am "adar drycin", fy mab, ond negesydd o golomen sydd yn y stafell hon y tro hwn. Mynach lleyg o Abaty Ystrad Marchell a ddaeth yng ngwisg crwydryn ar neges o rybudd oddi wrth Abad y Tŷ hwnnw. Fe ddaeth y Brawd Andreas â neges o dan sêl ac mae'r llythyr hwnnw yn ein rhybuddio rhag yr "adar drycin" bondigrybwyll . . . ond rhagor am y rheini yn y man.'

Aeth yr Abad at y gist i nôl costrel o win i gynhesu'r galon cyn dechrau dadlennu cynnwys y llythyr o Ystrad Marchell. Wedyn y dechreuwyd cwestiynu'r Brawd Andreas a fu'n dyst i gyflafan y dyfroedd ar noson y storm fawr ac a welodd y cyrchu tua Chastell Pool.

Ymhen dwyawr arall nid oedd un o'r tri pherson yn stafell yr Abad wedi syflyd cam a phan hebryngwyd y Tywysog allan o'r diwedd, yno yr oedd Gronw ap Heilin yn aros amdano yng nghysgod y ddôr.

Ymhell yn oriau'r nos fe fu Llywelyn yn sibrwd yng nghlust ei swyddog ffyddlonaf gan fynnu yn enw Duw a'r Forwyn nad oedd a wnelo Dafydd, y brawd iau, ddim oll â chynllwyn noson y storm fawr i'w ladd.

'Na . . . na, nid Dafydd. Mae Dafydd yn frawd o waed ac yn dad i blant . . . yn etifedd y Dywysogaeth pe bawn i'n trengi 'fory.'

Mwyaf yn y byd fyddai'r rheswm dros ladd ei frawd o Dywysog felly, meddyliodd y swyddog.

'Mae'n wir fy mod i yn nhymor canol oed a does gen i hyd yma na gwraig nac etifedd. . . . Mae Dafydd yn ŵr i ferch Robert Ferrers o dylwyth brenin Lloegr ac mae ganddo ddau fab yn etifedd. . . . Fe ffodd i Loegr ddwywaith cyn hyn . . . ond na, nid Dafydd!'

Mwyaf rheswm yn y byd, meddyliodd y swyddog wedyn, a chyda'r brenin Edward ar fin dychwelyd i wlad Lloegr gallai Dafydd fod yn uchel yn ei ffafr.

'Gruffudd ap Gwenwynwyn? Hwnnw oedd ar fai. Ie, Gruffudd, y gŵr efo'r wraig sydd mor llawn o wenwyn, ac mae Owain y mab hynaf o'r un toriad, meddir, â'i fam, Hawise Lestrange. . . . Ond na, nid Dafydd!'

Beth bynnag oedd trywydd meddyliol Llywelyn yn oriau'r nos fe wyddai Gronw ap Heilin mai'r un hen Lywelyn fyddai yno yn y bore a chadernid Eryri yn gwrthod yn lân â gollwng gafael arno. Pe dôi brenin newydd Lloegr fawr ac arglwyddi'r Gororau i feddiannu tiroedd Deheubarth yn llwyr a gwlad Powys nid byth y caent Eryri. Tra byddai anadl yn Llywelyn ni châi estron led troed o'r fangre honno.

Cyn ymadael drannoeth ag Abaty Cymer troes y Tywysog a'i osgordd i eglwys yr Abaty i gyfrannu o'r Cymun Bendigaid yng ngŵydd y Brodyr. Yn y myfyrdod yn y fan honno roedd sawl peth yn gwibio yn y meddwl — y storm fawr ar Hafren, Hal Feddyg yn adfer y gwaed i lifo i'r pen yn neuadd Tafolwern a'r dadleniad yn stafell yr Abad o'r cynllwyn i ladd — cynllwyn dieflig yr 'adar drycin'. Ac yna, yn y munudau cyfrin pan ddosberthid y bara a'r gwin syfrdanwyd gwŷr yr osgordd o weld wyneb cyfarwydd y crwydryn, a ddaeth bob cam o Dafolwern, yn swatio ymysg y Brodyr. Amdano yr oedd gwisg Urdd y Sistersiaid a'r gŵr yn amlwg yn hen gyfarwydd â defod ac arferion gwŷr eglwysig. Byd y gwyrthiau! Byd y lladd! Nid eu swyddogaeth hwy oedd cwestiynu. Gwasanaethu eu Tywysog oedd eu rhesymol waith hwy.

Ysbaid arall yn Eryri gyda'u hanwyliaid ac fe fyddent yn ôl ar lannau Hafren ond nid cyn cribinio'n fân drwy'r Berfeddwlad hyd Bowys Wenwynwyn am bob arwydd o ddichell a allai fod yn y tir yn erbyn Llywelyn ap Gruffudd.

XXIV

Ebrill 1274

Heb wastraffu amser roedd y Tywysog a rhan o'r osgordd yn ôl eto ar y Gororau a'r cam cyntaf oedd gorchymyn yr arglwydd Gruffudd ap Gwenwynwyn a'i fab Owain i ymddangos yn Nolforwyn. Rhybuddiwyd hwy eu bod o dan amheuaeth o gynllwynio i ladd Llywelyn ap Gruffudd ar noson y storm fawr yn nechrau'r Mis Bach ond ni ellid dedfrydu neb ar honiadau yn unig. Gohiriwyd yr achos yn eu herbyn hyd yr ail ddydd ar bymtheg o fis Ebrill fel y câi'r cymrodeddwyr gyfle i gasglu gwybodaeth ac yr oedd mater o degwch mewn llys barn o fawr bwys i Lywelyn ap Gruffudd. Ond yr oedd brys, fodd bynnag, gan y disgwylid y brenin Edward yn ôl i Lundain fawr erbyn canol haf a'r pryd hwnnw fe fyddai barwniaid y Gororau yn heidio fel gwenyn o'i gylch. Roedd teyrngarwch yr arglwydd Gruffudd ap Gwenwynwyn o dragwyddol bwys i Lywelyn fel un o'i ddeiliaid pennaf. Hyd yma ni soniodd neb am y gŵr Dafydd ap Gruffudd yng nghyswllt cynllwyn noson y storm fawr.

Gan i Ŵyl y Pasg ddod yn gynnar a phob gweithiwr yn rhoi heibio'r llafur a phob milwr yn rhoi'r cleddyf yn y wain bryd hynny, anesmwythodd y Tywysog hefyd. Rhoes ei fryd ar deithio i lawr drwy Gedewain a Maelienydd i Abaty Cwm-hir. Wrth deithio gyda'i osgordd drwy'r mannau hynny daeth arno hiraeth am yr amser hwnnw pan oedd ei dad, Gruffudd ap Llywelyn, yn ffafr ei dad yntau, Llywelyn ab Iorwerth, ac yn cadw'r heddwch yn Ne Powys. Y pryd hwnnw hefyd roedd yr hin yn dyner a'r wlad yn dechrau egino. Gwlad Powys yn ei gwyrddni a'i mwynder ond yr hyn oedd yn peri cynnwrf yn y cof oedd y digwyddiad wrth borth yr Abaty yng Nghwm-hir. Dyna pryd y llewygodd y milwr cryf Gethin Fychan ac y disgynnodd ei farch yn llipryn o gryndod oddi tano. Gwrthododd y milwr yn lân ddatgan iddo ddirgelwch y llewygu hwnnw. Pa un bynnag, yr oedd yntau bellach yn ŵr yn ei oed a'i amser ac yn arweinydd gwlad. Nid gwiw oedd hel meddyliau plentyndod.

Wedi cyrraedd y ffin ym Maelienydd ryw filltir o safle'r Abaty roedd tyddyn y Pandy Bach yn cysgodi. Gŵyl y Pasg neu beidio, fe fyddai Lews y Pannwr yn gwybod eisoes ei fod o, y Tywysog, ar daith y pnawn hwn. Gydol y blynyddoedd ni fethodd ag ymweld â'r Pandy Bach ac fe wyddai'r osgordd hynny'n burion. Gyda golwg ar natur yr ymweliadau hynny ni wyddai'r cywiraf o'i wŷr y gwir ddirgelwch. Nid hwn fyddai'r tro cyntaf ychwaith i Lews y Pannwr dderbyn arian o law Llywelyn ap Gruffudd. Gadawodd yntau ei osgordd yng nghysgod y coed derw wrth fynedfa'r Pandy. Roedd y lle rywsut yn llawn o awyrgylch yr Ŵyl fel y dynesid i gylch yr Abaty. Roedd fel petai grym yr Atgyfodiad yn cryfhau wrth iddynt nesu at y lle hwnnw. Byddai'r ffolaf o ddynion yn difrifoli peth adeg y Pasg ac yn myfyrio ar fater enaid.

Gadawodd y Tywysog ei farch ynghlwm wrth goeden ger giât y Pandy Bach a cherdded yn eofn dros y buarth. Plygu pen wedyn wrth gerdded i mewn drwy ddrws y bwthyn. Roedd y bwthyn mor dwt a glân o'i gymharu â'r rhelyw o'r tyddynnod a gŵr y tŷ wedi'i wisgo ar gyfer gwasanaeth yr eglwys. Gwraig fechan deidi oedd y fam ac unwaith eto'n feichiog a bron cyrraedd ei hamser. Swatiodd y nythaid plant a chilio i gysgod yr aelwyd. Wedi'r cyfarch arferol y wraig oedd y cyntaf i siarad.

'Fynnech chi ddiot o fedd, f'arglwydd? Ma dicon o la'th gafar 'ma ond fynnem ni ddim i chi ga'l hwnnw.'

Gwenodd y wraig uwch llawnder ei chnawd yn ei boddhad o weld Llywelyn ap Gruffudd a gwenodd yntau ei foddhad arni hithau. Mor braf oedd cael egwyl wrtho'i hun yng nghymdeithas y gwerinwyr hyn. Y fo oedd eu duw, am ychydig o leiaf, heb ddim i dorri ar hudoliaeth y munudau prin. Wrth weld y wraig hon yn drwm ei chorff cynhesodd ei galon. Rhyw deimladau fel hyn a ddôi iddo yn neuadd Uthr Wyddel efo'r efeilliaid Collen a Llwyfen yn Nyffryn Conwy. Gallai'r efell Collen fod yn dwyn ei blentyn yntau — plentyn o Gymro ac o hil y Gwyddyl mor bell yn ôl bellach. Ond breuddwyd ffôl oedd hynny ysywaeth! Eisteddodd wedyn heb ei ofyn ar y setl ger y lle-tân agored. Peidiodd pob sŵn yn y gegin isel ei nenfwd heb ddim ond gwreichion yn tasgu o'r tân a diffodd ar yr aelwyd.

Yn yr egwyl pan oedd y fam yn cyrchu diod o'r medd i'r Tywysog fe gripiodd geneth fechan tuag ato. Dod yn garcus o gam i gam a'i gwallt cyrliog melyn yn gwarchod dau lygad glas. Safodd yr eneth yn y fan honno a syllu i gannwyll llygad y Tywysog ac yna gwenu efo'r un wên ag a ddaeth dros wyneb y fam. Cydiodd yntau yn yr eneth fach o'r diwedd a'i chodi ar ei lin. Roedd yr eneth yn swil a throdd ei hwyneb oddi wrtho. Trodd yntau ei hwyneb yn ôl a gofyn iddi,

'A beth ydy dy enw di, 'mechan i?'

Ond nid oedd yr eneth yn dweud gair. Rhaid bod iaith Gwynedd yn ddieithr iddi. Ceisiodd y tad esmwytháu'r awyrgylch. Edrychodd i fyw llygad yr eneth fach, a chan bwysleisio pob gair meddai wrthi,

'Gaf'el di yn llaw y Tywysog! Cytia' yn 'i law e'.'

Rhoddodd y fechan ei llaw yn llaw fawr y gŵr dieithr. Meddai yntau,

'Rwyt ti'n dwmplen o hogan, wyt ar fy llw, a gwallt fel haul haf yn gyrliog i gyd ond hyd yma dwyt ti ddim wedi deud dy enw.'

'Dwet ti dy enw wrth y Tywysog,' erfyniodd y tad wedyn gan symud ei wefusau'n araf.

'Gwen,' meddai hithau o'r diwedd a'r ynganiad yn fyngus. Bron na lithrodd deigryn i lygad Llywelyn ar hynny. Baglodd yn ei eiriau.

'Roeddwn i'n tybio y gallet ti fod yn Gwenhwyfar . . . neu Gwenllian efallai.'

'Gwen,' meddai'r eneth eilwaith a'r ynganu mor fyngus â chynt. Tybed nad oedd y gŵr wedi deall y tro cyntaf? Achubodd y tad y blaen ar hynny a dweud,

'Ma' cwrls Gwen yn ddicon o ryfeddot on'd ŷn nhw? Ond dyw Gwen ddim yn siarad fel plentyn arall nac yn clywet yn dda. Cŵyr weti cytio yn y clustie. Fel'ny y ganed Gwen. Ond ma' ganddi lycet ddicon o ryfeddot, f'arglwydd.'

Gwthiodd y gŵr mawr ddarn o arian i law yr eneth fach a dweud,

'Dyna ddigon i gadw teulu'r Pandy Bach mewn bwyd a dillad hyd ddiwedd ha', mi dybiaf.'

Wrth i'r eneth gilio fe wthiodd talp o hogyn ei ffordd a sefyll yn stond o flaen y Tywysog. Yn raddol roedd yr holl deulu yn dechrau magu hyder. Daeth cwestiwn yr hogyn fel saeth o sydyn nes peri syfrdandod i'r gŵr mawr.

'O ble d'ethost ti i'r Pandy Bach?'

Prin bod undyn erioed wedi cyfarch y Tywysog yn y dull swta hwn. Roedd y cwestiwn mor annisgwyl fel nad oedd ganddo ateb synhwyrol yn y byd. Ond dal i aros am ateb yr oedd yr hogyn.

'Wel, os wyt ti'n mynnu gwybod, mi ddwedwn i i mi ddod o Wynedd a thrwy wlad Powys i Faelienydd.'

Aeth Llywelyn yn fud ar hynny o fethu ag egluro trywydd ei siwrnai i'r plentyn. Rhoddodd yr hogyn gais arall arni a'r ail gwestiwn yn gwta fel o'r blaen.

'I ble'r wyt ti'n mynd 'te?'

Cwestiwn anodd i'w ateb oedd hwn eto ond y tro yma fe lithrodd yr ateb i'w ymwybyddiaeth yn reddfol rywsut.

'Mynd i Abaty Cwm-hir weldi. Ie, i'r fan honno mae Tywysog Cymru'n mynd.'

Roedd y bachgen wedi deall o'r diwedd. Gwenodd yn fwyn ar ei Dywysog.

Daeth y fam o'r diwedd, yn cario costrel a llestr i ddal y medd gan ffugio dweud y drefn wrth y plant.

'Y crwts drwg â chi! Chewch chi byth faddeuant! Ma' ishie i'r myneich yng Nghwm-hir goti dychryn y Gŵr Drwg 'i hun arnoch chi. Rytech chi'n haeddu cweir . . . 'ithe' cweir. Dwy i ddim yn gw'pot beth i 'neud â chi. Nagw wir!'

'Na phoena, wraig dda,' meddai'r Tywysog gan estyn am y gostrel a'r llestr medd a'u gosod ar y ford. 'Byr yw ystod ieuenctid ar y gora'.'

'Ie,' meddai hithau, 'dod yn gloi y ma' amser i roi clo ar y cwbwl.'

Trodd y wraig ei chefn ar y cwmni ar hynny, yn ceisio cynnal y chŵydd yn ei chorff a myfyrio ar fyrder bywyd a hynny ar Ŵyl y Pasg. Trodd y tad hefyd a gorchymyn y plant,

'Ewch mas i whare i'r beili tra bo' hi'n ffein,' a chan droi at yr hogyn hynaf, 'Dos di i nôl y da i ddod â nhw i'w gotro. Dene lanc de . . . a chedwch rhag y milwyr bob un ohonoch!'

Yn fuan wedyn llithrodd cysgod o ŵr gwisgi yr olwg i mewn o gefn y bwthyn. Roedd hwn hefyd, mae'n amlwg, yn gwybod am ddyfodiad Llywelyn ap Gruffudd i'r lle. Roedd gwŷr yr osgordd wedi'i weld hefyd.

'Dyna Siencyn Sbïwr yn sleifio i mewn i'r Pandy Bach,' meddai un ohonynt. 'Tasa rhywun yn gwthio cyllall rhwng asenna' hwnna

mi ddôi hi allan yn glir yn 'i gefn o fel gwthio cyllall drwy fenyn
. . . ond sgwn i am ba gyllall mae o am sôn heddiw wrth y T'wysog?'
Gwedd arw rhai o Normaniaid y Gororau oedd ar y gŵr. Prin
y cododd ei olygon i edrych ar y Tywysog ond yn amlwg fe wyddai
ei fod yno ac yr oedd eisoes wedi ymarfer pob gair yn ofalus. Heb
unrhyw fath ar ragymadroddi llifodd y geiriau yn ddilyffethair.

'Ma' dynion Rhosier Mortimer, f'arglwydd, yn dod ar gefen eu
ceffyle ac yn cario cerrig a cho'd ar y certie gefen trymedd nos o
Gastell Wigmor i ailgodi'r gaer yn Cefen Llys. Dyw Rhosier
Mortimer ddim yn catw at 'i air yn ôl Cytundeb Trefaldwyn rhwng
Llywelyn ap Gruffudd a'r hen frenin.'

'Dal d'anadl, Siencyn,' llefodd y Tywysog gan geisio atal y llif
geiriol a gosod trefn ar y newyddion. Ond yr oedd Siencyn ar frys.
Sbïwr oedd Siencyn. 'Ma' dynion Humphrey de Bohun,' meddai
wedyn, 'yn mynnu dilyn yr Wysg o'r Fenni Fowr tuag Aberhonddu.
Fe sy' â'r hawl, medde fe, hen hawl 'i deidie, y diawled Ieirll
Henffordd. Ma' ofan ar y Cymry achos bod y Norman yn cwato
yn y welydd ac yn dwyn yr anifeilied a bwyd y da . . . a ma'r seiri
yn brysur yn cweirio'r ceyrydd hyd ffinie Deheubarth achos bod
chi 'mhell yng Ngwynedd . . . yr arglwyddi Cymreig sy'n dweud
hynny!'

Gwylltiodd Llywelyn o'r diwedd.

'Taw â'th ddigywilydd-dra, y Siencyn Iwdas, a dos o'm golwg!
Norman wyt ti yn y bôn. Mi wn i hynny oddi wrth dy wynepryd
salw. A phwy wyt ti i edliw i mi fy mod yn esgeuluso ffiniau
Deheubarth?'

Cydiodd wedyn yn chwyrn yn 'sgwyddau main y gŵr a'i bwnio
nes bod gwythiennau glas yn gwthio yn chwyrn o'i dalcen. Syrthiodd
Siencyn yn llipryn wrth ei draed gan wylo'n hidl a chodi'i ddwylo
mewn ymbil taer.

'Nid Iwdas mohono i Siencyn. Nid o's geirie twyll yn dod dros
fy ngwefuse i ac nid wy'n moyn arian. Cofia di, Llywelyn ap
Gruffudd, bod dou gachgi, Rhosier Mortimer a Humphrey de
Bohun, am dy wa'd di ac unweth y daw'r brenin Edward i Lunden
fowr fe fyddan nhw am i hwnnw dy ledd di. Cei di fy lledd i os
mynni di, ond ma' gofyn i ti wilo arglwyddi Brycheiniog, Einion
ap Rhys a Meurig ap Llywelyn, rhag iddyn nhw werthu 'u teyrn-

garwch i'r Norman . . . rhaid i ti wilo gwŷr Elfael hefyd, Iorwerth ap Llywelyn a Meurig ap Gruffudd!'

'Dyna ddigon, Siencyn,' meddai'r Tywysog yn dawel, ac wrth glywed yr hanner Norman, hanner Cymro hwn yn bwrw'i galon wrtho teimlodd dosturi drosto. Rhoddodd law dyner ar 'sgwyddau'r gŵr y tro hwn. Parodd iddo godi ac eistedd gerllaw iddo.

'Mae amynedd arglwydd gwlad yn pallu weithiau, Siencyn, ac mi wn i nad Iwdas mohonot ti ond mae'n rhaid i arglwydd gwlad osod prawf ar ei ddeiliaid o bryd i'w gilydd i gadw trefn ar y Dywysogaeth.'

Cynhesodd calon Siencyn hefyd ac meddai,

Nid Norman wy' i. Cymrês o'dd fy mam o Drefyclo ac fe fu i Norman o dros y Clawdd 'i threisio hi. Dene wy' i, Siencyn. Bu farw fy mam ar fy ngenedigaeth a phe cawswn i af'el ar y gŵr fe fyddwn weti gosod rhaff am 'i wddwg e.'

Estynnodd y Tywysog ddarn o arian iddo yntau a dweud,

'Paid di byth ag anghofio cadw dy glust at y ddaear, Siencyn, rhag bod rhywrai am waed Llywelyn ap Gruffudd rhwng tir Elfael a Buellt a rhwng Gwy a'r Wysg. Mi wn i nad Iwdas wyt ti ond cymer ofal rhag i rywrai wthio cyllell i'th gefn dithau.'

'Mi fyddwn i'n diodde' cyllell yn fy nghefen pe bydde hynny'n arbed Llywelyn ap Gruffudd rhag gelynion y Fall Fowr!'

Diflannodd Siencyn mor ddisymwth ag y daeth gan anelu tua'r dwyrain am Glawdd Offa. Byw ar gardod a chysgu ym môn cloddiau y byddai Siencyn ac ni fedrodd y Tywysog ond rhyfeddu at ymlyniad di-ildio yr hanner Norman hwn wrtho ef. Trodd at Lews, gŵr y bwthyn, wedi hynny.

'Mi ddiflannodd Siencyn fel tae'r Fall ar 'i ôl o!' meddai.

'Ond, f'arglwydd,' meddai Lews yn ystyriol, 'fe all y Fall Fowr fod ar ôl y sawl a fo'n cario newyddion i'r Tywysog, ac ar ôl 'i blant e' hefyd.'

'Mi wn i, Lews, ac yr wyt tithau'n ŵr dewr a thra bo anadl yno' i, fe ofala' i na ddaw yr un drwg i deulu'r Pandy Bach.'

Gadawodd Llywelyn ap Gruffudd y bwthyn wedi hynny ac ail-ymuno â'r osgordd. Parodd iddynt frysio fel y caent gyrraedd Abaty Cwm-hir erbyn gwasanaeth y Gosber. Edrychodd pob aelod o'r osgordd yn fyfyrgar ar wyneb y Tywysog gan sylwi bod arwyddion pryder yn dwysáu arno. Pa newyddion drwg tybed a ddaeth o enau Siencyn Sbïwr y pnawn hwnnw a beth oedd rhan teulu'r Pandy Bach yn yr holl fusnes?

Mynnodd cysgodion gwlad darfu ar dawelwch Gŵyl y Pasg y flwyddyn honno.

XXV

Wrth i wŷr yr osgordd ddisgyn i lawr ar eu meirch tuag Abaty Cwm-hir roedd eu boliau'n weigion wedi'r hir aros am y Tywysog ger y Pandy Bach. Y mwyaf blinedig o'r cwbl oedd yr ieuengaf ohonynt, sef Trystan Arawn, mab hynaf Rhys Arawn ac ŵyr Gwenhwyfar, y wraig dafodrydd o'r llys. Yn wir, bai y nain oedd bod y Tywysog yn cymell yr hogyn i ddilyn yr osgordd ac nid oedd y gweddill yn fyr o edliw i'r llanc mai tylwyth ei daid, Rhys Arawn, hen gydymaith y Tywysog, a gâi holl ffafrau'r llys. Ond Ow! Dyna braf, meddyliodd yr hogyn Trystan, fyddai cael bod yn ôl yn Arllechwedd dros Ŵyl y Pasg!

Wrth iddynt ddisgyn i lawr y llethr coediog fe glywid brefiadau'r praidd ymhell ar y llechweddau. Prif gyfoeth yr Abaty oedd gwlân y ddafad. Cyfarthodd y cŵn yn uchel i sŵn carnau'r meirch. O fewn rhyw hanner canllath i borth yr Abaty fe arafodd y Tywysog y fintai a pheri iddynt ymgynnull o'i gylch. Siaradodd yn ddwys â hwy, fel y gweddid i'r Ŵyl. Meddai,

'Am ei bod hi'n Ŵyl y Croeshoeliad fe fydd tawelwch trwm ymysg y Brodyr ac fe omeddir i chi siarad o fewn muriau'r Abaty. Fe fydd negesydd wedi rhybuddio'r Abad ein bod ar y ffordd i wasanaeth y Gosber ond cyn hynny fe'n derbynnir yn y Ffreutur.'

Mor anodd, meddyliodd gwŷr yr osgordd, fyddai cadw wyneb sobr yn y Ffreutur yng nghanol y bodau mewn gwisgoedd gwyn! Meddai'r Tywysog wedyn,

'Fe anfonais air o gyfarchiad eisoes i'r Abad am ei ffyddlondeb. Roedd yn bresennol yng nghynulliad yr Abadau yn Ystrad Fflur ym mis Mawrth, pan fu'r saith Abad yn ddigon dewr i anfon llythyr o amddiffyniad drosof at y Pab Gregory yn wyneb bygythiad Anian Ddu o Lanelwy i fwrw ymlaen i'm hysgymuno. Bwriad tywysogion Cymru erioed fu estyn heddwch y Dywysogaeth i Urdd y Mynaich, sef y *"beneficium pacis"* a'u cymryd o dan eu nawdd.'

Peth od oedd gwrando ar Lywelyn ap Gruffudd yn siarad â'r fath angerdd am wŷr yr Eglwys, ac i wŷr ar eu cythlwng fel gwŷr yr osgordd roedd awyrgylch y lle yn fwrn. Yna fe gyrhaeddodd dau o'r Brodyr yng ngwisg wen yr Urdd i'w cyfarfod wrth y porth. Gwnaed arwydd y Groes ac ni lefarwyd gair. Wrth i'r Tywysog farchogaeth i mewn drwy'r porth fe ddaeth gwaedd i dorri ar y distawrwydd.

'Mae Trystan Arawn wedi syrthio oddi ar 'i farch, f'arglwydd. Mae o mewn llewyg!'

Trodd yntau a gweld wyneb yr hogyn yn wyn fel y galchen a'i gorff yn crynu. Y min nos arbennig hwn adeg Gŵyl y Pasg fe deimlodd y Tywysog ias oer yn cerdded drwyddo. Sonnid am y math hwn o oerni yng Ngwynedd fel tae rhywbeth yn cerdded dros fedd gŵr. Beth tase anffawd wedi digwydd i'r hogyn? Ni châi o byth faddeuant gan y nain, Gwenhwyfar. Ond mewn byr o dro adferwyd yr hogyn a cherddodd yn hy i'r Ffreutur. Ceisiodd y Tywysog ei gysuro.

'Hwyrach mai ar dy gythlwng yr oeddet ti, Trystan, a hynny'n peri i ti lewygu?'

Ysgydwodd yr hogyn ei ben, a digon trwsgl oedd ei eiriau.

'Mi roeddwn i ar fy nghythlwng ond wrth i mi nesu at y porth mi wel'is betha' od . . . fel drychiolaeth.'

Caeodd wedyn fel blwch ac ni chaed unrhyw esboniad ar y ddrychiolaeth honno.

Prin iawn oedd archwaeth Llywelyn am fwyd yn y Ffreutur y min nos hwn yn Abaty Cwm-hir. Roedd hanes fel tae'n ailadrodd ei hun a'r digwyddiad wrth y porth yn deffro hen atgof o'r dyddiau pell pan ddaeth o gyntaf i Gwm-hir. Gethin Fychan, y milwr ffyddlon, oedd yn swpyn sâl dros bedreiniau'r march y tro hwnnw. Fe'i cariwyd ar styllen gan ddau o'r Brodyr i'r Clafdy ac er holi a stilio ni chafodd Llywelyn ganddo un esboniad rhesymol ar y digwyddiad. Ond pam tybed yr aeth y milwr ar ei lw yn y Clafdy y byddai'n gwarchod yr hogyn Llywelyn tra byddai anadl ynddo?

Digon tlawd oedd yr ymborth i wŷr yr osgordd yn y Ffreutur ond cyn diwedd y nos byddai'r Tywysog wedi hawlio bwyd a lletty noswaith iddynt yn neuadd rhyw arglwydd ar dir Elfael wrth iddynt fwrw ymlaen tua Buellt.

Cyn troi i'r Gosber fe drodd Llywelyn i fynwent y Fynachlog. Roedd hi'n noswaith braf a'r wlad yn llawn o fywiogrwydd y gwanwyn. Yn sydyn teimlodd rywun yn tynnu yng ngodre'i glogyn ac yn dilyn hynny fe ddaeth llif o chwerthin. Pwy oedd yno ond plant y Pandy Bach, y bachgen a'r eneth fu'n dwyn ei sylw y pnawn hwnnw. Roedd ar fin rhoi cerydd i'r ddau pan edrychodd y plant i fyw ei lygad.

'A be' ydach chi'n ei 'neud yma, y coblynnod bach?'

'Gwen, fy whar, o'dd ishie'ch gweld chi ac fe redson ni bob cam o'r Pandy Bach.'

'Ond be' ddwed eich tad?'

'O! ma' dat yn gw'pod ag fe fydd e'n dwad i'r Gosper i'n nôl ni gartre . . . a ma' Gwen wedi hala blode i roi ar y bedde achos bod Iesu Grist ar godi o'r bedd.'

Dotiodd yntau unwaith yn rhagor at anwyldeb y plant. Cododd hwy yn ei freichiau a chusanu pen cyrliog yr eneth fach.

'A be' wnei di efo'r blodau yna rwan, Gwen?' gofynnodd iddi.

Ni ddwedodd yr eneth ddim ond arweiniodd y bachgen hi i osod y tusw o friallu melyn ar fedd lle roedd y pridd yn goch. Plygodd y ferch fach yn union fel morwyn yn y llys a gostwng y tusw'n ofalus weddus ar y twmpath pridd. Bedd mynach ydoedd, heb ddim ond ei enw ar ddarn o groes yn nodi'r orweddfan.

Darlun oedd hwn nad âi byth o gof y Tywysog a chofiodd mai Gwen oedd enw'r eneth fach.

XXVI

Ebrill 17eg

Ar yr ail ar bymtheg o fis Ebrill gwysiwyd yr arglwydd Gruffudd ap Gwenwynwyn a'i fab Owain i'r llys yn Neuadd Bach-yr-Anelau ar lan afon Bechan. Rhaid oedd osgoi'r gaer yn Nolforwyn rhag bod sbïwyr ogylch y lle. Roedd y gaer hon yn ddraenen yn ystlys yr arglwydd Gruffudd ers tro byd.

Neuadd drom, dywell oedd Neuadd Bach-yr-Anelau. Hen neuadd helwyr na wneid llawer o ddefnydd ohoni bellach. Roedd düwch y muriau gan huddygl cenedlaethau, cyrn anifeiliaid yn hyrddod a cheirw ac ych yn fygythiol hyd y lle. Ond y bygythiad i'w ladd oedd yn poeni Llywelyn ap Gruffudd y dwthwn hwn. Eto nid oedd neb yn hollol sicr o ddim wedi wythnosau o archwilio'r tir o'r Berfeddwlad hyd lannau Hafren. Rhaid oedd troedio'n ofalus.

Dafydd? Na, nid Dafydd. Ac eto, roedd wyneb y brawd hwnnw yn mynnu neidio o flaen llygaid y Tywysog gydol yr amser yn Neuadd Bach-yr-Anelau. Yna llais Dafydd yn edliw iddo'i gamweddau.

'Llywelyn! Fe gedwaist fy mhriod etifeddiaeth yn y Berfeddwlad oddi wrthyf yn ôl Cytundeb Trefaldwyn efo'r hen frenin. Fe hawliaist diroedd yr Eglwys oddi ar yr Esgob Anian o Lanelwy. Oes, mae gen ti elynion, Llywelyn, ac mae gen innau a'r Esgob gyfeillion yn y wlad!'

Trodd y llais yn ymffrost wedyn.

'Rydw i'n ail i ti yn y Dywysogaeth. Mae gen i feibion, Llywelyn, a'r newydd-anedig yn anniddigo am ei le yntau yn y Dywysogaeth. Mi all holl arfogaeth y Norman fod yn gefn i mi, Llywelyn. Oni fu fy ngwraig, gweddw fach William Marshall, yn forwyn llys i frenin Lloegr Fawr? Peth rhyfedd ydy perthynas waed ac mae tylwyth Ferrers o'r un gwaed â brenin newydd Lloegr Fawr. Rydw i'n iau na thi, Llywelyn, a dydy rhychau gweinyddiaeth gwlad ddim ar gnawd fy wyneb hyd yma.'

Pan oedd Dafydd o'i ochr roedd o'n hoff o'r brawd ond castiwr dau-wynebog a fu o erioed. Beth tybed a fu'r cyswllt rhyngddo ac arglwydd Castell Pool dros y misoedd diwethaf hyn? Ddwywaith fe drodd Dafydd ei gefn arno a ffoi i wlad Lloegr. Ffolineb ar y mwyaf fu iddo ymddiried gwarchodaeth y Gororau iddo yn hydref y flwyddyn flaenorol. Ond sut yn y byd roedd yntau i godi arian oddi ar ei ddeiliaid i gynnal y gaer yn Nolforwyn heb iddo deithio hyd a lled Gwynedd? Tiriogaeth y deiliaid yng Ngwynedd wedi'r cwbl oedd ffynhonnell ei gyfoeth. Gelyn arall oedd y Normanes, Hawise Lestrange o Gastell Pool, gwraig yr arglwydd hwn oedd yn sefyll o'i flaen yn Neuadd Bach-yr-Anelau.

Roedd yno saith gŵr ar fainc yr ustusiaid. Yn eu plith roedd y Distain Tudur ab Ednyfed ac Anian ap Caradoc o du'r Tywysog ac yn cymrodeddu rhwng y ddwyblaid y Prior gonest o arglwyddiaeth Pool. Na, ni wneid cam yn y byd â'r ddau ŵr, Gruffudd a'r mab Owain. Nid mor hawdd oedd condemnio gŵr ymysg ei bobl ei hun. Cyndyn iawn fu deiliaid yr arglwydd Gruffudd i ddadlennu dim o hanes noson fawr y storm ac ef oedd yr arglwydd mwyaf pwerus o fewn y Dywysogaeth a'i diriogaeth yn ymestyn hyd ffiniau Cyfeiliog a Mawddwy.

Plygu pen yr oedd yr arglwydd pan gyfarchwyd ef gan Lywelyn ap Gruffudd.

'Fe ddaethost ti o'th wirfodd, Gruffudd, i dalu gwrogaeth i Dywysog Cymru yng Nghastell y Bere un mlynedd ar ddeg yn ôl a thyngu llw o ffyddlondeb drwy gyffwrdd â'r creiriau sanctaidd yng ngŵydd arglwyddi gwlad.'

Fe wyddai Llywelyn y byddai'r geiriau hyn yn dwysbigo gan fod torri cytundeb â thywysog gwlad yn arwydd o frad. Trodd wedyn at weddill yr ustusiaid. Meddai,

'Gwyddom fod cywirdeb i air, i weithred ac i feddwl o anhraethol bwys pan fo deiliaid yn ymostwng i arglwydd dyledog. Gwyddom hefyd fod anffyddlondeb yn dwyn barnedigaeth arglwyddi gwlad ar y sawl a fo'n torri'r cyfamod.'

Trodd ar hynny at Brior Pool a dweud,

'Ond y mae cyfraith y Cymry yn datgan yn groyw bod cyhuddo gŵr ar gam yn dwyn gwarth ar y sawl a fo'n cyhuddo.'

Yn y modd hwn yr aeth y gweithrediadau ymlaen nes i Lywelyn

ap Gruffudd droi at y cyhuddedig, Gruffudd ap Gwenwynwyn, a'i gyfarch fel hen ffrind.

'Fe welaist fai arnaf, Gruffudd, am ymyrryd yn Senghennydd-is-Caeach yn erbyn rhaib Gilbert de Clare.'

'Nid y fi a brotestiodd,' oedd yr ateb, 'ond yr oedd yr arglwydd Dafydd ap Gruffudd yn daer ei brotest.'

'Digon am hynny,' meddai Llywelyn yn ddig, 'ond ni fu codi'r gaer yn Nolforwyn wrth dy fodd di a'th deulu, Gruffudd . . . y gaer yn rhy agos i'r Castell Coch, a'r farchnad yn Aber-miwl yn gwanhau marchnad Pool. Onid gwir hyn?'

'Gwir,' oedd yr ateb swta.

Bellach roedd tyndra yn yr awyr ac Owain y mab yn gwyro'i ben heb unwaith edrych yn llygad y Tywysog. Daethpwyd o'r diwedd at fater helynt noson y storm ar Hafren a'r cynllwyn i ladd Llywelyn ap Gruffudd. Gydol yr amser hwnnw roedd wyneb Dafydd, y brawd iau, yn chwarae o flaen llygaid Llywelyn yn fentrus a haerllug. Wrth chwarae efo geiriau fe ddôi hoe i wthio'r darlun o'r neilltu. Trodd at Gruffudd.

'Fe ddwedet bod cynllwyn?'

'Hwyrach bod . . . ond nad oeddwn i ym mlaen yr ymgyrch. Er y bore hwnnw yng Nghastell y Bere un mlynedd ar ddeg yn ôl, fel y dwedest, fe gedwes i f'addunedi ti. Bûm yn ymladd ymhob un o'th frwydre.'

'Digon teg, Gruffudd, ond mae dynion ac amserau yn newid, ac fe gyfaddefaist bod cynllwyn.'

Ond mynnu cadw'n dawedog yr oedd y tad fel tae'n cysgodi rhywun neu rywrai, a hyn oedd yn peri poen i Lywelyn. Roedd gwenwyn yn y gwersyll yn rhywle a doedd yna neb am ddatgelu dim yn iawn. Mentrodd droi at y mab o'r diwedd,

'Ŵr ifanc! Hwyrach y medret ti ddweud pwy oedd ar fai?'

Aeth Owain yn un swp o gryndod a'r tad mae'n amlwg mewn gwewyr drosto. Wrth i'r cwestiynu barhau am hir amser, fe drodd yr arglwydd Gruffudd at ei gyhuddwyr o'r diwedd a dweud mewn llais oedd yn ymylu ar ddagrau,

'Fe fu cynllwyn. . . . Nid myfi oedd yr un a fu'n cynllwynio. . . . Arall a fu'n cynllwynio!'

Roedd y gŵr yn gwarchod enw da rhywun yn rhywle ac yn gyndyn

139

o ddadlennu dim. Mynnu hofran o flaen llygaid Llywelyn yr oedd wyneb y brawd Dafydd serch hynny. Gallent fod yn troedio tir peryglus y prawn hwn gan ddwyn anfri ar dylwyth y Tywysog ei hun. Oedi oedd orau, cymrodeddu ac aros nes y dôi tystiolaeth gliriach o rywle. Dod a wnâi honno hefyd yn y diwedd. Bellach yr oedd Owain ap Gruffudd, y creadur uchelgeisiol ag oedd o, yn crynu fel deilen a'i wep yn wyn. Bron na chredid ei fod yn ysu am ddadlennu rhyw gyfrinach fawr yn rhywle i achub ei groen ei hun.

Wedi oriau o betruso fe ddaeth y ddedfryd o'r diwedd. Cyhoeddodd Prior Pool gyda'i ddoethineb arferol y geiriau:

'Fe gydnabu Gruffudd ap Gwenwynwyn iddo wneud llw o ffyddlondeb i'r Tywysog Llywelyn ap Gruffudd yng Nghastell y Bere un mlynedd ar ddeg cyn hyn ac fe gydnabu Llywelyn ap Gruffudd iddo gadw at yr addewid honno hyd yr awron. Am hynny nid yw trugaredd y Tywysog wedi lleihau dim —

"Fe fydd Gruffudd ap Gwenwynwyn yn cadw tiroedd y Teirswydd, Caereinion, Mawddwy a Mochnant Uwch Rhaeadr yn ogystal â rhan o Gyfeiliog.

"Fe fydd Gruffudd ap Gwenwynwyn yn ildio'r gweddill o dir Cyfeiliog a'r trefi rhwng y Rhiw a'r Helyg i Lywelyn ap Gruffudd.

"Os byth y ceir Gruffudd ap Gwenwynwyn eto yn fyr yn ei deyrngarwch i Lywelyn ap Gruffudd fe gyll dros byth yr hawl ar ei diroedd iddo ef a'i ddisgynyddion." '

Syrthiodd tawelwch trwm dros Neuadd Bach-yr-Anelau ac nid oedd y fwyell wedi llawn ddisgyn hyd yma. Oedodd y Prior yn hir gan fod ymwneud â rhawd gwŷr ifanc yn peri blinder iddo. Meddai yn y man,

'Gan nad oes hyd yma unrhyw wybodaeth eglur parthed mater y llys yn wyneb tawedogrwydd y cyhuddedig mae'n rhaid o'r herwydd wrth wystl.'

Trodd at y mab Owain ac yna meddai gan gyfarch y tad,

'Hyd nes y dadlennir yn llwyr ddirgelwch nos y storm ar Hafren rhaid fydd cymryd Owain ap Gruffudd i'w warchod gan y Tywysog Llywelyn ap Gruffudd. Ni ddaw unrhyw niwed corfforol i'r llanc. Fe'i trosglwyddir i ofal yr Esgob ym Mangor Fawr yn Arfon.'

Gwnaeth y tad sŵn crafiad isel yn ei wddf a'r sŵn hwnnw mae'n amlwg yn arwydd o ddealltwriaeth cyfrin rhwng tad a mab. Cododd

Owain ap Gruffudd ei wyneb gwyn i edrych yn wyneb y tad ac yr oedd edrychiad y tad yn llefaru cyfrinach oesol.

'Mae gen ti gyfrinach, cyfrinach fawr, fy mab, Owain. Os bydd raid i ti gyfaddef fe fydd colled Llywelyn ap Gruffudd yn fwy na'th golled di ac yn fwy na'm colled innau. Gadw dy ben uwchlaw'r dŵr, Owain, a dangos i wŷr Gwynedd bod rhywfaint o rin hen dywysogion Powys o hyd yn y tir. Does gynnon ni ddim oll i'w golli, Owain. Mae'r brenin newydd ar fin dychwelyd i wlad Lloegr a phan goronir hwnnw'n frenin fydd dim i'w ofni o du Llywelyn ap Gruffudd. Mae'r gŵr wedi tyfu'n rhy fawr i'w esgidiau ac fe ddaeth yr amser i dorri crib gwŷr Gwynedd. Ffarwél dros dro, 'machgen i!'

Wrth i'r tad orfod ymostwng i dalu gwrogaeth i'r Tywysog y dydd hwnnw, fe gafodd yr olaf gipolwg ar edrychiad o ddigofaint na fyddai'n debyg o'i anghofio ar fyrder.

Ac felly y gwahanwyd yr arglwydd Gruffudd ap Gwenwynwyn oddi wrth ei fab ar y dydd arbennig hwnnw ym mis Ebrill y flwyddyn honno.

XXVII

Y nos honno

Sylwodd Gronw ap Heilin nad oedd gan ei arglwydd fawr o archwaeth bwyd yn neuadd y gaer y nos hon. Gallai'r Tywysog fynd oriau lawer heb fwyd ac yna llwyr ymollwng i wledda; yn yr un modd gallai fynd oriau lawer heb gwsg ac yna syrthio i drwmgwsg. Pigo bwyta yr oedd y gŵr a'i feddwl mae'n amlwg ar goll mewn rhyw bellter o ofod. Neilltuodd wedyn wrtho'i hun i stafell y Tŵr ac felly y bu am oriau heb na siw na miw yn dod o gyfyl y lle. Arhosodd Gronw ap Heilin a dau o'r osgordd yn glòs wrth ddôr y stafell a'u meddyliau hwythau hefyd yn ferw gan achosion y dydd. Yn garcharor yn y gaer roedd Owain ap Gruffudd, y gwystl oedd i'w gludo drannoeth i ofal Esgob Bangor Fawr yn Arfon. Roedd awyrgylch annedwydd hyd y lle a bron na theimlodd gwŷr yr osgordd wrth ddôr stafell y Tŵr anadl ar eu gwar ac ias oer yn cerdded drwy'r madruddyn. Mynnodd rhai o'r gweithwyr hefyd bod rhyw Bresenoldeb yn mynnu ymdroi o'r tu cefn iddynt wrth iddynt ailgodi'r hen gaer yn Nolforwyn!

Ar yr aelwyd wrth draed y Tywysog yn stafell y Tŵr y nos hon roedd yr Arth. Ef a fedyddiodd y ci yn ddiweddar wrth yr enw hwnnw. Rywdro wedi i hanner y nos fynd heibio fe ymystwyriodd yr Arth a dechreuodd Llywelyn gyfarch y creadur.

'Dwed i mi, yr Arth, sut yn union mae datrys y cwlwm astrus ola' hwn? Ie, mi wela' i yn dy lygad di bod angen pwyll ac na ellir gwneud dim ar frys. Dyna fater anodd ydy mynd â'r gŵr ifanc yma i ganol gwŷr Gwynedd, ond sut arall y medrir delio efo dynion anystywallt dwed? Oeddat ti yma, yr Arth, pan oedd y brawd Dafydd yma ym misoedd yr hydref? Glywaist ti beth o'i eiriau o? Fuo fo'n cynllwynio hyd y Gororau ac ym Mhowys Wenwynwyn yn arbennig? Mi wela' i. Mi fyddai'n well gen ti beidio â deud dim. Wyt ti'n gweld, yr Arth, fe fu Dafydd yn dawedog iawn yn ddiweddar, yn llechu yng nghyrion y Berfeddwlad efo'r wraig fach o Normanes a thyaid o blant. Mi fedar y rheini ddwad yn ben ar y Dywysogaeth ryw ddydd. Fyddwn i ddim yn gwarafun hynny. Ond aros di, yr

Arth . . . beth glywais i'n ddiweddar? Sibrydion o dueddau gwlad Ffrainc bod mam y ddyweddi fechan yn tynnu at ei gwely angau. Yr Iarlles ydw i'n feddwl ac unwaith y bydd honno farw, yr Arth, fe all y ddyweddi gael ei chipio i neilltuedd Cwfaint dros byth gan elynion Symwnt Mymffwrdd. Tase'i brawd Guy wedi atal rhag lladd Henry o Almain, cefnder y brenin newydd, yn eglwys Viterbo mi fyddai gwell siawns cael gafael ar y ddyweddi fechan. Erbyn meddwl, mi ddaw'r brenin newydd adre gyda hyn ac erbyn canol haf mi fydd yna goroni yng ngwlad Lloegr a rhwysg yn llenwi'r lle. Mi rydw i'n ddeiliad i'r brenin hwn, yr Arth, ac fel deiliad mi fedrwn fod yn neuadd fawr Westminstr yng nghanol y rhialtwch i gyd. Nid bod arna' i eisiau troi ymysg y Normaniaid ffroenuchel ond y mae yna fater arall. Wyt ti'n meddwl, yr Arth, y byddai'n ddiogel i Lywelyn ap Gruffudd a'i osgordd fynd yr holl ffordd i Lundain fawr efo'r holl elynion hyd y lle? Mae'r prif elyn, Rhosier Mortimer, yn dannod na fu i mi dalu'r ddyled i frenhiniaeth gwlad Lloegr wedi marwolaeth yr hen frenin. Ydy, mae hi'n ddigon main arna' i, yr Arth, rhwng gwarchod y Dywysogaeth a chodi'r gaer yma yn Nolforwyn ond gynted ag y dychwelith y brenin o wlad Ffrainc fe delir iddo weddill y ddyled. Gwŷr Gwynedd, druan â nhw, fydd yn talu'r dyledion hynny er bod ambell ffynhonnell arall, yr Arth, nad gwiw ei henwi! Wedyn dyna'r gelynion oddi mewn! Y nhw ydy'r gofid y foment hon. Gruffudd ap Gwenwynwyn, arglwydd mwyaf y Cymry yn rhyw ddechrau simsanu ar y Gororau a throi tu min a Dafydd yn cuddio yng nghôl tylwyth Normanaidd ei wraig.'

Ond roedd y ci yn chwyrnu cysgu erbyn hyn.

'Mi wela'i, yr Arth, mai cwsg fyddai ora' i Lywelyn hefyd ond mae cwsg, fel ambell arglwydd gwlad, yn oriog ac yn hirymarhous i gydio.'

Ond syrthio i gwsg trwm a wnaeth yntau yn yr oriau mân a deffro'n sydyn i gyfarth chwyrn yr Arth.

'Yr Arth ddiawl! Taw â'th gyfarth neu fe fyddi wedi deffro'r gaer!'

Ond parhau i gyfarth ac i neidio'n wyllt yr oedd y creadur. Yna'n ddisyfyd tawelodd yr Arth. Dyna pryd y tybiodd Llywelyn iddo glywed sŵn marchogaeth march wrth odre'r gaer. Ymystwyriodd o'i hanner cwsg a chodi i dynnu'r clogyn oddi ar yr hoel.

'Aros di lle'r wyt, yr Arth! Fe fydd yna gi wrth sodlau'r march gwyn wrth odre'r gaer os nad wyf yn camsynied . . . neu felly yr oedd hi unwaith!'

Cafodd y geiriau hynny effaith rhyfedd ar yr Arth a swatiodd yn ôl i drwmgwsg ar yr aelwyd. Sgubodd y Tywysog ei ffordd yn wyllt heibio i Gronw ap Heilin a rhai o wŷr yr osgordd ar risiau'r Tŵr, heb yngan gair o'i ben a'r olwg bell yn ei lygaid yn cynhyrfu'r milwr mwyaf swrth ar yr awr gynnar hon.

Brasgamodd Llywelyn wedyn ar draws y garthau tua'r stabl a chyn i'r gwastrawd lawn sylweddoli beth oedd ar ddigwydd, cyrchodd ei farch ei hun a'i dywys allan i awyr y bore nad oedd yn ddim hyd yma ond rhimyn o oleuni main ar y gorwel.

Dilynodd gwŷr yr osgordd eu Tywysog o hirbell gan ofni sŵn eu troedio eu hunain ar gerrig garw'r garthau. Medrai'r Tywysog fod yn fileinig yn ei styfnigrwydd ar brydiau pan ddôi rhywun i dorri ar draws ei lwybr. Duw a'r Forwyn a wyddai beth oedd ei antur y bore hwn yn Nolforwyn.

Ond sŵn carnau'r march arall hwnnw oedd yn tynnu'r Tywysog a thybiodd bod hwnnw yn dringo ochr y gaer. Oddi allan i'r porth mawr y digwyddodd y wyrth. Oedd, roedd hi yno eto, sef marchoges y march gwyn. Gweryrodd y march hwnnw'n herfeiddiol ac fe âi Llywelyn ar ei lw nad dyma'r tro cyntaf iddo ddod wyneb yn wyneb â'r creadur rhyfeddol hwn.

Fel y troeon o'r blaen yn hanes y farchoges a'r march gwyn, fe arafodd hi symudiad y march a phlygu'i phen i rwbio llaw'n garuaidd hyd ei wddf a sibrwd yn ei glust.

'Rwyt ti'n cofio Llywelyn ap Gruffudd, Tywysog y Cymry on'd wyt ti, fy march gwyn i? Ond ryden ninne'n frenhinol fel ynte on'd yden ni, ac o hil hen dywysogion Powys. Am hynny does dim rhaid i mi ymostwng o flaen y Tywysog hwn.'

Wrth i'r farchoges godi'i phen i edrych arno sylwodd yntau ar ddüwch ei dau lygaid ac ar y rhes o ddannedd gwynion glân oedd yn fwy na dannedd y rhan fwyaf o ferched. Roedd tawch y bore cynnar yn amharu ar ei olwg yntau ond dal i'w gyfarch yr oedd y farchoges.

'Y fi roes yr hawl i Lywelyn ap Gruffudd godi'r gaer yn Nolforwyn ac am hynny fe fûm i'n gwylio'r lle nos a dydd yn barhaus, yn gwarchod y gweithwyr. Gen i yr oedd cyfrinach codi'r gaer, y fi oedd

yn gwybod am gyfraith y tir yn Nolforwyn. Ond y mae yma Dynged.
Fydd Llywelyn ap Gruffudd byth yn rhydd o'r Dynged honno. Gall
Tynged fod yn frwnt weithiau, ond waeth beth a ddigwydd, o'm
plegid i fe fydd gafael Llywelyn ap Gruffudd ar y gaer dros byth
. . . dros byth . . . am mai ei freuddwyd e oedd ailgodi'r gaer!'

Ar amrantiad newidiodd tôn llais y wraig yn gymysgedd o ing
ac o hanner gorfoledd. Roedd fel tae gwraig yn cyfarch ei
chariadlanc.

'Wyt ti'n cofio'r noson honno ymhell yn ôl y gwelest ti'r gaer yn
ei gogoniant Llywelyn — y colofnau oddeutu'r rhodfa, y parc ceirw
a'r dolydd breision? Wyt ti'n cofio'r tân yn y neuadd, y perarogl
a'r cwrlid sgarlad addas i wely tywysog? Fe fuon ni'n tywallt y gwin
o'r ffiol y noson honno ac yr oedd yn felys i'w flasu. Y nos honno
roedd dy had yn diferu o'm mewn ac fe unwyd gwlad Gwynedd
a gwlad Powys.'

Roedd yntau ar fin sibrwd enw'r wraig a'r cwbl mor bell yn ôl
bellach. Gwenodd y wraig efo'r dannedd gwynion mawr a'r foment
nesaf cylchodd ei chwip yn yr awyr. Amneidiodd ei phen at yn ôl
a gweiddi,

'Tyrd yr un bach! Chwe blwydd oed wyt ti. Epil y Tywysog, erthyl
y gaer yn Nolforwyn.'

Oedd, roedd yntau bron yn siŵr bod y bachgen chweblwydd yn
dilyn y march gwyn ond wrth i'r wawr gryfhau o'r dwyrain a thros
y Gororau fe ddiflannodd y march a'r farchoges dros ysgwydd y
gaer. Gwyrodd Llywelyn ei ben am hydoedd dros fwng ei farch yn
aros i'r wawr dorri'n llwyr. Roedd ei waed yn oer o'i fewn a phoen
anaele ogylch ei amrannau. Teimlodd dangnefedd yn ei feddiannu
a daeth iddo gysur. Yn rhywle tu hwnt i gymylau'r awyr yr oedd
pwerau nad oedd a wnelont â dynion, weithiau'n peri ofn ac weithiau
gysur. Y Farchoges . . . Dolforwyn. Yr un oedd y ddau. Ymhen
y rhawg trodd ben y march i ddringo'n ôl hyd ffordd y gaer. Erbyn
hyn roedd bron yn olau dydd.

Rhyw ganllath oddi allan i'r porth roedd bwthyn lle'r oedd gwraig
yn casglu tanwydd. Gerllaw iddi roedd llanc a elwid y Penbwl gan
ddynion y gaer a daeth gweryriad march o'r cae ger talcen y tŷ. Ni
chododd y wraig ei phen i edrych arno bryd hynny ond unwaith
y cymerodd yntau'r tro am y porth edrychodd y wraig yn hir ar y

marchog gan ddangos rhes o ddannedd mawr heb i gyffur yr un pren eu gloywi. Roeddynt mor ddu â'r muchudd. Chwarddodd y wraig fel tae hi'n cadw cyfrinach fawr yn ei chalon.

Wedi cyrraedd eithaf ffordd y gaer fe edrychodd Llywelyn mewn rhyfeddod ar adeiladwaith y lle. Ychydig o fisoedd eto ac fe fyddai'r gaer yn orffenedig a breuddwyd chwe blynedd o amser wedi'i gyflawni.

Synnodd gwŷr yr osgordd o weld y Tywysog mor llawen ei wedd. Hwn oedd y Llywelyn a allai goncro pob rhwystr. Roedd bore arall wedi gwawrio. Bore o Ebrill braf a'r Gororau hyd yn oed yn chwerthin!

XXVIII

1272 — *ar yr unfed ar bymtheg o fis Tachwedd bu farw'r brenin Harri Tri a'i gladdu yn Abaty Westminstr.*

1273 — *ar yr ugeinfed o fis Ionawr Abadau Dore a Haughmond yn aros yn ofer ger Rhyd Chwima am Lywelyn ap Gruffudd i dalu gwrogaeth i'r brenin Edward.*

— *yn niwedd mis Mehefin Rhaglawiaid y brenin yn gwahardd i Lywelyn ap Gruffudd godi castell yn Nolforwyn.*

1274 — *yn nechrau'r Mis Bach Dafydd ap Gruffudd, Gruffudd ap Gwenwynwyn a'i fab Owain yn cynllwynio i ladd Llywelyn ap Gruffudd.*

— *ar yr ail ar bymtheg o fis Ebrill yng Nghedewain Gruffudd ap Gwenwynwyn yn syrthio ar ei fai a rhoi ei fab Owain yn wystl.*

— *ar y deunawfed dydd o fis Awst bu defod coroni y brenin Edward yn Abaty Westminstr.*

— *yn yr hydref Hawise Lestrange a'i gŵr yr arglwydd Gruffudd ap Gwenwynwyn yn carcharu milwyr Llywelyn ap Gruffudd yng Nghastell Pool. Yn codi baner rhyfel ar y Tŵr a ffoi i'r Amwythig.*

— *Dafydd ap Gruffudd yn ffoi am nodded y brenin Edward . . .*

Oddi allan i Abaty Aberconwy bu stormydd hydref yn dyrnu rhwng hen gaer y Norman yn Negannwy a chreigiau duon y Penmaen-bach ers dyddiau lawer a'r môr yn bwrw'i genlli hyd y glannau. Diolchodd y Cymry unwaith yn rhagor na ddôi'r Norman i gysgodi yn Eryri ar hinsawdd felly. Tymheredd gynhesach gwlad Ffrainc oedd yng ngwaed y Norman. O fewn y Dortur yn yr Abaty roedd yr henwr, yr Ymennydd Mawr, ar ei wely angau ac yn ceisio gorchymyn y mynach ifanc Flavius i gofnodi hynt a helynt y Tywysog Llywelyn yn y memrwn. Yn fuan wedi i'r Ymennydd Mawr ddychwelyd adre y tro olaf hwn o grwydro gwledydd Cred fe ddechreuodd clefyd milain fwyta'i nerth. Mor wahanol oedd ei wedd yn ŵr ifanc yn Eryri pan aned y Tywysog Llywelyn ap Gruffudd!

Y pryd hwnnw roedd yn bwydo'r gwrthryfelwyr efo'i freuddwydion a hynny'n dân ar groen y gwŷr mawr yn y llys yn Abergwyngregyn. Fe dymherodd gryn lawer efo'r blynyddoedd ond ni pheidiodd â gyrru'i freuddwydion i gerdded hyd y llys gydol teyrnasiad y Tywysog Llywelyn ap Gruffudd.

Ar y bore arbennig hwn fe droes Braint y mynach lleyg allan i'r awyr iach o awyrgylch drymaidd afiach yr angau oedd ar ddod. Yn ddall, medrai arogli'r angau yn dreiddgarach na'r cyffredin o ddynion. Bellach nid oedd yr Ymennydd Mawr yn ddim ond cnawd ac esgyrn ond serch ei wendid roedd yn hawlio ufudd-dod.

Ar y bore trystiog hwn ffodd Braint i lawr i'r Cei ar lan afon Gonwy. Yno'n 'mochel mewn hoewal roedd Wali'r pysgotwr ac yn gwrando ar sŵn rhithmig tap-tap ffon y gŵr dall. Cododd Wali ei glustiau.

'Tap-tap Angau,' meddai wrtho'i hun, 'dyna fydd Matilda yn 'i ddeud.'

Roedd y gŵr dall hefyd wedi synhwyro presenoldeb yr hen gyfaill o bysgotwr.

'O's lle i mi yn dy guddfan, Wali?' gwaeddodd. 'Ma'r tywydd yn ddigon i yrru'r gre'digeth i gerdded!'

Roedd ei glogyn yn chwyrlïo i bob cyfeiriad. Cafodd hi'n eitha' clyd o fewn yr hoewal ond nid oedd Wali'r pysgotwr yn dweud dim oll.

'Rwyt ti'n dawel iawn, Wali. Rhywbeth yn peri po'n i ti efalle?'

Saib hir yn dilyn.

'Yr Angau weldi, Braint. Meddwl am hwnnw weldi. Cythril o beth ydy o, yn ôl Matilda, ac yn dal pob dyn byw. Ond pan mae dyn yn fyw fydd o ddim yn meddwl gormod amdano fo achos nad ydy o yn 'i 'nabod o. Dyna anodd, Co', fydda' dygymod â bod yn y ddaear am byth bythoedd heb weld y môr . . . byth yn dal mecryll na'r un 'sgodyn arall yn afon Gonwy . . . wedi meddwl dal 'sgodyn i'r Ymennydd Mawr, Braint, ond y tywydd yn enbyd. Does dim fel 'sgodyn i godi archwaeth dyn sâl meddai Matilda.'

Ond y tro hwn doedd Braint y gŵr dall yn dweud yr un gair ychwaith.

'Ti sy'n dawal rwan,' meddai Wali'n sorllyd braidd.

Meddai Braint yn y man,

'Does dim modd codi archwaeth ar ddyn pan fo Ange wrth y drws.'

'Mi wela' i. Fel yna mae dallt petha' felly! Mi glywis i fod yr Ymennydd Mawr yn gyndyn o roi i mewn i Angau,' meddai Wali'n ystyrlon.

'Fel y bydd dyn byw felly y bydd e' farw hefyd, Wali. Gŵr cyndyn yn 'i fywyd o'dd yr Ymennydd Mawr. Gŵr y breuddwydion. Gŵr y weledigaeth.'

Hanner chwarddodd Wali.

'Y fo oedd yn gyrru'r saetha' i gyfeiriad y T'wysog, yntê, Braint, heb byth ddwad ar 'i draws o. Y fo oedd yn breuddwydio breuddwydion y Cymry drostyn nhw, yntê? Be' wnaiff y Cymry felly pan fydd yr Ymennydd Mawr wedi peidio â bod yn go iawn?'

'Nid peidio â bod, Wali. Mi fydd dynion fel yr Ymennydd Mawr yn byw ym meddylie'r Cymry hyd ddiwedd amser. Ma' breuddwydion pobl yn byw ar 'u hole dros y cenedlaethe.'

'Mae gwŷr yr Eglwys yn deud y bydd eneidia' dynion yn byw ar eu hola' nhw, Braint, ond os na fydd enaid yr Ymennydd Mawr efo'i gorff o, ymhle bydd o?'

Cwestiwn dyrys oedd hwn hyd yn oed i ŵr a fu'n byw cyhyd ar ymylon yr Eglwys.

'Anodd yw dweud, Wali, ond fe elli di synhwyro bod Rhywbeth yno heb byth 'i weld e'.'

'Fel gweld y gwynt . . . neu weld ysbrydion.'

Ond dal i feddwl am helynt enaid y gŵr mawr yn y Dortur yr oedd Braint. Mor od yr oedd y byw yn gallu trafod stad y meirw o hyd braich fel tase a wnelon nhw ddim oll â'r peth. Meddai wedyn,

'Ie, mater ened, Wali, mater byd ysbrydion. Marwolaeth ddisyfyd yn peri falle bod yr ened yn gwrthod gorffwys ond ma' lle i ened ga'l llonydd yn y diwedd.'

Roeddynt bellach mewn rhyw ddyfroedd dyfnion oedd yn ddieithr iawn i'r pysgotwr.

'Ond pryd y byddai'r enaid yn cael llonydd, Braint?'

'Mi ddwede gwŷr yr Eglwys y digwydde hynny pan fo dynion mewn cytgord â Duw ac yn disgwyl yr Ange . . . paratoi drwy weddi ac ympryd a myfyrio'r Ysgrythure.'

Cododd y pysgotwr ei ysgwyddau'n haerllug braidd a dweud,

'Rwyt ti'n mynd i siarad yn debyg gythgam i wŷr yr Eglwys, Co'. Hwyrach bod yn dy feddwl di ymuno â'r Urdd!'

'Hwyrach felly, Wali. Gŵr yn nesu at Dduw wrth heneiddio ac yn dysgu dygymod â'i groes.'

Oedd, roedd Wali wedi dysgu llawer y bore hwn mewn perthynas â'r gŵr dall. O bryd i'w gilydd rhyfeddodd o weld y gloywder yn wyneb ei gyfaill a phan fyddai'r gŵr dall yn ddedwydd gellid taeru bod ei ddau lygad yn gwenu. Ond doedd ganddo ddim ond socedau lle bu llygaid!

Wrth i Braint ymadael o'r diwedd a throi'n ôl tua'r Abaty syllodd y pysgotwr yn hir i gyfeiriad y Gogarth Mawr. Ers dyddiau bu'r adar drycin yn crynhoi o'r fan honno yn bygwth storm. Rhyw adar felly oedd yn bygwth y Tywysog Llywelyn ap Gruffudd hefyd yn ôl pob sôn o bellter y Gororau ond ni wyddai Wali ddim am y mannau hynny. Dipyn o aderyn drycin oedd y brenin newydd hefyd yn ôl a glywodd. Beth petai hwnnw yn dod â'r llongau rhyfel yn ôl i aber afon Gonwy? Teimlodd ias oer drwy asgwrn ei gefn yn rhedeg fel lli afon. Beth tybed fyddai gan y blynyddoedd nesaf i'w cynnig efo marwolaeth yr Ymennydd Mawr?

Ymhen ychydig ddyddiau wedi hynny fe fu farw'r gŵr mawr. Yn ôl rhai fe syrthiodd haen drwchus o dywyllwch dros yr Abaty pan roed yr Ymennydd Mawr i'w gladdu ym mynwent y Brodyr. Roedd y gŵr hwn wedi byw drwy gyfran helaeth o gyfnod dau Dywysog mawr y Cymry, sef Llywelyn ab Iorwerth a Llywelyn ap Gruffudd. Wrth i un cyfnod orffen roedd cyfnod newydd yn dechrau.

Rhan II
Cyfnod Y Brenin Edward Y Cyntaf
1275—1277

I

Canol Ebrill 1275

I sŵn cnul cloch eglwys y Cwfaint casglodd y galarwyr ynghyd y
bore arbennig hwn. Gwelwyd dwy o'r lleianod yn gwylio'r
canhwyllau a'u cadw ynghyn uwch arch osgeiddig Iarlles Caerlŷr.
Ym mlaen y galarwyr roedd deuddyn ifanc mewn galarwisgoedd
trwm, y mab yn ei wisg offeiriadol a'r ferch gyda gorchudd sidan
du yn cuddio tresi melyn ei gwallt a'i hwyneb tlws dagreuol. O gylch
y ddau roedd yno nifer o dylwyth disgynyddion Castell Montford
l'Amauri nid nepell o ddinas Paris. Cefndyr pell oedd y rhai hyn
i'r ddau yn galaru y mis Ebrill hwn.

Wrth i gnul y gloch ddistewi syrthiodd tawelwch drwy'r lle ac
yna fe lwybreiddiodd y lleianod eu ffordd gan wahanu'n ddwy garfan
i'r naill ochr i'r Côr. Roeddynt yn benwynion fel adar môr.

Wedi sicrhau bod pob cannwyll yn olau llithrodd y ddwy leian
a fu'n gwarchod arch yr Iarlles i'w seddau hwythau. Cerddodd y
Caplan wedyn i lawr llwybr yr eglwys a dau o Frodyr Urdd Sant
Dominic yn ei ddilyn yntau. Mentrodd Elinor godi'i phen y mymryn
lleiaf o gysgod y gorchudd sidan. Oedd, roedd hi'n adnabod pob
un o'r lleianod wrth symudiad eu penwisg ac wedi degawd yn eu
plith gallai synhwyro sut yr oedd pob lleian yn ymateb iddi hithau
ar y foment drist hon. Yn ferch synhwyrus medrodd amgyffred pob
gwefr o lawenydd a thristwch yng nghalonnau'r Chwiorydd yn oriau
unig y Cwfaint. Y bore hwn wrth iddi ffarwelio â'i mam, yr Iarlles,
y nhw oedd ei thylwyth. Yn ôl rheolau caeth eu Hurdd ni chaniateid
iddynt ddangos unrhyw arwydd o deimlad mewn cryndod na gwên
eithr cadw'r golygon i gyfeiriad delw'r Forwyn lle roedd ffynhonnell
pob cysur.

Er gwaethaf ei thristwch ni fedrodd yr Elinor ifanc ond mygu
gwên wrth wylio penwisg y Chwaer Joanna yn ysgwyd fel gwyntyll
a'i chorff yn ei blyg efo'r cryd oedd yn cloi cymalau pob Chwaer
oedrannus yng nghwfaint gwledydd Cred. Bob tro y dôi'r Chwaer
Joanna i gwrdd â'r Iarlles a'i merch ar dir y Cwfaint dros y

blynyddoedd byddai'n gwneud cyrtsi llaes nes bod ei phenwisg bron cyrraedd y llawr. Yna codi pan fyddai'r cryd yn rhyddhau ei chymalau a gwneud arwydd y Groes yn frysiog gan sibrwd y geiriau, '*Ave Maria. . . . Gaude virgo gloriosa. . .*'

Ceisio maddeuant y Forwyn a wnâi am iddi blygu glin i dywysogesau a meidrolion byd. Rhyw hanner ymwybod â'r byd mawr oddi allan yr oedd hi.

Yn rhywle ar gyrion y clwstwr lleianod cafodd Elinor gip sydyn ar y Chwaer Lucia benchwiban ifanc nad oedd hyd yma ond nofis yn cellwair efo'r byd sanctaidd ac yn disgwyl cael dihangfa pan ddôi ei thad bedydd adre o'r Crwsadau. Yn ôl Marie, morwyn fach Elinor, roedd Lucia eisoes wedi bedyddio'r Briores efo'r enw Y Tad Dominic am fod ganddi ddwylo o faint rhawiau a chynheddfau eraill, na fynnai eu henwi, a allai fod yn perthyn i'r gwryw hwnnw! Eto, ar y bore arbennig hwn roedd Lucia mor sobr ag unrhyw sant. Mater gwahanol oedd y Chwaer Josephine. Hon oedd y Chwaer a fu'n gweithio llun y peunod lliwgar yn y deunydd tapestri oedd i addurno stafell y Dywysoges Elinor yn y llys yn Abergwyngregyn. Bu Elinor yn meddwl yn hir beth a barodd i'r Chwaer sanctaidd ddyfeisio'r darluniau o'r peunod hynny — y gwryw yn lledu'i adenydd balch ar lawnt werdd y castell a'r fenyw yn gwasgu'i hadenydd hithau yn glyd at ei chorff. Bob tro cyn ymadael â Marie a hithau byddai'n gwneud arwydd y Groes mewn osgo o edifeirwch. Ond bellach roedd Elinor yn gwybod cyfrinach y Chwaer Josephine a llifodd dagrau dros ei gruddiau nes gwlychu'r gorchudd sidan oedd am ei phen. Collodd y Chwaer ei chariad pan oedd ei serch yn ei anterth. Denwyd y cariadlanc efo brenin Ffrainc i'r Crwsâd a bu farw o'r *Pestilens* yn ninas Tunis. Doedd dim mor drist â hynny. O leiaf roedd dyweddi Elinor ar dir y byw hyd yn oed os oedd gwlad 'Snowden' ymhell o Fontargis. Ond hwyrach na fyddai iddi hi syrthio mewn cariad efo'r gŵr Llywelyn ap Gruffudd fel y gwnaeth y Chwaer Josephine. Ond nid lle i hel meddyliau felly oedd eglwys Sant Dominic y bore hwn.

Deffrôdd o ryw fyfyrdod pell i sŵn llafarganu y *De Profundis*. . . 'O'r dyfnder y llefais arnat . . . Fy enaid sydd yn disgwyl am yr Arglwydd yn fwy nag y mae'r gwylwyr am y bore . . . yn fwy nag y mae'r gwylwyr.' Bron nad oedd y canhwyllau ogylch yr arch yn

dawnsio i rythm canu Lladin y Salm ac arch ei mam yn rhoi rhyw dro slei yng nghysgodion y fflam. Yn ei dydd fe lwyddodd yr Iarlles i herio pob rhyw ofn ac fe allai herio angau. Nid bod Elinor yn gwrando gair ar y gwŷr eglwysig mewn gwirionedd. Sut y medrai hi wrando ar eu truth yn arwyl ei mam yn sôn nad oedd enaid dyn byth yn marw ac mai peth materol oedd y corff yn disgyn yn llwch? Sut y medrai rhywun oedd mor fyw gynnau fod yn farw? Yn ôl gwŷr yr Eglwys roedd gŵr wrth siarad yn cynhyrchu sŵn i'r awyr, ond nad sŵn yn diflannu mohono. Roedd yn aros yn dragwyddol gan fod dynion yn sôn am bethau aruchel megis Cyfiawnder a Gwirionedd. Pethau ysbrydol oedd y rhai hyn heb na hyd na mesur iddynt ac yn peri bod hedyn o'r Anfeidrol o fewn y Meidrol. Hynny oedd hyd enaid yn wir. Yna daeth y geiriau,
'*Requiescat in pace . . . In nomine Patris et Filii et Spiritus Sancti.*'
O leiaf roedd hi'n deall arwyddocâd y rheini.

Cododd rhywrai arch ei mam ar ysgwydd a'i chludo o gyfeiriad yr allor nes bod yr arch unwaith eto yn rhyw simsanu mynd hyd lwybr yr eglwys. Cydiodd ei brawd Amauri yn ei braich hithau a'i thywys i ganlyn yr arch gam wrth gam a hithau eto'n simsanu mynd yr un modd! Yn y man pwysodd Elinor ei phen ar ysgwydd ei brawd. Doedd neb arall ar ôl bellach. Ef oedd ei nodded a'i chynhaliaeth. Bu farw'r brawd hynaf, Henry, gerllaw'r tad ym mrwydr Evesham. Roedd Simon wedi marw yn union wedi helynt lladd Henry o Almain yn Viterbo ac yr oedd Guy o dan warchae llys y Pab yn yr Eidal. Fodd bynnag, doedd hi ddim yn adnabod y brodyr eraill fel yr oedd hi'n adnabod Amauri, y brawd iau.

Yn union wrth ddrws yr eglwys taflodd Amauri gusan ar ei boch gan ddilyn y gweddill o'r gwŷr a thywys yr arch i feddfaen tylwyth y Montfordiaid. Prin y symudodd Elinor led troed na ruthrodd y forwyn fach Marie ati a'i hachub o grafangau pob lleian a negesydd cysur arall a allai fod yno. Tynnodd y forwyn yn chwyrn yn ei mantell ddu laes gan feichio crio bob cam o'r ffordd nes cyrraedd o'r diwedd Dŷ'r Iarlles ar gyrion tir y Cwfaint. Am weddill y pnawn hwnnw ni wnaeth y forwyn ond ymroi i feichio crio fel un o'i cho'. O leiaf fe roes hynny gyfle i'r ferch Elinor droi ei meddwl oddi ar bwys a baich y dydd hwnnw. Ond beth oedd yn peri bod y forwyn yn y fath ddagrau ar farwolaeth yr Iarlles? Nid ei bod hi'n or-hoff o'r wraig oedrannus honno, gellid tybio, a phrin y gwelodd hi yn ystod wythnosau hir ei salwch. Synhwyrodd Elinor bod yr eneth yn ceisio rhoi mynegiant i'w blinder rhwng yr ebychiadau o'r llifeiriant dagrau. Clustfeiniodd. Un gair yn unig a ddôi dros wefusau'r eneth dro ar ôl tro a hwnnw'n llurguniad rhyfedd yn iaith y Norman.

'Fluelen! . . . Fleulen!' Hynny a leferid ganddi.

O'r diwedd roedd y feistres yn deall artaith y forwyn fach.

'Marie! Marie!' meddai, ac yr oedd tôn llais y feistres mor feddal fel y cododd yr eneth ei phen a dangos dau lygad coch dolurus. Gwnaeth Elinor arwydd arni godi a nesu ati. Nesaodd hithau yn betrusgar gan barhau i snwffian crio.

'Marie!' galwodd Elinor wedyn. Taflodd fraich am ei gwddf a sibrwd geiriau cysurlon yn ei chlust. Sibrwd fel tase'r stafell yn llawn o wrandawyr cudd. Tystiodd Elinor na wnâi hi byth adael yr eneth hyd yn oed pe bai hi'n mynd i wlad Llywelyn ap Gruffudd. Os âi, ped âi, pa bryd bynnag yr âi. Roedd yr eneth wedi deall yn burion a heb oedi rhuthrodd allan o Dŷ'r Iarlles yn mwmial canu'r gân serch honno o wlad y Norman:

'Mariez-voux, les filles . . .'

Cân oedd hon yn cynghori merched ifanc i briodi y cythraul cyntaf a ddôi gerbron rhag iddynt orfod gorffen byw mewn rhyw gwfaint o benyd am weddill eu hoes!

Mor rhwydd, meddyliodd Elinor, yr oedd yr ifanc, ifanc yn medru anghofio. A fedrai hi anghofio tristwch y dydd hwnnw byth?

Bellach roedd Tŷ'r Iarlles yn dawel, dawel, a thrymder llethol yn llenwi'r lle. Doedd dim sôn hyd yma am y brawd Amauri. Rhaid ei fod yn cynllwynio yn rhywle. Hyd yn oed ar nos arwyl ei fam fe wnâi Amauri hynny gan fod y peth yn y gwaed. Gwyddai Elinor yn rhy dda am freuddwyd ei mam am gael tylwyth y Montfordiaid eto'n rym yng ngwlad Lloegr. Fe alwodd sawl cyfaill dirgel yn Nhŷ'r Iarlles dros y blynyddoedd. Galw ar y slei rhag bod sbïwyr hyd y lle. Rhyw flwyddyn neu ddwy cyn hyn galwodd yr Esgob Stephen Berksted heibio, yr esgob o sant a alltudiwyd gan y brenin Harri Tri am iddo ochri efo'i thad, Simon. Trefnwyd iddo ef a'r brawd Amauri ddychwelyd yn ddirgel i wlad Lloegr ond bryd hynny roedd sbïwyr Edward, y brenin newydd, yn gwylio'r glannau dros Gulfor Dover. Na, nid oedd Elinor yn siŵr o ddim ym myd dynion a gallai fod Amauri yn cynllwynio y foment honno, yn union wedi angladd yr Iarlles, i ddial ar y cefnder Edward. Doedd dim da rhwng y ddau ysywaeth.

Trodd hithau i'w stafell i fwrw ei hiraeth ac i chwilio am gysur yn yr unig drysor oedd yn ei meddiant. Gan faint ei gofid ni fedrai grio. Cyrchodd y gist bren fechan a drosglwyddwyd iddi drwy dylwyth ei thad, Simon. Trodd yr allwedd yn y clo gan wneud osgo i estyn y trysorau fesul un ar y ford gron ond ni fedrai yn ei byw wneud hynny y tro hwn. Gadawodd i bob trysor orwedd yn ei briod le — y pinnau ifori, y freichled o garreg yr amethyst a'r dorch o garreg saffir. Yno'n fflachio o newydd yn nyfnder y deunydd sidan glas tywyll oedd yn hulio gwaelod y gist fechan yr oedd y fodrwy, modrwy ei mam, yr Iarlles. Torrodd fflodiart ei dagrau ar hynny a dechreuodd hithau ail-fyw dyddiau olaf ei mam ar y ddaear. Y dyddiau ingol rhwng deufyd.

Dros rai misoedd roedd hi wedi dod i ddygymod â'r gwendid yng nghorff ei mam ac fe arhosodd y peth yn sefydlog yn ei meddwl. Yna'n ddisymwth fe ddaeth dwy o'r lleianod yn eu tro i warchod gwely ei mam nes iddi o'r diwedd syrthio i gwsg trwm am dridiau hir. Un min nos galwodd ei brawd Amauri hi ato a'i harwain yn dawel i stafell ei mam. Dyna lle buont y rhawg yn sefyll yn fud wrth erchwyn y gwely yn gwylio un o'r lleianod yn gwlychu plufyn yn y dŵr a'i rwbio ar wefusau'i mam. Rhoes y lleian heibio'r gwaith hwnnw o'r diwedd a phenlinio'n llaes wrth droed y gwely gan wneud arwydd y Groes a chyfrif y paderau yn dawel, dawel. Ond fe ddaeth yr awr pan gydiodd ei brawd Amauri yn dynn ym mraich Elinor a'i hebrwng yn union gerllaw y fam. I drymder y stafell torrodd dwy ochenaid ddofn gan wthio'r anadl olaf allan dros enau'r claf a'r foment nesaf llithrodd y fodrwy ei ffordd o fys y fam ar garthen y gwely. Roedd y fodrwy ar fin syrthio i'r llawr pan blygodd Elinor i'w chodi. Plygodd Amauri yr un eiliad a gwthio'r fodrwy i law ei chwaer gan wasgu ei llaw yn dynn yn ei law yntau.

Y nos hon wedi angladd yr Iarlles cydiodd y ferch unwaith yn rhagor yn y fodrwy. Modrwy o ddiemwntiau gwerthfawr yn anrheg gan ei thad Simon i'w mam cyn dyddiau pell y briodas ddirgel honno yng ngŵydd y brenin Harri Tri a phan oedd gwŷr mawr gwlad Lloegr yn dannod eu dirmyg ddarfod i chwaer eu brenin briodi efo'r

Ffrancwr Simon de Montfort. Fflachiodd cyfrolau bywyd yn wyneb y ferch o gylch y diemwntiau. Mor greulon hardd oedd y cwbl! Yno roedd brwydrau Lewes ac Evesham pan oedd y tad Simon a'r mab Henry yn gelain. Yno roedd llawenydd y tylwyth cyfan yng Nghastell Kenilworth, ing y merched yng Nghastell Dover ac unigedd affwysol Montargis. Rhoddodd Elinor y fodrwy i orffwys ym mhlygion darn o ddeunydd sgarlad a fu unwaith yn rhan o hen wasgod i'w thad. Ei harfer dros y blynyddoedd fu rhwbio melfed y deunydd hyd ei bochau am ei bod hi felly yn medru arogli corff ei thad ynddo!

Ar y nos arbennig hon fe wnaeth hi ddiofryd na wnâi hi byth eto ymwneud â rhyw chwarae plant felly. Un o'r Montfordiaid oedd hi wedi'r cwbl ac, yn fyw neu farw, fe fynnai hi gadw clod y tylwyth. Rhoddodd yr allwedd yng nghlo'r gist fechan a'i rhoi i'w chadw. Os byth y câi hi fynd i wlad y Tywysog Llywelyn fe âi â'r gist i'w chanlyn doed a ddêl. Naw wfft pe collai bopeth arall!

Syllodd wedyn ar y nos drwy wydr y ffenestr. Yn rhywle yn y pellter yr oedd arch ei mam ymhlith beddrodau tylwyth y Montfordiaid ac eto fe âi ar ei llw bod ei mam yno o hyd gerllaw iddi yn bresenoldeb cynnes, cysurus. Efo'r meddwl hwnnw ac yng ngwlith ei dagrau fe'i lluchiodd ei hun ar y gwely yn yr union ddillad ag a wisgodd i'r angladd y diwrnod hwnnw. Rywdro yn y bore bach fe ddeffrôdd yn oer drybeilig ac yr oedd y stafell yn wag.

II

Medi 1275

Pan oedd Elinor de Montfort yn hiraethu am ei mam yng ngwlad Ffrainc, ei brawd Amauri yn cynllwynio gogyfer â phriodas ddirprwyol rhyngddi a Thywysog y Cymry a'r Ffrances fach, Marie, yn breuddwydio am wlad y 'Fluelen' hwn fel gwlad y Tylwyth Teg yr oedd Llywelyn ap Gruffudd yn fawr ei bryder. Roedd hi'n ddyddiau o brysur bwyso ar y Cymry unwaith yn rhagor er pan ddaeth y brenin newydd i orsedd Lloegr.

Flwyddyn cyn hyn coronwyd y brenin yng nghanol rhialtwch mawr yn Eglwys Westminstr. Bu yno brosesiwn hir o ddrws Eglwys Sant Pawl hyd balas Westminstr. Lladdwyd ych a moch, defaid ac ieir ac fe roed elyrch a pheunod y gŵyr eglwysig at wasanaeth y brenin newydd. Un i'w ofni, meddid, oedd hwn. Yn ŵr dros chwe throedfedd ac yn dalach na'r rhan fwyaf o ddynion, yn 'sgwyddog lydan ac amrant y llygad chwith yn gwyro fel rhyw eryr i daro. Yn braff ei freichiau ac yn feistr wrth farchogaeth a thrin cleddyf. Ie, gŵr i'w ofni oedd brenin newydd Lloegr fawr. Yn y flwyddyn y coronwyd y brenin fe ffodd y gŵyr a gynllwyniodd i ladd Llywelyn ap Gruffudd am nodded y brenin Edward. Aeth yr hen, hen elyn Gruffudd ap Gwenwynwyn a'i dylwyth i Swydd Amwythig ac am yr eildro fe drodd y brawd iau, Dafydd ap Gruffudd, yn fradwr. Ffodd hwnnw at dylwyth ei wraig Elisabeth Ferrers ac yr oedd y rheini o dylwyth y brenin.

Pa ryfedd i Lywelyn wrthod teithio i Lundain fawr ar ddydd y coroni pan oedd gŵyr Gruffudd ap Gwenwynwyn a Dafydd ap Gruffudd yn llechu hyd y Gororau. Na, ni fedrai'r Cymry fforddio colli eu Tywysog ar dir Lloegr! Ond yr oedd blwyddyn wedi mynd heibio er pan goronwyd y brenin Edward a bellach daeth belled â Chaerlleon Fawr i geisio gwrogaeth Tywysog Cymru. Ond nid oedd yr olaf yn ildio dim.

Roedd y greadigaeth hefyd yn darogan gwae. Adeg Gŵyl Fair yn nechrau'r mis Medi newydd hwn digwyddodd daeargryn gan ysgwyd tir Cymru. Fe dybiodd trigolion Eryri bod yr Wyddfa fawr wedi'i siglo i'w sail. Darogan drwg yn wastad yr oedd daeargrynfeydd. Na, nid oedd Llywelyn ar unrhyw gyfrif am fentro dros y ffin i Gaerlleon Fawr i wyddfod y brenin. Cyn diwedd y flwyddyn hon fe fyddai'n anfon ei ddirprwyon eglwysig ar siwrnai ddirgel i Fontargis yng ngwlad Ffrainc i ddwyn y ddyweddi Elinor de Montfort a'i brawd Amauri i'r llys. Nid oedd y brenin i wybod dim oll am y cynllwyn hwnnw!

Yn nechrau'r mis y daeth y brenin i Gaerlleon Fawr a bu negeswyr yn mynd a dod rhwng y ddinas honno a Maenor y Treuddyn. Pe cytunai'r brenin i'w gyfarfod ar y Rhyd dros y Ddyfrdwy ac i gadw amodau heddwch Cytundeb Trefaldwyn fe fyddai yntau, Llywelyn ap Gruffudd, yn talu iddo wrogaeth dros genedl y Cymry. Ond nid byth y rhoddai ei droed ar dir estron Caerlleon Fawr!

Yn ystod y cyfnod hwn fe fu milwyr Llywelyn ar bigau'r drain yn gwarchod y ffiniau yn Nhegeingl a Dyffryn Dyfrdwy yn ofni i'r brenin daro'n annisgwyl ond erbyn bore'r unfed ar ddeg o'r mis roedd y brenin wedi troi cefn ar Gaerlleon Fawr yn wyllt ei dymer. Gadael i ddychwelyd yr oedd i gadw gwastrodaeth ar y gŵr styfnig, Llywelyn ap Gruffudd. Nid ar chwarae bach y medrai brenin Lloegr fawr, hyd yn oed, goncro'r Tywysog pwerus hwn a rhywbeth i'w osgoi a fu gaeafau Eryri efo'r eira a'r glawogydd i frenhinoedd Lloegr. Sbïwyr Uthr Wyddel a ddaeth â'r newydd am ymadawiad y brenin i Faenor y Treuddyn. Y Meibion wedi'r cwbl oedd yn cynnal y tân ym moliau'r cymedrolwyr ac yn porthi arian i goffrau'r Tywysog!

Ac felly ar fore'r unfed ar ddeg o'r mis y galwyd cyfarfod brys o'r Cyfrin Gyngor ym Maenor y Treuddyn ac y prysurodd y Tywysog i annerch y prif gynghorwyr:

'Fe'ch gelwais ynghyd,' meddai, 'ar faterion sy'n hysbys i bawb ohonom, nid yn unig er pan ddaeth Edward i goron Lloegr ond er pan fu farw'r hen frenin. Fe weithredais yn ôl eich cyfarwyddyd o'r blaen ac fe wnaf hynny eto. Gydol y blynyddoedd ceisiais gadw mewn cof freuddwyd fy nhaid Llywelyn ab Iorwerth a estynnodd diriogaeth y Cymry o Wynedd a'r Berfeddwlad dros Ddyfrdwy hyd yr Hafren a ffiniau Deheubarth. Er pan fu farw y rhyfeddol arglwydd Rhys ap Gruffudd yn y Deheubarth fe droes deiliaid y tiroedd pell hynny eu golygon tuag at ddisgynyddion Llys Aberffraw am nodded ac arweiniad. Yno mae calon y genedl yn dal i guro!'

Aeth ymlaen wedyn i olrhain materion llosg y dyddiau blaenorol:

'Pe bawn i, eich Tywysog, yn rhoi lled troed dros y ffin i Gaerlleon Fawr i ymostwng o flaen y brenin Edward gallai fy nghorff fod yn gelain. Nid hwyrach drwy law Edward ei hunan ond o dan law cynllwynwyr y brawd iau, Dafydd, a Gruffudd ap Gwenwynwyn. Fel eich Tywysog ni feiddiaf groesi'r ffin o dir fy ngwlad gan fod y ddeuddyn bradwrus yn cysgodi yn yr Amwythig, yn gwylio'r Gororau fel barcud ac yn dwyn y da o Gedewain a'r gweiriau o Ddyffryn Tanat. Mae yna adar drycin eraill hefyd, fel y gwyddoch yn dda, gwŷr fel Rhosier Mortimer a Humphrey de Bohun sy'n barod i draflyncu rhannau o Frycheiniog a Maelienydd a Gwerthrynion.'

Daeth cryndod i lais Llywelyn ar hynny fel rhywbeth yn ymylu ar ddagrau. Meddai,

'Fe geisiais i adeiladu'r Dywysogaeth ris wrth ris wedi'r darostyngiad yn amser y Tywysog Dafydd ap Llywelyn — heddwch i'w lwch yntau fel ei dad, Llywelyn ab Iorwerth, yn naear Abaty Aberconwy — a fynna' i ddim gweld dymchwel y cwbl yn chwilfriw mân. Fe aeth chwys a llafur i'r adeiladwaith er dyddiau'r Distain ffyddlon Gronw ab Ednyfed. Fel y gwyddoch, ger Rhyd Chwima ar Hafren y bu'r arferiad o fargeinio gyda brenin Lloegr, sef yn y man diogel rhwng dwy deyrnas. Pe bai'r brenin Edward yn ymostwng i'm cyfarfod ar y Rhyd dros y Ddyfrdwy y tro hwn ac yn cadw at Gytundeb Trefaldwyn fe dalwn iddo'r holl ddyledion gan dalu gwrogaeth iddo yr un pryd fel yn nyddiau'r tad, y brenin Harri. Cadwed y brenin at y ffiniau a nodwyd yn y Cytundeb hwnnw a chadwed rhag gwarchod y brawd Dafydd a Gruffudd ap Gwenwynwyn a'i wraig Hawise Lestrange ac wedyn fe geir heddwch rhwng y Dywysogaeth a brenhiniaeth gwlad Lloegr.'

Cyn ymadael â Maenor y Treuddyn, nad oedd namyn pymtheng milltir o ddinas Caerlleon lle bu'r cenhadon yn mynd a dod rhwng y brenin a'r Tywysog, fe ysgrifennwyd llythyr o apêl at y Pab Gregori yn Rhufain. Soniwyd am y gwrthdaro â'r brenin Edward wrth i hwnnw estyn ei nawdd i elynion y Dywysogaeth ac nad diogel oedd hi mwyach i'r Tywysog groesi'r ffin i dalu gwrogaeth i'r brenin hwnnw. Apeliwyd ar i'r Pab Gregori gymrodeddu rhyngddynt fel y câi Llywelyn ap Gruffudd, Tywysog y Cymry, dyngu ei ffyddlondeb i'r brenin mewn sefyllfa o heddwch yng ngŵydd cenhadon brenhinol. Ni allai dim fod yn fwy didwyll na hynny, yn ôl aelodau'r Cyfrin Gyngor ym Maenor y Treuddyn ar y dydd arbennig hwn pan alwyd ynghyd yr holl arglwyddi o'r Dywysogaeth.

O leiaf roedd y brenin, er cymaint ei ddicter, wedi troi cefn heb dywallt gwaed ac yr oedd 'amser' eto o blaid Llywelyn ap Gruffudd. Amser i atgyfnerthu'r ceyrydd hyd y Gororau. Castell yr Wyddgrug yn Ystrad Alun a Dinas Brân ym Mhowys Fadog. Cyn pen dim byddai'r gaer yn Nolforwyn yng Nghedewain wedi'i chwblhau ac yr oedd gobaith y gellid ymestyn y ffiniau drwy Ddyffryn Tefeidiad a chodi caer yn Ngholunwy. Ymataliodd Llywelyn rhag sôn gair yn y Cyfrin Gyngor am y cynghreirio a fu rhyngddo ac Amauri de Montfort ar fater y briodas hir ddisgwyliedig â'r ddyweddi Elinor. Cyfrinach y cwlwm clòs oedd honno a choncwest fawr yn erbyn y brenin Edward pan gyflawnid y ddefod o briodas ddirprwyol yng ngwlad Ffrainc. Gydag ymadawiad y brenin a phan oedd misoedd yr hydref yn aros am y gaeaf fe ddôi hoe drachefn. Rhaid oedd troi'n ôl i'r llys yn Abergwyngregyn er mwyn cadw gofynion y Cyfrin Gyngor yn ddiogel a pharatoi i anfon y llythyr apêl at y Pab Gregori drwy law gŵr eglwysig.

Wrth i'r brenin Edward bellhau ar ei siwrnai'n ôl i ddinas Llundain fawr, fe weithiodd y Tywysog a'i brif swyddogion eu ffordd yn ôl tuag Eryri. Bellach roedd angen cysylltu â'r Abaty yn Aberconwy gyda golwg ar y ddefod briodasol rhwng Llywelyn a'i ddyweddi Elinor. Am mai perthyn i Urdd Sant Dominic yr oedd Cwfaint Montargis yng ngwlad Ffrainc rhaid hefyd oedd wrth gymorth dau o'r Brodyr o Dŷ'r Urdd ym Mangor Fawr yn Arfon.

Croesodd y Tywysog a'i wŷr o Ystrad Alun drwy'r Berfeddwlad a thros Uwch Aled cyn marchogaeth i lawr Dyffryn Conwy. Yn cysgodi ar ochr Arllechwedd i'r Dyffryn yr oedd Neuadd Uthr Wyddel ond nid gwiw oedd ymhel â'r garfan honno rhag rhoi achlust i wŷr y Cyfrin Gyngor a fu mor bleidiol iddo ym Maenor y Treuddyn. Ond yng ngwaelod y Dyffryn fe sibrydodd y cnaf Gronw ap Heilin yng nghlust y Tywysog.

'Be' ddwedet ti, y Tywysog, tase ni'n taro ar yr Efell . . . taro arni wrthi'i hun?'

Ysgydwodd Llywelyn ei ben yn wyllt.

'Dim o'r ffwlbri yna heddiw, Gronw ap Heilin. Dos di os mynni di i chwilio am y butain honno y doist ti ar ei thraws hi dro'n ôl! Cadw hyd braich y bydda' i oddi wrth garfan Uthr Wyddel y rhawg.'

Anwybyddu'r Tywysog y byddai Gronw ar adegau fel hyn a dal i daro'r post i'r pared glywed yn ara' bach. Meddai y rhawg wedyn rhwng difrif a chwarae,

'Unwaith y daw tylwyth Mymffwrdd i dario yng ngwlad ein tadau fydd dim dichon i'r Tywysog ddal yr Efell wedyn. Hwyrach fod ofn yn dy galon di, Llywelyn?'

Mor od yr oedd y sefyllfa rhwng y ddeuddyn hyn, yn Dywysog ac Ysgrifydd. Yn union fel yr oedd y Crebach gynt yn dwrdio roedd y Gronw ifanc hwn yn herian ei Dywysog.

'Collen ydy'r enw onidê? Merch dlos 'i gwala . . . coeden fach ifanc.'

Trodd y Tywysog at yr Ysgrifydd o'r diwedd gan edrych i fyw ei lygad.

'Fe ddwedest y gwir, Gronw. Oes mae arna' i ofn. Ofn methu â rhoi fy serch ar ferch Symwnt Mymffwrdd am ei bod hi o genedl wahanol ac o dylwyth brenin Lloegr. Ofn pa gynnwrf a ddaw i'r wlad yn sgîl dyfodiad y brawd Amauri i blith y Cymry . . . pob math ar ofnau, Gronw ap Heilin.'

'Ond fe allai Tywysog anghofio'i ofnau yng nghwmni'r Efell fach.'

Bellach roedd cynhesrwydd rhwng y ddau gyfaill.

'Pe bawn i'n ŵr rhydd, Gronw, fe fynnwn i feddiannu'r Efell fechan gorff ac enaid a'i gwasgu nes ei bod fel brigyn briw, ond brigyn briw ydy Collen a fynnwn i ddim briwio 'chwaneg arni. Mae briwio un yn briwio'r llall efo dwy efell Uthr Wyddel.'

Oedd, roedd Llywelyn ap Gruffudd wedi colli'i galon i'r efell Collen.

Yn rhywle wrth odre Arllechwedd fe giliodd Gronw ap Heilin yn ddirgel wrtho'i hun gan anelu pen y march i gyfeiriad Neuadd Uthr Wyddel. Ymhen yrhawg oedodd y Tywysog yng nghwmni dau o'i filwyr, dau nad oedd wedi ymgydnabod rhyw lawer â nhw. Erbyn hyn roedd Gronw ap Heilin wedi hen ddiflannu dros grib y gefnen yn chwilio am y butain honno yr edliwiodd y Tywysog ei berthynas â hi!

Roedd hi'n bnawn o fis Medi. Afon Gonwy yn y dyffryn fel arian byw yn dolennu'i thaith tua'r môr. Y meysydd eang ar y gwastatir yn flinedig eu gwedd wedi gor-gynnyrch yr haf hwnnw. Hyd y llethrau y coedwigoedd yn drwmlwythog a'r gwyrdd yn cymylu'n llwydfrown weithiau a thro arall yn danbaid goch. Mewn byr o dro fe fyddai'r goedwig ar dân i gyd cyn llosgi'n noeth erbyn Calan Gaeaf. Ailgydiodd y Tywysog a'r ddau filwr yn y siwrnai drachefn a'r meirch yn amlwg yn teimlo straen y dringo uchel.

Yn sydyn clywyd siffrwd fel tae rhywun yn cerdded yn y prysgwydd. Yno'n sefyll ar gornel pwt o groesffordd yr oedd yr efeilliaid, Collen a Llwyfen, y naill yn glwm yn y llall. Yr eiliad nesaf disgynnodd y Tywysog oddi ar ei farch a gorchymyn i un o'r milwyr gadw golwg arno. Ei ymateb cyntaf oedd ceryddu merched Uthr Wyddel am fynnu sefyll yn y fan honno yn union yn ffordd y meirch ond ar hynny fe wenodd yr efeilliaid — yr un wên ar yr un eiliad. Cymerodd hynny anadl y gŵr oddi wrtho ac yna camodd y flaenaf ohonynt un cam ymlaen gan dynnu'i chwaer ar ei hôl. Ie, Collen oedd yr efell hon.

'F'arglwydd,' meddai'n ddwys, 'rydach chi wedi blino.'

'Wedi blino . . . a be' wnaeth i ti feddwl hynny?'

'Rydach chi'n welw eich gwedd.'

'A phwy ddysgodd i ti siarad iaith fel yna 'sgwn i?'

'Fel yna mae merch i fod i siarad efo Tywysog medda 'nhad.'

'Mi wela' i, ac mae peth o ruddin tywysogesau yn nwy ferch Uthr Wyddel.'

Gwenodd y naill ohonynt ar y llall y tro hwn fel tae'r sylw wrth eu bodd. Ond roedd yr efell Llwyfen yn fud bron a phrin yn symud ei gwefusau i siarad.

'A phwy ddeudodd wrthoch chi am fentro i lwybr gwŷr y Tywysog 'sgwn i?'

'Dydan ni ddim i fod i ddeud, f'arglwydd,' mentrodd yr efell Collen.

Roedd hon yn deg fel plu'r gweunydd a'i geiriau fel rhywbeth o gerdd bardd llys. Nid bod Llywelyn wedi gwrando rhyw lawer ers tro byd ar gynnyrch y beirdd ychwaith. Cafodd y blaen ar y ferch o'r diwedd.

'Ac fe gawsoch chi ymwelydd yn y Neuadd does fawr yma ac fe ddeudodd hwnnw wrthoch chi am ddod i sefyll yn ffordd y Tywysog.'

Nodiodd y ddwy eu pennau ar hynny. Meddai yntau wedyn,

'Mi fentrwn i mai Gronw ap Heilin y cnaf oedd yr ymwelydd hwnnw.'

Cynhesodd Collen i'r sgwrs ar hynny.

'Gronw ydy cariad Mirain,' meddai.

Cythruddodd y Tywysog ar hynny ond meddai'r eneth,

'Ein morwyn ni ydy Mirain . . . hogan ora'r byd yntê, Llwyfen.'

Nodiodd yr olaf ei phen. Plymiodd Llywelyn yn ddyfnach ar ôl trywydd y stori wedyn. Ai hon oedd yr eneth y mynnodd o ei galw yn butain? Ond yr oedd Collen yn huawdl ddigon ei thafod.

'Mae Gronw ap Heilin yn galw yn y Neuadd i weld Mirain bob tro y bydd o'n croesi o'r llys yn Abergwyngregyn i Ddyffryn Conwy. Ond dydan ni byth yn gweld y Tywysog ydan ni, Llwyfen?'

'Byth,' murmurodd hithau.

Ond beth yn y byd a wnâi o, Llywelyn, yn y fath sefyllfa? Trodd yn sydyn i edrych i'r man lle roedd y ddau filwr a'r meirch. Roedd y rheini'n ddigon sicr yn trafod materion y dydd a'u meddyliau yn ôl yn Nhegeingl, gellid tybio, yn olrhain helynt yr wythnosau a aeth heibio. Tywysog gwlad neu beidio, lluchiodd Llywelyn ei freichiau yn goflaid am y ddwy ferch. Yn raddol llaciodd ei afael ar y wannaf ohonynt a daliodd olwg ar lygaid Collen. Roedd ei chorff yn ymateb i ymchwydd ei gorff yntau. Fflachiodd goleuni i'w llygaid a mwyaf yn y byd yr edrychai ef arnynt dyfnaf yn y byd y treiddiai'r goleuni hwnnw. Doedd na diwedd na dechrau iddo. Ac yna fe lanwodd ei lygaid yntau â rhyw oleuni dieithr nad oedd wedi'i brofi cyn hyn. Roedd fel tae dyn mewn seithfed nef yn rhywle, mewn byd lle roedd gwawn yn sylwedd a phlu'r gweunydd yn atalfa rhag y gwynt. Rhyfedd o fyd! Doedd ond un ateb i sefyllfa fel hon. Cofleidiodd y ddwy ferch unwaith yn rhagor a dweud gyda difrifoldeb mawr,

'Fe ddaw'r Tywysog yn ôl i Neuadd Uthr Wyddel ryw ddydd cyn sicred â bod yr haul yn codi ar y byd. Hwyrach na ddaw o am amser maith. Does gan y Tywysog mo'r hawl ar amser fel pobl eraill.

Mae'n rhaid i feidrolion wrth amynedd mawr yng ngŵydd tywysogion.'

'Fe arhoswn ni nes y dowch chi, f'arglwydd, rywbryd eto,' mentrodd Collen ac yr oedd y goleuni yn ei llygaid yn gan gloywach nag o'r blaen. Un goflaid sydyn arall ac fe archodd i'r milwr arwain ei farch tuag ato. Cyn cyrraedd y grib ar ben y llechwedd trodd yn ôl a chanfod yr efeilliaid yn codi llaw arno a Chollen yn cynnal braich eiddil ei chwaer.

Teimlodd Llywelyn ap Gruffudd yn berson gwahanol. Roedd y profiad mor newydd. Hwyrach na ddôi profiad cyffelyb i'w ran byth eto ond o leiaf roedd o wedi'i brofi unwaith. Ai hynny oedd gwir fywyd? Bu farw'r hen gyfnod pan oedd y wraig Gwenhwyfar a'r Ysgrifydd Crebach yn rheoli'i fywyd. Bellach roedd ganddo gymdeithion newydd yn Gronw ap Heilin ac efeilliaid Uthr Wyddel.

Oedd, roedd hi'n bosibl i Amser aros weithiau hyd yn oed ym mywyd Tywysog. Ond tybed, tybed a ddôi merch yr enwog Simon de Montfort byth i'r llys yn Abergwyngregyn?

III

Roedd arogleuon peraroglau'r Dwyrain yn llanw'r stafell yn y castell a gwres haf yn eu dwysáu. Cymerodd y cefnder Edward yn ei ben i ddod â rhai o arferion y Dwyrain adre i'w ganlyn wedi pedair blynedd ar y Crwsâd. Yn ystod y chwe mis er pan ddaeth Elinor de Montfort yn gaeth i'r castell doedd hi ddim wedi rhoi gormod o sylw i'r olygfa feunyddiol o'i chylch hi a'r forwyn Marie. Ond wrth i'r haul, o Ebrill ymlaen, oleuo'r stafell daeth popeth yn amlycach.

Huliwyd y cadeiriau â chlustogau o felfed lliwgar gydag ymylon o fwclis mân. Y muriau yn baneli addurnol o gerrig maen iasbis a maen mynor; gwydr Cairo yn y ffenestri yn adlewyrchu cymysg liwiau o saffir, rhuddem ac onyx. Carpedi moethus hyd y llawr a llenni trwm dros y ffenestri o batrymau Sarasen ar ddeunydd o liain drudfawr. Oedd, roedd y brenin Edward wedi sicrhau cefndir chwaethus i stafelloedd y gyfnither, ferch Symwnt Mymffwrdd yng Nghastell Windsor. Mor foethus yn wir fel y byddai i'r ferch sylweddoli mai anwar ac amrwd a fyddai unrhyw gaer mewn cymhariaeth yng ngwlad Llywelyn ap Gruffudd. Ond wfft i'r fath grandrwydd!

Fe ddechreuodd y feistres a'i morwyn ddianc allan i gerdded rhwng y pileri yn y cwrt mawr, chwarae pêl ar y lawnt ac eistedd ar y seddau yn yr ardd flodau. Yno roedd y gwynt ysgafn yn erlid i ffwrdd berarogl cyfoglyd y Dwyrain oedd yn yr adeilad. Roedd y muriau ogylch y cwrt mor uchel fel nad oedd dichon dianc o'r fan. Ac i ble y dihangai? Bu'n rhyw hanner disgwyl efo dyfodiad yr haf y dôi ei phriod, Llywelyn ap Gruffudd, Tywysog Cymru i'w chipio o afaelion y brenin. Ofer fu'r disgwyl.

Cysur pennaf Elinor yn y misoedd o gaethiwed fu troi y fodrwy aur ddirprwyol ogylch ei bys. Hon oedd y fodrwy a osododd un gŵr o Gymro ar ei bys priodas yn eglwys Cwfaint Montargis yng ngwlad Ffrainc, a hynny yng ngŵydd y Brawd Flavius o Abaty Aberconwy a dau Frawd o Urdd Sant Dominic yn niwedd yr hen flwyddyn. Wedi'r misoedd hir doedd hi'n cofio odid ddim o'r seremoni ddwys honno ond yr oedd un darlun cyfarwydd yn aros. Brodwaith y Chwiorydd dros sawl cenhedlaeth ar liain yr allor oedd hwnnw. Roedd y patrymau yn llawn sumboliaeth a'r lliwiau yn llefaru. Lliw rhosyn tywyll yn cynrychioli'r ddaear o gwmpas y Cwfaint oedd yng ngwead y rhannau ymylol a lliw porffor cerrig yr allor tua'r canol yn raddol doddi i mewn i'r melyn yn y canol. Y Drindod o liwiau, yn amrywiol eu gwawr yn ymestyn i'r llewych goleuni oedd yn ganolbwynt y cwbl. Felly hefyd, yn ôl y Chwiorydd, yr oedd pererindod dynion ar y ddaear yn ymgyrraedd o'r tywyllwch tua'r goleuni. Oedd, roedd Elinor wedi dysgu llawer oddi wrth y Chwiorydd.

Gerllaw yr allor hon y rhoes hi ei llaw yn llaw y gŵr a fu'n dirprwyo dros Dywysog y Cymry gan addo ffyddlondeb i'r gŵr nad oedd cof ganddi erioed ei weld. Yn eglwys Sant Dominic y Cwfaint y seliwyd yr amod nad oedd yn ei bryd hi, Elinor de Montfort, byth ei dorri. Onid oedd hi'n ferch i Simon de Montfort ac oni ddysgwyd iddi gan y Chwiorydd fod Rhagluniaeth yn drech na Thynged? Fe allai hi ymdopi'n rhyfedd â'i threialon ei hun ond mater arall oedd carchariad yr hoff frawd Amauri yng nghastell creulon Corfe. Prin y dôi neb allan o'r lle hwnnw!

Yn ystod y chwe mis yng Nghastell Windsor fe geisiodd wthio helynt y siwrnai o'r Cwfaint i'r porthladd dirgel ar arfordir gwlad Ffrainc ac i'r de o wlad Lloegr o'r cof. Y môr yn aml yn drystiog a'r niwl yn cuddio'r tir ond yna o'r diwedd dyma gael cip ar arfordir Cernyw yn y pellter a throi heibio i Ynysoedd Sili. Hei lwc y byddai'r fordaith wedi hynny yn rhwydd am wlad Cymru. Ond och! Dyma long gŵr o Fryste, sbïwr y brenin, yn gwanu i'w llwybr ac eto un arall gan eu hamgylchu a bwrw yn erbyn blaen y llong. O'r diwedd byrddiwyd y llong a daeth bonllef gras y capten o Fryste,

'Yn enw'r brenin fe atelir eich cwrs a'ch cymryd yn garcharorion!'

Archwiliwyd yr howld a chael yno ymysg y rhaffau faner tylwyth Simon de Montfort. Tri pheth oedd yn aros o'r munudau creulon hynny. Y foment y safodd hi ar ddec y llong a chyhoeddi'n glir mai hi oedd Elinor ferch Simon de Montfort a'i bod yn wraig briod gyfreithlon i Lywelyn ap Gruffudd, Tywysog Cymru. Yr un pryd gwasgodd at ei bron y gist fechan o fân drysorau y byddai'n well ganddi weld ei hyrddio i'r môr na bod sbïwr y brenin yn ei bodio. Ond mae'n amlwg nad oedd y gŵr o dan orchymyn i beri niwed i Elinor. Ac yna, cofiodd fel y daeth y forwyn Marie yn foddfa o ddagrau ac yn wlyb ei gwala yn cario pecyn o dan ei chesail. Hwn oedd y deunydd tapestri y bu hi a'i meistres a'r Chwaer Josephine mor ddiwyd yn ei frodio yn Nhŷ'r Iarlles gerllaw'r Cwfaint. Darlun dychmygol o'r llys yn Abergwyngregyn oedd yng ngwead main y tapestri hwn ac fe fyddai'r forwyn fach wedi lluchio'i chorff ei hun dros ymyl y llong cyn y câi gwŷr y brenin afael arno. Ond y trydydd peth oedd yn peri loes i Elinor. Geiriau olaf ei brawd Amauri oedd hynny cyn iddo ymadael â nhw ym mhorthladd Bryste a rhaffau gwŷr y brenin yn dynn amdano.

'Cadw dy ffydd, Elinor! Mae yn yr arfaeth i ti barhau llinach tylwyth y Montffordiaid. Trai a llanw a fu hi yn hanes Simon, ein tad ni, ond pwy a ŵyr na fydd un o'r llinach eto ar orsedd Lloegr fawr. Mae'r fodrwy ar dy fys di. Rwyt ti'n wraig gyfreithlon i Lywelyn ap Gruffudd. Rwyt ti hefyd yn wyres i'r hen frenin John. Mynn dy hawliau, Elinor!'

Wrth weld ei brawd yn cael ei hyrddio'n frwnt oddi wrthi cododd hithau ei llaw a'r dagrau yn ei llygaid yn mynnu dweud wrtho,

'Chaiff y cefnder, Edward, ddim gorffwyso 'chwaith nes y gwelir dy ryddhau di, Amauri. Os cedwir fi'n fyw fe fynnaf fi ei boeni'n barhaus a dannod iddo mai bradwr ydy o, os na fydd yr olaf o fechgyn de Montfort yn rhydd ei draed. Cyn marwolaeth ein mam, yr Iarlles, fe gyfamododd Edward â hi a chyfrifoldeb brenin gwlad ydy cadw ei air!'

O'r dydd hwnnw ym Mryste ni fu ond mudandod mawr o du'r brenin. Nid oedd hi wedi gweld golwg ohono. Yn ei munudau mwyaf araul medrai ddiddori'i hun yn ysgrifennu yn y memrwn — myfyrdodau'r dyddiau ac ambell lythyr at y brawd Amauri nad oedd byth yn debyg o gyrraedd pen ei siwrnai. Roedd ganddi hefyd ddawn i arlunio. Blodau a choed ac adar oedd yn ei denu ac yr oedd digonedd o'r rheini yng ngardd y castell.

Nid felly y forwyn fach, Marie. Mor ddiflas oedd bywyd yn y castell. Y gweision a'r morynion ifanc yn ei hosgoi fel tase'r Pla arni ac yn ei chadw'n glwm wrth ei meistres yn barhaus. Roedd hi hefyd yn colli cwmni rhai o'r Chwiorydd yn y Cwfaint. Ac felly fe ddechreuodd rodianna wrthi'i hun o gylch y cwrt mawr pan oedd ei meistres wedi llwyr ymgolli mewn memrwn a darlun. Câi bleser sadistig bron o daflu cuwch at y gwylwyr wrth y pyrth a'i gwefusau'n ffurfio'r ddeuair *Le diable*. Yn wir, iddi hi nid oeddynt ond plant y Diafol ei hun. Tueddu i wenu ynddynt eu hunain y byddai'r gwylwyr wrth ei gweld yn sgyrnygu.

Yna'n ddisymwth un bore yn niwedd mis Ebrill fe glywodd Marie sŵn canu isel megis rhyw hanner hymian i rythmau peiriant ysgafn. Pliciodd ei phen yn sydyn rownd y gornel a chanfod hen wraig efo tröell yn nyddu. Mae'n wir iddi weld y Chwiorydd yn nyddu ond roedd y dröell hon yn wahanol a blaen troed y wraig yn pwyso'r droedlath mor esmwyth fel y gallai fod wrth ei gwaith yn ei chwsg o'r bron. Safodd Marie mewn syndod yn syllu ar y wraig. Doedd hi ddim wedi gweld dim byd cyffelyb i hyn er pan ddaeth hi gyntaf i'r castell felltith yma. Trodd y wraig ochr wyneb i'w chyfeiriad, arafu'r dröell ac yna codi'i haeliau i wenu arni. Doedd hi ddim wedi gweld gwên ar wyneb unrhyw berson arall yn y castell hyd yma, neu o leiaf doedd hi ddim wedi dymuno gwenu'n ôl ar y cyfryw rai! Astudiodd wyneb y wraig.

Wyneb hir oedd ganddi ac o bobtu'r trwyn roedd rhychau yn ymestyn at flaen gên esgyrnog fel mân ffrydiau bychain. Ac yna fe ddigwyddodd rhywbeth od i'r eneth. Wrth weld wyneb y wraig fflachiodd o flaen ei llygaid ddarlun o wlad y Tywysog Llywelyn yn llawn o esgeiriau ac afonydd fel y'i disgrifiwyd gan yr Iarlles. Dechreuodd astudio golwg yr hen wraig. Y gwallt llwydwyn wedi'i dynnu'n dynn i gopa'r pen a chapan ar y corun. Clogyn llac yn disgyn o'r ysgwydd tua'r cefn fel nad âi yn ffordd y dröell. Bodis du a barclod lwyd o'i blaen yn cuddio sgert ddu. Mae'n amlwg bod y dwylo hirion melyn wedi hen gornio wrth drafod y gwlân amrwd.

Cadwodd gyfrinach y *le veille femme*, sef yr hen wraig, iddi'i hun rhag i'w meistres ei hatal rhag crwydro'r cwrt mawr wrthi'i hun. Roedd bywyd yn ddigon diflas heb hynny! Dychwelodd dro ar ôl tro i wyddfod y wraig a dechreuodd amau bod ei golwg yn wan. Byddai'n rhythu ar rediad yr edau a'i throed yn crebachu weithiau fel tae mewn mawr boen. Poen y cryd efallai, fel yr oedd ar y Chwaer Joanna yn y Cwfaint. Weithiau fe fyddai pellen wlân y wraig yn rowlio i'r llawr a dyna pryd y mentrodd Marie nesu ati.

'Merci... Merci Mam'selle,' meddai'r wraig yn dawel ond rywsut nid oedd y geiriau hyn yn swnio'n naturiol dros ei gwefusau. Yr ynganiad yn wahanol i'r hyn a glywodd yr eneth cyn hyn. Gwenodd y wraig ei diolchgarwch ac yr oedd, yn amlwg, yn mwynhau haul y bore ar ei hwyneb rhychiog yn y gornel honno o'r cwrt mawr. Tybed ymhle yr oedd yr hen wraig yn byw ac i ble yr âi am weddill y dydd?

Ambell dro fe âi Marie i guddio o'r tu ôl i'r llwyni er mwyn clywed y wraig yn canu. Llais toredig gwan oedd ganddi ond y dôn, gellid tybio, yn gywir bob tro. Roedd rhyw rin hefyd yn y geiriau er na fedrai Marie wneud na phen na chynffon ohonynt. Ond roedd gan yr eneth glust gerddorol ac er ei gwaethaf dechreuodd hymian y dôn yn stafell ei meistres yn y castell. Cododd honno ei chlustiau.

'A beth wyt ti'n ei ganu, Marie? Ymhle y dysgaist ti'r gân yna?'

Sobrodd yr eneth a dechrau hel esgusion.

'F'arglwyddes! Yn y Cwfaint ym Montargis.'

'Marie! Chlywaist ti erioed y gân yna gan y Chwiorydd.... Cân ysgafn ydy hi ... cân serch ... cân drist ydy hi.'

'F'arglwyddes! Hwyrach i mi glywed y Chwaer Josephine yn ei chanu hi, neu i rywun ei chanu cyn i mi erioed fynd i'r Cwfaint.'

'Roeddet ti'n rhy ifanc i gofio y pryd hwnnw pa un bynnag. Hel esgus yr wyt ti, Marie!'

Fodd bynnag, penderfynodd nad oedd hi hyd yma am fradychu'r cyfarfyddiad efo'r hen wraig. Roedd gormod o antur yn y peth a rhyw ddirgelwch i'w ddatrys. Yr unig ffordd iddi ddeall yr hen wraig oedd bod yn ei chwmni fwy a mwy.

Un bore wrth ei gweld yn hwyrfrydig i nesu ati cymhellodd yr hen wraig hi i bwyso'i throed ar y droedlath ond pur drwsgl oedd ymdrech Marie.

'Demain,' meddai'r wraig yn garedig gan awgrymu y câi roi cais ar y peth drannoeth. Sylwodd yr eneth fod dwy hudden wen yn croenio dros gannwyll llygaid y wraig ac o hynny ymlaen bu'n dirwyn yr edafedd iddi a gweini'n ofalus o'i chylch.

Meddai'r wraig wrthi un bore,

'Diolch, diolch, fy mechan i. Merci!'

Y nos honno bu'r eneth yn troi a throsi yn ei meddwl am hydoedd yn ceisio cofio ym mhle y clywodd hi'r geiriau cyn hyn. Roedd hi'n sicr iddi eu clywed drachefn a thrachefn. Ie, dyna fo. Gwŷr yr eglwys a ddaeth i Fontargis yn enw'r Tywysog a fu'n llefaru'r geiriau gan wneud arwydd y Groes yn union wedyn. Penderfynodd Marie y byddai hi'n rhoi prawf ar yr hen wraig ryw ddiwrnod ac fel hyn y bu. Pan oedd y gwanwyn hyd y lle a blodau yng ngardd y Cwfaint fe fyddai'r Chwiorydd yn adrodd adnod arbennig gan syllu ar y cread yr un pryd. A chyda'r geiriau hynny yn ei meddwl fe fentrodd hithau at yr hen wraig un bore a chan bwyntio at ardd y castell meddai, *Si tu crois, tu verras la gloire de Dieu.*'

Gloywodd llygaid yr hen wraig ac fe ffrydiodd dagrau i'w llygaid. Meddai,

'Os credi, ti a weli ogoniant Duw.'

Roedd y dis wedi'i daflu o'r diwedd a thaflodd Marie ei breichiau am wddf y wraig. Bloeddiodd allan y geiriau, 'Fluelen! Fluelen'.

Nodiodd y wraig ei dealltwriaeth ac fe wyddai'r eneth o'r diwedd mai gwraig o wlad y Tywysog rhyfeddol hwnnw oedd hi.

Wrth i'r dyddiau deithio ymlaen fe ddysgodd yr eneth fwy a mwy o eiriau'r Gymraeg. Un noson fe fentrodd sôn wrth ei meistres a dweud mai am ryw golomen wen yr oedd cân yr hen wraig ac i'r golomen golli'i haden ar lawnt y plas. Mwy na hynny ni wyddai hi ddim oll am y gân ond bod tristwch yn ei nodau.

O hynny ymlaen fe âi Elinor a'i morwyn bob bore at y nyddwraig i ddysgu caneuon y Cymry ac i wrando arni'n llefaru iaith y Tywysog. Hyd yma ni wyddent ddim oll o'i hanes. Efallai na ddeuent byth i wybod ei chyfrinach ond o leiaf roedd yma ddolen gyswllt rhyngddynt a gwlad Llywelyn ap Gruffudd. Gyda hir amynedd siawns na chaent wybodaeth o'r byd mawr oddi allan am dynged Cymru a'r Tywysog ac am hynt a helynt y brawd Amauri. Er garwed yr amseroedd gellid synhwyro bod Rhagluniaeth o'r diwedd yn dadlennu siwrnai bywyd i Elinor de Montfort ris wrth ris. Magodd hyder newydd rhwng ei bod yn gwisgo modrwy Tywysog Cymru ac yn byw yng nghanol mawredd castell ei hynafiaid yn Windsor. O bryd i'w gilydd byddai'r feistres a'r forwyn yn cael modd i chwerthin yng nghwmni'r wraig ac un diwrnod mynnodd Marie gludo'r deunydd tapestri a baratowyd mor gywrain ganddynt drwy gymorth y Chwaer Josephine yn y Cwfaint ym Montargis. Er mor egwan oedd golwg yr hen wraig dotiodd at gyfrodedd y lliwiau — gwyn y cymylau, aur y llys a glas dwfn afon Menai. Pwyntiodd wedyn yn ddireidus braidd at leoliad mynydd uchel yn codi yng nghefn y llys yn Abergwyngregyn. Brysiodd Marie i'w goleuo ar fater y mynydd.

'Snowden! Snowden!' meddai'n llawn brwdfrydedd.

Hanner ysgydwodd y wraig ei phen mewn cymysgedd o anobaith a digrifwch. Mor ddwl y medrai'r Norman fod ynglŷn â gwlad ei thadau! Ond cystal iddi eu gadael mewn anwybodaeth. Rhyw ddydd efallai fe gâi'r Dywysoges a'i morwyn llys ryfeddu at fawredd y mynydd hwnnw a elwid ganddynt yn 'Snowden'. Treiglodd dagrau dros ruddiau'r hen wraig a brysiodd Marie i gasglu'r deunydd tapestri yn ei breichiau. Wrth i'r forwyn fach a'i meistres groesi'n ôl dros y lawnt am y castell daeth eto symudiad rhythmig y gwŷdd o gornel yr hen wraig o Gymraes. Roedd amser mor undonog, mor undonog o hir a gwlad Llywelyn ap Gruffudd mewn mudandod mawr i'r merched yng Nghastell Windsor.

Yn ystod y dyddiau hynny fe wnaeth Elinor ddiofryd â hi ei hun. Roedd ystyfnigrwydd ei mam, Iarlles Caerlŷr, yn dechrau gafael ynddi. Disgwyl am ddyfodiad y brenin, y cefnder balch, yr oedd hi i Gastell Windsor pan gâi hi ddadlau ei hawl i Dywysogaeth y Cymry ac y câi weled rhyddhau ei brawd Amauri o garchar Corfe. O'r diwedd fe ddysgodd Elinor godi'i phen yn uchel. Gwnâi, fe wnâi hi herio'r brenin Edward pe bai ond i ddyrchafu tylwyth y Montfordiaid unwaith yn rhagor. Roedd marwolaeth ei thad Simon de Montfort a'i brawd Henry ym mrwydr Evesham yn anesmwythyd yn y gwaed. Hi yn unig o'r tylwyth oedd yn aros i sefydlu olyniaeth newydd tylwyth Castell Montfort L'Amauri o wlad Ffrainc unwaith yn rhagor rhwng Culfor Dover a gwlad Llywelyn ap Gruffudd. Wedi'r cwbl roedd hi'n ifanc a'r haf yn ei anterth a breuddwydion yfory yn aros i'w datrys.

IV

Aeth yr haf yn hydref a bellach yr oeddynt dros drothwy'r flwyddyn newydd.

Fe gododd y Tywysog a phrif wŷr y llys yn blygeiniol ar y bore oer hwn ar yr ail ar hugain o fis Ionawr yn y Faenor ar y gwastadedd fel yr oedd afon Alwen yn uno ag afon Dyfrdwy. Gwastadedd cyfoethog oedd hwn rhwng treflan y Ddwyryd ac ochrau'r Berwyn ac fe fu'n fan cyfarfod i sawl ochr y wlad dros y cenedlaethau. Dyddiau argyfyngus oedd y rhain. Elinor de Montfort, cyfnither y brenin o hyd yn gaeth yng Nghastell Windsor ac Amauri yn garcharor yng Nghastell Corfe. Yna, yn Senedd Llundain fawr ym mis Tachwedd y flwyddyn flaenorol cyhoeddwyd fod Llywelyn ap Gruffudd, Tywysog y Cymry, yn wrthryfelwr ac yn elyn i frenhiniaeth gwlad Lloegr. Roedd cysgod ysgymundod yr Eglwys ar y Tywysog hefyd ac Anian, y ddraenen ddu o esgob Llanelwy, yn bennaf gyfrifol am ddwyn cwynion at Archesgob Caer-gaint.

Mater o frys oedd galw'r mân uchelwyr i gwrdd â Chyngor y Tywysog yn Edeirnion y dydd hwn er mwyn anfon llythyr apêl at y brenin y waith olaf hon gan erfyn am heddwch a chyfeillgarwch. Dewiswyd yr uchelwyr yn ofalus fel rhai teyrngar i Lywelyn ap Gruffudd ac fe ddaethant o Ddyffryn Clwyd, o ardaloedd Aran Benllyn ac Aran Fawddwy ac o Feirionnydd. Doedd dim plygu i fod bellach yn wyneb styfnigrwydd y Norman balch. Roedd y cof yn fyw o hyd yn y Berfeddwlad am yr amser hwnnw ugain mlynedd cyn hyn, pan drosglwyddodd yr hen frenin Harri Tri yr arglwyddiaeth i'r Tywysog Edward. Roedd hynny yn y dyddiau pan oedd gwŷr fel Alan la Susche a Geoffrey Langley yn Ustusiaid y brenin yng Nghaerlleon Fawr ac yn gosod iau caethiwed ar y Cymry. Fe fu'r llanc Edward hefyd a'i gyfoedion yn cadw reiot yn y Berfeddwlad ac nid oedd amser wedi pylu dim ar ofnau'r bobl. Bellach roedd y llanc Edward yn frenin gwlad Lloegr.

Ar y bore hwn o Ionawr yn Edeirnion roedd y ddaear yn dew

o farrug gwyn a hwnnw fel tae'n gwenwyno'r tir. Caledu hefyd a wnaeth styfnigrwydd y gwŷr oedd wedi ymgasglu yn y Faenor y bore hwn o Ionawr am eu bod yng ngafaelion y Dynged anorfod a roed arnynt hwy a'r Tywysog. Bron nad aeth trychinebau'r blynyddoedd diwethaf yn rhy ddolurus i'w trafod gan fod Tynged fel aderyn 'sglyfaeth hyd y lle.

Er Nos Ystwyll bu Llywelyn ap Gruffudd a'i wŷr yn gwarchod glannau Hafren o'r gaer newydd yn Nolforwyn pan oedd sbïwyr Dafydd, y brawd iau, a'r arglwydd Gruffudd ap Gwenwynwyn yn gwthio i mewn drwy Ddyffryn Tefeidiad. Roeddynt yn dwyn y da, yn cario'r ŷd o'r ydlannau ac yn gwerthu cynnyrch trigolion cymydau Ceri a Chedewain ym marchnadoedd Croesoswallt a Threfaldwyn. Roedd y crochan mawr yn ffrwtian berwi o'r Amwythig hyd Drefaldwyn a Swydd Henffordd a gelyniaeth Dafydd a Gruffudd yn porthi chwant yr arglwyddi mwy, megis Rhosier Mortimer, Gilbert de Clare a Humphrey de Bohun. Dyddiau'r trechaf treisied oedd hi ac nid oedd unrhyw rinwedd mwy i frenin newydd Lloegr yn y man cyfarfod ger Rhyd Chwima ar Hafren. Yno bu dwy genedl a dwy deyrnas yn taro bargen gydol y blynyddoedd nid nepell o gaer y Norman yn Nhrefaldwyn. Dyddiau tyngedfennol trist oedd ar y gorwel ac fe gollwyd gwaed ar lannau Hafren yn niwedd yr hen flwyddyn.

Eisoes roedd rhan o fyddin y Tywysog yn gwarchod y Gororau ac fe anfonwyd carfan o filwyr i ffiniau Deheubarth lle roedd Payn de Chaworth, arglwydd Cydweli, yn bygwth Dyffryn Tywi. Yn wir, roedd bygythiadau o bob tu, yr arian yn prinhau a galwadau dwys y Dywysogaeth yn mynnu bod pob gŵr ifanc wrth law at wasanaeth y Tywysog. Fe'i cyhuddwyd ef droeon o esgeuluso parthau Ceredigion a Dyffryn Tywi ar draul gwarchod y Gororau a chadarnhau Gwynedd. Erbyn hyn roedd arglwyddiaethau'r Dryslwyn a Dinefwr yn y fantol a'r arglwyddi Rhys ap Maredudd a Rhys Wyndod ar fin colli eu hetifeddiaeth.

Ond er mor ansicr oedd yr amserau a bod sŵn rhyfel yn clindarddach yng nghestyll barwniaid y brenin yng ngwlad Lloegr roedd cynhesrwydd ar y bore oer hwn o fis Ionawr yn neuadd arglwydd Edeirnion. Tanllwyth o goed gwresog ar yr aelwyd ac argoel am wledd cyn y dôi sesiwn y Cyngor i ben y dwthwn hwnnw.

Yr arglwydd hwn yn Edeirnion oedd y cyfoethocaf o bosibl o'r holl arglwyddi erbyn hyn, a'i diroedd gyda'r ffrwythlonaf yn y Dywysogaeth yn ymestyn at Gaer Drewyn a Llidiart-y-parc.

Taenodd si ymysg y mân arglwyddi yn y neuadd y disgwylid yno ddau ŵr a fyddai drannoeth ar y ffordd i Lundain fawr yn cyrchu llythyr apêl y Tywysog at y brenin. Digon prin y dôi cyfle fel hwn eto gan fod yr heddwch rhwng y brenin a Llywelyn ap Gruffudd yn gwisgo'n frau. Y ddau ŵr hyn oedd Anian, Esgob Bangor Fawr yn Arfon a gŵr athrylithgar yn y gyfraith a elwid y Magister Iorwerth.

Manteisiodd y Tywysog ar y cyfle i annerch y gwŷr yn y Neuadd ac estyn diogelwch i arglwydd y Faenor. Cafodd fod cynhesrwydd calon y gwŷr yn sirioli'i galon yntau. Amheuthun o beth oedd hynny mewn byd mor drafferthus.

'Gyd-arglwyddi! Fe'ch gelwais yn ddirybudd bron i lannau'r Alwen i neuadd yr arglwydd hael ei gymwynas o Edeirnion. Fe fu o yn estyn lletygarwch i Dywysog Cymru a'i osgordd droeon pan fyddem yn teithio drwy Ddyffryn Dyfrdwy tua Dyffryn Maelor i'r Gororau. Fe'ch gelwais ynghyd i Edeirnion ar awr dyngedfennol am y gwn yn rhy dda am eich teyrngarwch i mi. Teilwng ar fy rhan felly fydd rhannu peth o gyfyngder y Dywysogaeth efo chi. Fe ddwedai rhai fod Tynged ar waith ond mi greda' i ei bod hi'n bosibl gwrthsefyll Tynged hyd yn oed.'

Torrodd llef o gymeradwyaeth o blith y gwŷr a rhoes hyn hyder iddo adrodd peth o hynt y cyfnod diweddar a'r maith ymryson drwy lythyr a chennad rhyngddo a'r brenin Edward. Aeth ati i'w hatgoffa o'r adegau y gwysiwyd o i dalu gwrogaeth i'r brenin.

'Fel y gwyddoch, gwysiwyd fi y waith gyntaf i'r Amwythig dair blynedd yn ôl. Gohiriwyd y cyfarfod tyngedfennol hwnnw gan salwch honedig y brenin ac yna fe gaed y cynllwyn i'm lladd oddi mewn i'r Dywysogaeth. Un nos o eira yn nechrau'r Mis Bach y bu hynny yn Nyffryn Hafren.'

Syrthiodd tawelwch ar y neuadd ac yna fe chwarddodd y Tywysog.

'Ond yma y mae'r Tywysog o hyd, gyfeillion!'

Chwarddodd pawb ar hynny a'r eiliad nesaf dwysäodd geiriau'r Tywysog drachefn.

'Mae'r dewis yn eich dwylo chwi. Os gwrthodwch fi, ni bydd dim ar ôl ond diddymdra mawr a phe bai'r gelynion yn fy lladd byddai yma Ryfel Cartref oblegid ni fedrai Dafydd, y brawd iau, byth wrthsefyll y brenin Edward. Mae Dafydd yn rhy fyrbwyll i arwain gwlad. Ond na phryderwch, tra bo anadl yno'i, Llywelyn ap Gruffudd. Fe orchfygwn ni'r gelyn yn y man!'

Torrodd bonllef o gymeradwyaeth o blith y gwŷr a chynhesodd yr awyrgylch yn rhyfeddol. Meddai'r Tywysog,

'Fe'm galwyd o flaen y brenin Edward bedair gwaith yn dilyn yr alwad honno i'r Amwythig. Unwaith i Gaerlleon Fawr pan orchmynnwyd Llywodraethwr yr Amwythig i gadw gwastrodaeth arnaf! A gredwch chi, felly, y byddai'n ddiogel i mi groesi'r ffin i dir y gelyn?'

Siglodd y pennau mewn arwydd o ddealltwriaeth.

'Fe'm gwysiwyd wedi hynny ddwywaith i Lundain fawr ac unwaith i Gaer-wynt. Oes rhywun ohonoch a ŵyr ymhle y mae'r ddinas bellennig honno yn ne gwlad Lloegr? Fe wyddai'r blaidd o frenin na fyddai i un o'r praidd fentro belled â hynny o'i gynefin. Prin y cedwid pen Llywelyn ap Gruffudd ar ei 'sgwyddau pe bai wedi mentro o fewn tiriogaeth y Tŵr yn Llundain fawr! O'r fan honno yr aeth fy nhad, Gruffudd ap Llywelyn, i'w dranc. Fe glywais hefyd i Ddafydd, y brawd iau, anfon llythyr at y brenin Edward yn gofyn sut y gellid orau beri niwed i'w frawd o Dywysog? Ni wn beth oedd ateb y brenin!'

Chwarddodd y gwŷr yn galonnog ar hynny. Ond nid oedd tristwch ond lled braich i ffwrdd oddi wrth y Tywysog. Meddai heb osgo o ddigrifwch yn ei lais,

'A allech chi feddwl am ffordd well i gael gwared â Thywysog y Cymry na thrwy osod bwyell yn ei war a rhoi'r pen i'r brain i'w fwyta o fwa rhodfeydd y brenin yn Westminstr?'

Roedd hyn yn ddigon i yrru ias drwy'r madruddyn a gwelwodd sawl grudd yn y neuadd. Yng nghanol awyrgylch drymaidd y lle sylweddolodd Llywelyn mai cystal fyddai iddo swcro peth ar y mân uchelwyr o'i gylch. Doedd dim o le mewn ychydig faldod.

'Gyfeillion! Gwn eich bod yn wŷr deallus, pob un ohonoch yn arglwyddi doeth o fewn y cymydau ac yn hyddysg mewn materion cyfreithiol.'

Roedd y sylw hwn yn amlwg wrth eu bodd a gwelodd yr

ysgwyddau'n codi y mymryn lleiaf. Aeth yntau i sôn am faterion gwlad unwaith yn rhagor. Cafodd hi'n haws trafod materion gwlad yn wastad na chwarae efo teimladau dynion. Ychwanegodd,

'Fe gofiwch am Gytundeb Trefaldwyn efo'r hen frenin Harri — heddwch i'w lwch — ddeng mlynedd yn ôl bellach. Does yr un cymal yn y Cytundeb hwnnw yn rhoi'r hawl i'r brenin Edward lochesu'r bradwyr Dafydd a Gruffudd ap Gwenwynwyn a'u hannog yn ddiwarafun i godi cynnen hyd y Gororau. Fe apeliais at y Pab Gregori a bellach at y Pab Adrian, dau a fu'n genhadau dros y Pab Clement yn nyddiau'r hen frenin ac yn sefyll ger Rhyd Chwima ar Hafren yn taro bargen o heddwch rhwng y ddwy deyrnas. Apeliais at Archesgob Caer-gaint a Chaerefrog ond aros yn ddi-ildio y mae'r brenin newydd. . . .'

Torrwyd ar ei draws gan negesydd yn cyhoeddi bod y ddeuddyn, Anian Esgob Bangor a'r Magister Iorwerth, wedi cyrraedd Edeirnion y bore hwnnw. Ond fe fynnodd y Tywysog un gair yn 'chwaneg efo'r gwŷr ar lawr y neuadd ac meddai,

'Do, fe fu llawer o fynd a dod rhwng y Dywysogaeth a llys y brenin yn Westminstr gan wŷr eglwysig a gwŷr y gyfraith ond fe fu'r pwyslais bob tro ar i Dywysog Cymru dderbyn amodau digymrodedd y brenin Edward. Beth bynnag a ddigwydd ni fydd i ni byth ymostwng i ormes estron nac ychwaith gynnal bradwriaeth o fewn y Dywysogaeth. Nid byth!'

Torrodd y lleisiau o'r llawr.

'Nid byth! Cadwn yn glòs! Dued y dyddiau blin ar ein gwarrau ond ni cheir mohonom byth yn euog o fethu â gwarchod ein treftadaeth. Nid byth!'

Wrth i'r Esgob a gŵr y gyfraith gerdded i mewn i neuadd y Faenor sibrydodd un 'tynnwr coes' o ddeiliad o hwnt i Fawddwy yng nghlust cymydog,

'Myn uffern i! Dene fi wedi gwrando ar y druth ene gan y dyn ene ers hydoedd yn disgwyl y deude fo rywbeth am yr hogen Elinor Mymffwrdd, a dene'r esgob ene wedyn yn dwad ar drews pan o'dd pethe'n poethi. Tase rhywun yn deud wrth y Tywysog ene am fynd â'r hogen Elinor Mymffwrdd i'w wely efo fo fe setle fo faterion y Dywysog'eth mewn chwinciad, goelie i. Ishe aer sy' ar y dyn ac wedyn fe fydde hynny'n rhoi taw ar y brawd Dafydd ap Gruffudd ac yn ciedw'r brenin ene drew yn Lloeger. Fase ddim gwell i ni gynnig gweithredu dros y Tywysog dwed? Mi wnaen y siort ore'.' Chwarddodd y gŵr ffraeth gan roi pwniad ym mraich y cymydog. 'Taw â'th gleber,' meddai'r olaf, 'neu fe dynni wg y gwŷr mawr.' Ond nid oedd dim yn rhoi clo ar eiriau'r gŵr. Meddai, 'Mi drawodd i'm meddwl i gynne, pe tae hi'n dod i ryfel, ma' ar ein gwarre' ni y dôi hi gynta'. Dwad o gyfeiriad Clawdd Offa drwy Bowys Wenwynwyn ac mi fydde'r Tywysog wedi'i heglu hi am Eryri a hel pobl Gwynedd i benne'r mynyddoedd. Ciedw'r rheini'n ddiogel a chiedw'i ben 'i hun yn y fargen!'

Tra bu'r gŵr ffraeth yn traethu, neilltuodd y Tywysog a'i brif swyddogion gyda'r Esgob a'r Magister i stafell gudd ar bwys y neuadd i setlo mater y llythyr apêl olaf hwn at frenin Lloegr. Buont ddwyawr a mwy a'r gwŷr ar lawr y neuadd yn cyffio ac yn wag o fwyd. Cododd arogleuon cigoedd rhost i lanw'r ffroenau heb fod y Tywysog ar eu cyfyl nac ychwaith yr Esgob i offrymu'r fendith fwyd.

'Wyt ti'n meddwl y medren ni fyte'r ogle dwed?' gofynnodd y gŵr ffraeth o hwnt i Fawddwy drachefn i'w gymydog. Rhoddodd ochenaid o ryddhad pan ymddangosodd y Tywysog o'r diwedd a cheisio'r uwch-gyntedd. Y Distain Tudur ab Ednyfed a roddodd yr arwydd am osteg, a'r eiliad nesaf fe gyhoeddodd i'r gynulleidfa wledig fersiwn Cymraeg y llythyr Lladin oedd i'w drosglwyddo i'r brenin gan yr Esgob a'r Magister Iorwerth:

'Rasusaf Frenin! Unwaith yn rhagor y mae Llywelyn ap Gruffudd, Tywysog Cymru yn erfyn arnoch ei dderbyn i'ch heddwch a'ch cyfeillgarwch fel y caiff wneud gwrogaeth i chwi mewn man diogel ar y Gororau yn ôl arfer y ddwy genedl dros y cenedlethau. . . . Mae'n erfyn am ernes o ddiogelwch preladiaid yn ogystal ag ieirll — ieirll Cernyw a Chaerloyw neu ynteu Lincoln. . . . Gofynnir i chwi hefyd, Rasusaf Frenin, drosglwyddo i'r Tywysog dri o wystlon — Rhosier Mortimer, Dafydd ap Gruffudd a Gruffudd ap Gwenwynwyn. Byddwch yn deall nad yw'n ddiogel iddo ef, Llywelyn ap Gruffudd ddod i wneud gwrogaeth onid o dan yr amodau hyn a hynny am fod ei wraig, Elinor de Montfort, yn gaeth gennych. Mae'n erfyn am ei rhyddhau ac fe dâl i chwi chwe mil o forciau a pha arian bynnag a fo'n ddyledus i gadarnhau'r heddwch. . . . Mae'n erfyn ar i'r brenin roddi ateb i'w gynigion ac felly gydnabod ei allu a'i fraint fel Tywysog Cymru. Yn y cyfamser mae'n

ymbil arnoch atal y rhyfel ar dir y Gororau tra bod y trafodaethau yn parhau.
Pe na bai'r brenin yn derbyn yr amodau hyn byddai ef, Llywelyn ap
Gruffudd, yn barod i dderbyn barn brenin Ffrainc. . . . '

Gŵr eiddil o gorff oedd Anian, yr esgob hwn, a chyda llaw
grynedig y derbyniodd y ddogfen o law'r Distain. Wrth i'r uchelwyr
ar lawr y neuadd fynegi'u cytundeb i weithgarwch y dydd
anesmwythodd y gŵr ffraeth hwnt i Fawddwy ac meddai wrth ei
gymydog,

'Weli di fel mae'r hen esgob acw yn crynu fel deilen. Mi fydd
ar hwnne ofn yr hen frenin pan gyrhaeddith o Lunden fawr. Pwy
fyth fydde'n esgob ddwede i? Fydde waeth bod y Disten ene wedi
darllen y cwbwl mewn Lladin o'm rhan i. Doeddwn i'n deall dim
arno ond mi wn i bod ar fy nghylle i ishe bwyd yn drybeilig.'

Wrth weld y gŵr ffraeth yn syllu o'i flaen yn fyfyrgar fel tase
ymennydd esgob yn ei ben gofynnodd ei gydymaith iddo'n
watwarus,

'Oeddet ti'n meddwl y medret tithe, yr hen gyfell, roi dy farn
ar faterion gwled ar lawr neuadd arglwydd Edeirnion yng ngŵydd
gwŷr y llys a'r Eglwys?'

Serch hynny dal i grafu pen yr oedd y gŵr ffraeth. Meddai toc,
'Falle fy mod i'n ddwl ond meddwl yr o'n i bod y Tywysog mor
'styfnig â'r hen frenin ene yn Lloeger. Gosod amode ac yn gwybod
ar y gore nad oes gobaith mul y bydd i'r brenin ene blygu llathen.
Pethe hurt ydy arglwyddi gwled a nhw sy' â'r llaw ucha' yn wastad.
Ond tyrd, ged i ni dyrchu i wledd arglwydd Edeirnion. Mae gen
hwnnw fwy o gyfoeth nag o synnwyr ac wedyn gwell i ni'i gloywi
hi am adre. Siwrne dyn dall fydd hi ar y gore, a synnwn i ddim
nad siwrne dyn dall fydd taith yr Esgob a'r Magister ene i Lunden
fory bore. Falle fy mod i'n ddwl ond dydw inne ddim yn fyr o
synnwyr fy hynafied. Synnwn i ffeuen na fydd yr hen frenin ene
wedi ciel y blaen arnon ni ac y bydd o wedi croesi'r Hafren. Falle
y gwnewn ni daro arno cyn cyrredd Llan-y-Mawddwy!'

Dyddiau felly oedd hi heb fod neb yn sicr o ddim ond nad oedd
y gwaethaf wedi digwydd hyd yma. O leiaf roedd y tir yn aros yn
ddigyfnewid.

V

Ymhell cyn toriad gwawr un bore yng nghanol y Mis Bach cychwyn-
nodd rhan o gatrawd y Tywysog allan o'r gaer yn Nolforwyn ar un
o'r sgarmesau diweddar hyd y Gororau. Doedd dim ond mudandod
o du'r brenin a sbïwyr y bradwyr Dafydd ap Gruffudd a'r arglwydd
Gruffudd ap Gwenwynwyn yn gwthio i mewn i gymydau Ceri a
Chedewain. Y darged y tro hwn oedd hen gaer Gwyddgrug yng
nghwmwd Gorddwr a fu unwaith yn eiddo i'r Cymry. Yn groes i
amodau Cytundeb Trefaldwyn efo'r hen frenin Harri fe fynnodd
Llywelyn ap Gruffudd ei dymchwel a thurio i mewn i diriogaeth
y Norman Peter Corbet. Gwendid mawr y Tywysog ar brydiau oedd
ei falchder a hwnnw'n trechu doethineb y foment. Peth peryglus
oedd mentro i diriogaeth estron, a hyn a ddigwyddodd wrth iddo
wthio i mewn tua'r Gorddwr ac arglwyddiaeth Cawrse yn Swydd
Amwythig.

Ond doedd hynny'n mennu dim ar fechgyn y gatrawd ac yn eu
plith hogiau Gwynedd fel Trystan Arawn ac Iolo Pen-maen. Clywyd
si yn Nolforwyn bod gwŷr Corbet, yn seiri maen a seiri coed, yn
ailgodi'r gaer yn y Gorddwr ac mai tir y Cymry oedd y lle ymhell
bell yn ôl. Cynddeiriogodd yr hogiau efo'r newydd hwnnw. Ers
wythnosau lawer bu'r barrug yn gafael yn Nyffryn Hafren ac ar yr
awr gynnar o'r bore gellid clywed clatsen y dur o garnau'r meirch
ar lawr carreg y beili yn Nolforwyn. Dyma lithro i lawr y ffordd
droellog serth at odre'r gaer yn Aber-miwl. Y gwaed yn cynhesu.
Carlamu wedyn hyd y gwastadedd, a'r berthynas rhwng marchog
a'i farch yn tyfu'n gymundeb. Y march yn dysgu adnabod trywydd
meddwl y marchog a'r marchog yn plygu o'r cyfrwy mor agos i ben
y march nes arswydo weithiau rhag i hwnnw ei gyfarch! Roedd y
cyswllt yno yn llymder llygad y march, yn ymchwydd y ffroenau
ac yn y gweryriad. Hyd yma ni chafodd yr hogiau hyn y profiad
o gau llygad march marw ar faes brwydr ac ni welsant chwaith farch
gweddw yn carlamu'n wyllt ar ôl i'w farchog drengi. Pethau i ddod
oedd y rhai hyn i gyd. Pethau i'w blasu gan filwr da.

Castellwr y Tywysog yn Nolforwyn oedd Bleddyn ap Llywelyn. Ysbrydoli'r hogiau a gwarchod y lle yn absenoldeb y Tywysog oedd swyddogaeth y gŵr praff hwn. Ni ellid chwaith ond dotio at greadigaeth y gaer newydd hon o'i safle strategol uwch ben Dyffryn Hafren. Y dibyn tua'r dwyrain yn serth a choediog a thiroedd bras Cedewain i'r gorllewin yn cynnig cynhaliaeth i ddyn ac anifail a siawns i ddianc pe dôi gwarchae.

Ar y bore hwn ym mis Chwefror, Gwared, gŵr o gwmwd Ceri, oedd yn arwain yr ymgyrch yn erbyn hen gaer Gwyddgrug yn y Gorddwr. Roedd Gwared yn adnabod y tirwedd fel cefn llaw, yn ôl yr hogiau. Ymosod yn ddirgel o gilfachau craig a fforest a dychwelyd wedyn fel geifr i'w cynefin a fu dull gwŷr Powys fel gwŷr Gwynedd. Ugain o lanciau ifanc oedd yn dilyn Gwared gyda hogiau cwmwd Ceri ar y blaen. Cyrraedd glan yr Hafren o'r diwedd lle roedd yno groesfan gudd i'r gogledd o Ryd Chwima ar dro slei yn yr afon. Roedd y dŵr yn weddol fas yn y fan honno ac yn hawdd i'w rydio. Bron nad oedd anadl y meirch yn rhewi yn awyr y bore hwn.

Unwaith y daethant i'r lan tu draw i'r Hafren roedd gwaith dringo caled ac fe gaed hoe mewn cilfach i arafu ac adnewyddu. Teimlent gynhesrwydd y coed o'u cylch wrth iddynt ddringo ochrau'r llethrau a'r mân brysgwydd yn clecian o dan garnau'r meirch fel tae tân yn cynnau. Y pryd hwn y dechreuodd y synhwyrau chwarae tric efo'r hogiau. Roedd eu clyw fel tae yn cynhesu'r galon.

Ymysg bechgyn Gwynedd yr oedd Trystan Arawn a ddaeth yn fath ar arwr i'r gweddill ohonynt. Un digon trystiog a fu'r hogyn ar ei dyfiant ac yn hawlio ffafrau'r llys am fod ei daid Rhys Arawn yn ffefryn y Tywysog. Bu farw'r gŵr hwnnw ar gyrion Deheubarth. Unwaith y daethant i ddarn o dir gwastad y bore hwn dechreuodd yr hogyn rwbio carn ei gleddyf ac arno roedd addurnwaith o faen gwerthfawr. Gwasgodd ei law am y carn . . . gwasgu'n dynn, dynn. Roedd Trystan am fod yn ddewr fel ei daid ac am blesio'i nain, Gwenhwyfar, yn y llys yn Abergwyngregyn a'i fodryb Mererid yn y Castell yn Nolwyddelan. Anodd oedd dianc rhag tylwyth y taid, Rhys Arawn, yn y llys bellach!

Yn glynu'n dynn wrth Trystan roedd y ddau gyfaill arall, Iolo Pen-maen ac Einion Sychnant. Prin y bu'r tri hyn ar wahân er y dydd hwnnw yng nghanol mis Ionawr pan yrrwyd hwy i'r Gororau. Y pryd hwnnw roedd y Tywysog ei hunan yno yn gwarchod ac yn adnewyddu'r ceyrydd a doedd ar neb ofn dim yn y byd bryd hynny am fod y gŵr mawr hyd y lle. Ond bellach roedd y Tywysog wedi ymadael am Eryri.

Tyfodd y llanciau hyn i fyny yng nghysgod y llys yn Abergwyngregyn yn y blynyddoedd pan oedd Llywelyn ap Gruffudd yn ymestyn ac yn cadarnhau'r Dywysogaeth. Y pryd hwnnw roedd Rhyfel Cartref yng ngwlad Lloegr fawr a brenin gwan ar yr orsedd. Roedd brenin newydd yn y wlad honno bellach a hwnnw'n argoeli bod yn frenin cryf. Eto, doedd hynny'n mennu dim ar y bechgyn hyn. Roedd yno hogyn arall o Wynedd yn eu plith. Morgan y Gyffin oedd hwnnw, yn tueddu i gadw hyd braich oddi wrth y gweddill. Hogyn mewnblyg, prin ei eiriau oedd y Morgan hwn a rhyw benderfyniad ysol hyd at ddallineb yn ei waed a'i esgyrn. Rhyw ddod yn ffiniol efo'r osgordd a wnaeth o fel llu eraill o'r bechgyn pan oedd y pwysau ar y Dywysogaeth yn dwysáu.

'Un ohonyn *nhw* ydy o ar 'i olwg,' mentrodd Iolo Pen-maen un diwrnod, gan sibrwd yn nghlust Einion Sychnant, 'un o Feibion Uthr Wyddal wedi arfar hela dynion ac anifeiliaid ac yn barod i ladd at yr asgwrn, ond ar adag rhyfal does ots pwy ydy pwy.'

Treiddiodd ias drwy fadruddyn yr hogyn Einion efo'r sôn am ladd at yr asgwrn. Un felly oedd Einion, yn teimlo popeth i'r byw ac yn ofni'r marw yn fwy na'r byw.

Ar y bore arbennig hwn uwchben yr Hafren roedd Morgan y Gyffin ychydig ar y blaen i'r tri arall, Trystan, Iolo ac Einion. Unwaith y cyrhaeddwyd y grib galwodd Gwared, yr arweinydd, y garfan i gysgod hen 'sgubor gan apelio rhag bod neb yn fyrbwyll yn eu plith.

'Gofelwch, fechgyn, eich bod chi'n mynd ar y goriwaered heb fowr o drwst a chedwch y meirch yn dawel. O ochr y grib fe ddewch chi i olwg dyffryn cul rhyngom a'r Gwyddgrug ac fe gewch chi gip ar y gaer yn y llwyd-ole. Fe fu'r hogie yn chwilio'r wled dros y dyddie diwetha ac fe gredwn ni mai seiri maen a seiri coed sy' yno — rhyw ddwsin falle — ond fe all bod milwyr wedi hel dros nos oblegid does yr un gyfrinach yn ddiogel ar y Gorore erbyn hyn. Pwyll pie hi. Cofiwch arwydder y Tywysog, "Pob dyn drosto'i hun a phob un dros arall".'

Fel yr oedd y bechgyn yn cyrraedd pen y bryn gwelent ffurf y gaer yn yr hanner gwyll am mai rhyw ddechrau goleuo yr oedd hi. Anesmwythodd y llanc Einion Sychnant. Roedd arno ofn. Ond cydiodd Iolo Pen-maen yn ei ysgwydd a rhywsut rywfodd roedd antur y foment yn pylu rhywfaint ar yr ofn. Hyd yma doedd neb ohonynt wedi cael cip ar undyn byw ogylch y gaer.

Dyma ymgynnull yr hogiau wedyn yng nghysgod y coed derw tua chanllath o waelod y gaer a'u cymell i ddringo ochr y domen gan osgoi dyfnder y ffos ar y de-orllewin. Mor ddistaw oedd popeth. Draw yn y maes y defaid a'r gwartheg yn ymystwyrian ac yn sydyn daeth cyfarthiad cŵn. Gweryrodd y meirch ar hynny. Oedd, roedd y gaer yn dechrau aflonyddu.

'Ar unweth, hogie! Hogie Gwynedd i warchod y meirch! Hogie Ceri a Chedewen i ddringo ochr y ffos! Ewch fel y gelen! Anelwch am y cŵn i ddechre!'

Yn wahanol i'r gweddill o hogiau Gwynedd fe anwybyddodd Morgan y Gyffin y gorchymyn. Gwibiodd fel mellten oddi wrth y gweddill a llusgo i fyny'r gefnen ar ei forddwyd i gyfeiriad porth y gaer. Gollyngwyd anferth o gi dros ochr y dibyn ac fel yr oedd hwnnw yn crafangu amdano fe anelodd Morgan saeth yn union i gannwyll ei lygad nes ei fod yn troelli i'r dyfnder mewn poen arteithiol. Dilynodd Morgan y creadur a phlannu gwaywffon i'w gorff i'w dawelu dros byth. Wrth i'r gwaed ffrydio'n boeth o ben y ci ac o'i ochr sibrydodd Morgan o dan ei anadl,

'Pe taet ti'n Norman fe gaet ddiodda' dy boen i'r eitha' ond gan mai anifa'l wyt ti mi gei di'r farwol!'

Erbyn hyn roedd y porthor yn edrych yn syfrdan o'i gylch heb weld ond bodau annelwig yn llwydni'r bore. Nid cynt y rhoddodd ei droed ar lawr y garthau nag yr anelodd gŵr o Gedewain saeth i'w fynwes. Wrth i ŵr arall wthio'i ffordd drwy'r porth yr un fu tynged hwnnw. Gwaedd ac yna syrthio'n bendramwnwgl nes bod y gwaed yn goch ar farrug y bore. Yna daeth tawelwch hir ac mae'n amlwg i weddill y gwŷr oedd yno gymryd y goes gynted ag y gallent wedi poethder yr eiliadau cyntaf.

Wrth i'r awyr oleuo fwyfwy fe archodd Gwared i'r gwŷr oedd yn gwarchod y meirch nesu at ymyl y ffos. Fe godwyd y bont grog a llithrodd rhyw hanner dwsin o'r garfan yn llechwraidd i mewn drwy'r porth i chwilio rhag bod rhywrai yn cuddio yno. Ar lawr y neuadd fechan roedd olion tân nad oedd wedi llwyr losgi allan er y noson flaenorol. Yn syllu arnynt o gornel gwyll yr aelwyd yn y fan honno roedd ci ifanc. Ofn yn ei lygaid a'i gorff yn un cryndod mawr. Nesaodd un o fechgyn Cedewain yn betrus ato. Estyn ei law a dweud,

A 'ngwes bech i, does gen ti ddim i'w ofni. Wnewn ni mo dy ledd di.'

Cododd y ci ar hynny gan ysgwyd ei gynffon yn arwydd o ryddhad.

'Wel, wel,' meddai'r gŵr wedyn, 'mi ewn ar fy llw mai Cymro bech wyt ti, yn deall pob gair. Rhywun wedi lledd dy fistir yn siŵr gen i a d'adel at drugaredd y Norman. Ond paid di â gofidio 'ngwes i. Mi gei di ddod bob cam efo ni i'r gaer yn Nolforwyn tase ond am dy fod di'n Gymro bech ac mi rown ni enw arnat ti — Gwyddgrug — ie, dene fo!'

Er gwaethaf y llanast i gyd chwarddodd y gŵr ifanc a chymryd y ci yn ei freichiau ond bu raid iddo ffoi efo'i fwndel am ei einioes gyda gwaedd Gwared,

'Cym'rwch y torche o'r murie! Rhowch nhw yn y tân a g'leuo'r Garthe'n wenfflam!'

Erbyn i'r hogiau a'r meirch groesi'r dyffryn a dringo'r ochr orllewinol yr oedd y wawr wedi hen godi. Troi'n ôl a gweld y fflamau'n codi'n goch i'r awyr ac aroglau llosg yn llenwi'r ffroenau. Galwodd Gwared y garfan ynghyd drachefn ger yr hen sgubor ar y copa.

'Ond ymhle mae Cadfan?' gofynnodd Gwared yn bryderus. Cadfan oedd y llanc o Gedewain a fentrodd i'r neuadd ac a arbedodd y ci ifanc a'i gario allan o'r fflamau.

'Allwn ni ddim gad'el neb ar ôl,' meddai Gwared wedyn. 'Falle 'i fod o wedi'i anafu. Ma' Cadfan yn llanc llawer rhy lithrig 'i dafod a thyner 'i galon.'

Roedd yr arweinydd ar fin cyrchu'n ôl dros y dyffryn pan welwyd gŵr yn prysuro ar ei farch a'r ci bach — Gwyddgrug — yn dynn wrth ei sodlau. Roedd yr anifail wedi ennill hyder rhyfeddol yng nghwmni'i feistr newydd. Ar hynny tynnodd rhywun sylw'r garfan at rywbeth yn siglo'n ôl a blaen rhwng dwy goeden ar yr ochr dde i'r gaer.

'Corff Norman wedi'i raffu rhwng dwy dderwen,' gwaeddodd rhywun. 'Munud arall ac mi fydd fflame'r gaer wedi'i losgi'n golsyn!'

'Corff marw oedd o ond myn dien i mi fynnes i 'i godi o a'i osod rhwng dwy goeden i'r wled i gyd 'i weld o. Fydd fowr o gyfle i ni hogie Cedewen ledd yr un Norman unweth y bydd byddin y Tywysog wedi troi cefn ar y Gorore!'

Geiriau Cadfan y llanc tyner ei galon oedd y rhain a'i genedlgarwch yn drech na meddalwch calon. Gwrandawodd gwŷr ifanc Gwynedd mewn edmygedd ar y llanc a chododd llu o gwestiynau yn sgîl hynny. Ymhle roedd Llywelyn ap Gruffudd na ddôi i warchod Dolforwyn, ei drysor pennaf? Beth oedd yng nghôl y dyfodol i wŷr fel Gwared a bechgyn Ceri a Chedewain? A ddychwelai bechgyn Gwynedd yn ôl yn fyw ac iach? Ond doedd dim amser i'w wastraffu a rhaid oedd rhydio'r Hafren ar fyrder rhag bod gwŷr Trefaldwyn yn eu herlid. Wrth ddisgyn i lawr i'r dyffryn roedd tyddynnod gweigion ar bob tu a'r gormeswr wedi gyrru'r deiliaid ar ffo ac wedi dwyn y da a gwacáu'r ydlannau. Doedd na dyn nac anifail o fewn golwg.

Unwaith yn ddiogel dros yr Hafren gorfoleddu yr oedd yr hogiau am iddynt ddychwelyd yn ddianaf o'r heldrin. Drannoeth byddai sgarmes arall yng nghyfeiriad Dyffryn Tefeidiad yn nhir Colunwy i'r de o Drefaldwyn lle roedd castell y Norman balch. Gallai pethau fod yn waeth yn y fan honno gan fod y tân ar gerdded a lluoedd y gelyn yn dwysáu hyd y Gororau. Ond doedd dim ar wyneb daear Duw a fedrai ladd antur y bechgyn.

Cyrraedd Aber-miwl o'r diwedd a dringo'n araf wedyn i fyny'r llethr serth i'r gaer yn Nolforwyn. Yno roedd arogleuon gwledd yn llanw'r awyr a chynhesrwydd neuadd yn eu haros. Lle gwych oedd Dolforwyn.

VI

Bellach yr oedd y gwanwyn ar ei orau hyd dir y Gororau. Y briallu ym môn y cloddiau a'r eithin yn bygwth troi'r byd yn felyn ond byd digon du o gysgodion oedd hi ogylch y gaer yn Nolforwyn. Er bod y coed ger troed y gaer tuag Aber-miwl yn ffrwydrad o ddail mân, prin oedd yr adar a fentrodd yno i ganu. Sŵn y golomen wyllt oedd yno fynychaf a sŵn curo morthwylion a thrwst milwyr.

Rywdro wedi diwedd y Mis Bach fe beidiodd y mân sgarmesoedd dros afon Hafren. Doedd dim antur ar ôl i'r hogiau mwyach ac fe aeth amser yn fwrn ar fechgyn Gwynedd. Ymhell o gartre roedd arnyn nhw hiraeth a chododd hen elyniaeth rhyngddyn nhw a gwŷr Powys o bryd i'w gilydd. Wedi'r cwbl fe fuon nhw'n elynion sawl tro!

Yn y cyfnod hwn roedd y brenin Edward yn crynhoi ei luoedd yn y mannau strategol hyd y Gororau a sbïwyr yn mynd a dod dros y ffin. Torrodd llu o sibrydion hyd y lle.

'Mae Siryf 'Mwythig yn anfon meirch a marchogion i Syswallt . . . gwŷr y waywffon hir yn Nhrefaldwyn o dan Peter Corbet ac Adam de Montgomery . . . Master Bertram, castellydd y brenin, yn atgyweirio'r ceyrydd yn Syswallt a Threfaldwyn . . . y brenin yn prynu cant o feirch o wlad Ffrainc a'r dŵr yn prinhau yn y gaer yn Nolforwyn am nad oes yno ond dwy ffynnon.'

Mae'n wir bod dwy afon fechan, y Rhiw a'r Bechan yn rhedeg i'r Hafren o bob ochr i'r gaer ond yn y gwaelodion yr oedd y rheini a phe dôi rhyfel ni ellid cael dŵr o'r Hafren. Wrth i'r wythnosau dreulio ymlaen anesmwythodd hogiau Gwynedd yn nieithrwch y lle. Y gwan ei galon, Einion Sychnant, a ddioddefodd waethaf, yn llanc petrus ar ei dyfiant. Byth er y bore yr aeth efo'r gatrawd i ymosod ar y gaer yn y Gorddwr ac wedyn yn Nyffryn Tefeidiad ar ffiniau Colunwy fe welwodd ei wedd. Yn Nyffryn Tefeidiad fe welodd Cadfan, y llanc o Gedewain, yn syrthio efo saeth yn ei galon, yn chwydu gwaed a'i friw yn diferu. Roedd rhyw 'ymyrraeth' yn y gaer yn Nolforwyn hefyd yn peri loes i'r llanc.

Bob bore efo goleuni cyntaf y wawr dechreuodd sleifio allan i'r stabl i gyrchu'i farch. Yna marchogaeth yn wyllt o gwmpas gwaelod y gaer a chyrraedd o'r diwedd ger y bwthyn islaw'r porth mawr. Rhybuddiwyd y castellydd, Bleddyn ap Llywelyn, am gastiau'r hogyn rhag ei fod yn cario cyfrinachau i'r gelyn dros Hafren. Ac felly un bore daeth Gwared ar ei warthaf a'i gyfarch yn y llwyd-olau.

'Gweld dy fod di'n ciedw orie cynnar, Einion.'

Rhythodd y llanc arno fel un yn deffro o lesmair ac meddai yn y man,

'Mae *o* wedi mynd rŵan, Gwared!'

Roedd y llanc yn amlwg mewn gwewyr meddyliol dwys.

'Sŵn y march yn carlamu,' meddai wedyn, 'sŵn y carnau. Mae'r sŵn wedi peidio rŵan! Unwaith y daeth y march i olwg y bwthyn acw mi ddiflannodd. Roedd arna' i ofn mai'r gelyn oedd yna!'

Roedd Gwared hefyd yn dechrau deall trywydd y llanc erbyn hyn. Meddai'n gysurlon,

'Na, nid y gelyn, Einion, 'ngwes bech i, ar yr awr gynnar, ond dwed i mi sut liw oedd ar y march?'

Synnwyd y llanc yn fwy gan gwestiwn y Powysyn. Roedd yr olaf yn gwybod rhywbeth am y march yn ogystal felly.

'March gwyn oedd o,' meddai Einion gyda phendantrwydd mawr yn ei lais.

Nodiodd y Gwared caredig ei ben mewn arwydd o ddealltwriaeth. Rhoes hyn hyder newydd i'r llanc. Meddai'n eiddgar,

'Mi ddiflannodd y ferch wedyn . . . a'r ci . . . a'r penbwl oedd yn ei dilyn.'

'A sut ferch ddwedest ti oedd hi, Einion?'

'Merch hardd,' oedd yr ateb swil, 'efo dannadd mawr gwyn a gwallt hir digon o ryfeddod. Mi roedd arna' i ishio'i chysuro hi am ei bod hi'n crio, crio'n ddwys fel tae ei chalon hi ar dorri.'

Rhoddodd Gwared ochenaid hir a dweud,

'Cymer gysur, Einion. Nid ti yw'r unig un i sôn am y march gwyn yn y gaer ac am y ferch efo'r dannedd mawr ac am y penbwl a'r ci.'

Parodd i Einion droi pen ei farch i gyfeiriad y bwthyn islaw'r porth mawr. Oddi allan i ddôr y bwthyn roedd gwraig ganol oed, blêr ei gwala yn galw'r ieir o'u clwyd. Ar y tipyn tir glas gerllaw roedd merlen yn pori ac yna fe wthiodd penbwl o lanc ei ben allan dros ddrws y stabl. Meddai Gwared,

'Ai dene'r olygfa a welest ti, Einion, fel yr oedd y wawr yn torri?'

Chwarddodd Einion ac ysgwyd ei ben. Mor chwerthinllyd oedd y syniad! Y foment nesaf cyfarthodd ci yn uchel ac wedyn nid oedd y llanc yn siŵr o ddim. Fel yr oedd y ddau ŵr yn dychwelyd i'r gaer ceisiodd Gwared esmwytháu meddwl y llanc ymhellach.

'Mi ddwedes i i mi glywed y stori ene cyn hyn ond chlywes i 'rioed bod y ferch yn crio. Hwyrach bod rhywbeth mowr yn poeni'r ferch a'i bod hi'n ceisio dweud rhywbeth wrthon ni yn y gaer. Hwyrach mai'r ferch Sabrina oedd hi wedi dychwelyd yn ôl o'r hen chwedl i'r gaer. Tywysoges o'dd Sabrina a redodd o fla'n 'i llysfam dros y ddôl ger Aber-miwl a boddi yn yr Hafren. Ond gall mai merch i un o hen dywysogion Powys o'dd hi. Pwy a ŵyr? Gwell i ti giedw'r gyfrinach i ti dy hun, Einion. Ddaw dim de o daenu chwedle o'r fath ymysg milwyr calon-galed.'

O'r bore hwnnw ymlaen fe gydiodd rhyw glefyd yn yr hogyn a dechreuodd wanychu. Digalonnodd y ddau gyfaill Trystan ac Iolo Pen-maen gan na fu'r triawd ar wahân er y dydd y daethant i Bowys. Daeth y ddau gyfaill i adnabod pob cilfach a choeden a chraig ogylch y gaer yn ystod y dyddiau hir o aros heb fod dim yn digwydd a'r gelyn yn crynhoi'n feunyddiol hyd y Gororau. Y nosau oedd waethaf, a Thrystan yn methu'n lân â chysgu. Llanc efo'i draed yn solet ar y ddaear oedd Iolo, yn wahanol i'r ddau arall, a dysgodd mai drwy herian y gellid osgoi iselder ysbryd. Yr un oedd patrwm ei sgwrs bob nos.

'Welson ni yr un ysbryd yn y gaer yn naddo, Tryst. Stori goel gwrach gwŷr Powys sy wedi codi i ben yr hogyn Einion. Piti garw am hynny. Piti goblyn na fyddai'r T'wysog yn rhoi tro i'r lle yma i godi'n c'lonna ni yn lle 'i fod o adra yn gwarchod Eryri. Ond cwyd dy galon, Tryst, cyn sicrad â bod yr haul yn codi ar y byd mi fyddwn yn ôl yn Abargwyngregyn ac wedyn mi gei di weld dy gariad, yr hogan Angharad yna.'

Ond hollol ddywedwst oedd y cyfaill Trystan.

'Hei, Tryst! Be' ydy enw llawn yr hogan yna ddaeth o Ddol'ddelan yn forwyn llys bron cyn y 'Dolig. . . . Dwad efo'r hogyn Gruffudd yna, mab mabwysiad 'i thad hi, yr Ynad Coch . . . hogyn peniog, yn medru barddoni fel bardd llys a medru trin cledd y siort ora'.'

Fe wyddai Iolo bod sôn am yr hogyn Gruffudd yn codi gwrychyn y cyfaill a doedd dim byd tebyg i yrru halen i'r briw i gynhyrfu'r ysbryd. Bu'r hogyn Gruffudd yn glynu fel gelen wrth yr eneth er pan ddaeth o gyntaf i'r llys ac yn ofni i'r gwynt chwythu arni.

'Angharad Wen ydy'r enw,' meddai Trystan yn y man er mawr ddigrifwch i Iolo. Doedd dim swildod yn arferol yn perthyn i'r llanc Trystan ond mater gwahanol oedd hi y tro hwn gyda golwg ar yr eneth oedd wedi dwyn ei galon o'r dydd cyntaf y daeth i'r llys. Fe lwyddodd i ddwyn hanner cusan ganddi yn fuan wedyn ar y Garthau pan nad oedd yr hogiau yn gweld. O leiaf, doedd yr eneth ddim wedi cicio yn y tresi hyd yn oed os oedd hi wedi rhedeg i ffwrdd yr eiliad wedyn. Hogan bropor oedd hi a buan ei thafod. Magodd Trystan ddigon o blwc o'r diwedd i sôn am yr eneth.

'Wyddost ti sut y ca'dd hi'r enw Angharad Wen, Iolo?'

'Sut y gwn i, y gwirion?'

'Ei gwallt hi'n wyn fel y carlwm pan o'dd hi'n fach. Mae Angharad Wen hefyd yn meddwl y byd o Modryb Mererid yn y Castell yn Nol'ddelan a Modryb Mererid sy' wedi dysgu iddi sut i drin claf a g'neud ffisyg efo llysia'.'

Yn raddol byddai Iolo yn syrthio i chwyrnu cysgu ac ymhen y rhawg byddai Trystan yn cau ei lygaid a breuddwydio'n felys am yr hogan Angharad Wen nad oedd ond prin wedi torri gair efo hi hyd yma.

Ond nid melys mo dim yn y gaer y dyddiau hynny. Tua diwedd y drydedd wythnos ym mis Mawrth daeth yno gennad dros Ryd Chwima o Gastell Trefaldwyn. Cennad y brenin oedd hwn yn dod o dan warchodaeth gŵr eglwysig yn cyhoeddi y byddai'r arglwydd Rhosier Mortimer a'i filwyr yn ymosod ar y gaer newydd yn Nolforwyn oni byddai i Lywelyn ap Gruffudd ildio'r lle o fewn cyfnod o ddeng niwrnod. Aeth y gaer wedi hynny yn ferw gwyllt a dechreuodd yr holi a'r stilio.

'Pam na ddaw'r Tywysog Llywelyn ap Gruffudd i Ddolforwyn a dod â byddin i'w ganlyn? Y fo gododd y gaer ar lannau Hafren, caer nad oedd byth i'w dymchwel medda fo. Ond ymhle mae gwŷr Gwynedd heddiw? Yr un yw'r stori o genhedlaeth i genhedlaeth. Gwŷr Gwynedd yn gwthio i Bowys. Malurio Powys. Yna gwŷr Lloegr fawr yn gwthio gwŷr Gwynedd yn ôl tua'r gorllewin a dyna falurio Powys eto! Cicio pêl rhwng dwyblaid a gadael dolur.'

Ond nid oedd pawb mor chwerw ac yr oedd yno gnewyllyn o wŷr ifanc o'r rhan hon o Bowys a fyddai'n fodlon sefyll yn gadarn gyda'r Tywysog. To o wŷr ifanc oeddynt a dyfodd i fyny hyd y Gororau yng nghysgod yr ymrafael rhwng Llywelyn ap Gruffudd a'r Norman ac a welodd y gaer yn Nolforwyn yn symbol o'r hyn a fu Mathrafal i'w cyndeidiau.

Byddai'n arferiad gan y gwŷr ifanc hyn gyfarfod mewn stafell yn nhŵr y gaer ac yr oedd y reddf oesol i amddiffyn tir a phobl ac iaith wedi gafael ynddynt. Y gŵr ifanc Gwared oedd eu harweinydd, yn gytbwys ei farn ac yn ddoeth ei eiriau. Gwyrth y blynyddoedd hyn oedd bod cenhedlaeth o wŷr ifanc yn tyfu yng nghysgod Llywelyn ap Gruffudd a bod peth o'i freuddwyd a'i frwdfrydedd yn syrthio arnynt heb yn wybod iddynt bron. O bryd i'w gilydd byddai Gwared yn galw hogiau Gwynedd i'r sesiynau hyn yn y Twr gyda gwŷr ifanc dewisol Caereinion, Cedewain, Ceri a Maelienydd. Bu'n eu hatgoffa iddynt fod yn byw o dan iau estron gan adael i arglwyddi Norman y Gororau ddwyn eu tir a bradychu'r bobl. Bu hefyd yn dwyn i gof y modd y bu'r Tywysog Owain Cyfeiliog yn bargeinio'n ddoeth efo'r Norman ac nid fel y bradwr Gruffudd ap Gwenwynwyn a'i wraig Hawise Lestrange oedd unwaith eto yn adfeddiannu'r Castell Coch ym Mhowys Wenwynwyn.

Un bore, yn dilyn ymweliad cennad y brenin â'r gaer, fe dorrodd newyddion trasig y dydd ar glustiau'r gwŷr ifanc. Roedd Castell Dinas Brân ym Mhowys Fadog yn syrthio i ddwylo'r brenin. . . . Henry de Lacy, Iarll Lincoln yn anfon mintai o farchogion i atgyfnerthu byddin Peter Corbet ac Adam de Montgomery yn Nhrefaldwyn . . . Humphrey de Bohun yn meddiannu tiroedd y Tywysog ym Muellt . . . John Giffard yn y Cantref Bychan . . . Payn de Chaworth yn Nyffryn Tywi ac yr oedd y brenin Edward yn barod i ymgynnull byddin fawr yng Nghaerlleon Fawr i ymyrryd o newydd yn Eryri ac i ddymchwel tywysogaeth Llywelyn ap Gruffudd. Hwn oedd y brenin oedd wedi dysgu crefft newydd gwledydd Cred o filwrio.

Syrthiodd tawelwch trwm yn y stafell y bore hwn a'r gwŷr ifanc yn gofyn,

'Be' wnawn ni? A gawn ni'n lladd neu'n taflu i garchar y Norman neu a drown ni'n fradwyr neu ynteu a oes deunydd arwyr ynon ni?'

Ond roedd yr ateb eisoes gan yr arweinydd Gwared. Cyfarch bechgyn Powys yr oedd.

'Dwad yma ar fenthyg a wneth y castellydd Bleddyn ap Llywelyn ac fe fydd y Tywysog yn 'i alw o adre i atgyfnerthu'r ceyrydd yng Ngwynedd. Yr un modd fe fydd o yn galw adre holl hogie Gwynedd i ymledd 'i frwydre i giedw Eryri rhag y brenin. Os cwympa Eryri fe gwympa'r Dywysogaeth ac wedyn fydd ene neb i arwen y Cymry. Ma' Llywelyn ap Gruffudd wedi dysgu i ni bod yn rhaid wrth obeth. Fe gwympodd Powys o'r bla'n a chodi eilweth. Fe all y Norman ein lledd ni a'n lluchio i garchar ond all o byth ledd y gwaed sy'n y genedl, byth ledd iaith y Cymry. Pan fydd un Tywysog yn cwympo fe fydd tywysog arall yn cymryd 'i le.'

Syrthiodd geiriau Gwared fel pelen o dân ar y calonnau ifanc nad oeddynt hyd yma wedi profi maes brwydr go iawn. Geiriau olaf Gwared y bore hwn oedd,

'Ma' gwŷr Rhosier Mortimer yn crynhoi yn rhywle ar ffinie Maelienydd y foment hon. Os na fyddwn ni'n ildio fe fydd ene losgi a lledd. Chi, fechgyn, bie'r dewis. Ildio mewn cywilydd neu ynte ddal y gaer nes y bydd tynged yn dechre datod pethe.'

Cododd hogiau Powys fel un gŵr a gweiddi allan,

'Dal y gaer! Herio'r gelyn! Marw os bydd raid dros dir Powys a chiedw'r her i genedlaethe i ddwad.'

Ond heb yn wybod i'r bechgyn roedd Tynged eisoes ar waith o fewn y gaer. Einion Sychnant oedd y cyntaf i ddal y clefyd a ledaenodd fel tân gwyllt drwy'r lle. Roedd y dŵr yn brin yn y ffynhonnau a sbïwyr y gelyn yn gwarchod glannau'r Hafren yn y gwaelodion rhag bod trigolion y gaer yn cyrraedd y lle. Dyna pryd y galwyd am wasanaeth Hal Feddyg o gyffiniau Caereinion.

'Y dyn hwnnw efo dwylo hogan a welson ni yn neuadd Tafolwern efo'r Tywysog dro'n ôl,' meddai Iolo Pen-maen wrth ei gyfaill Trystan.

'Hwnnw fuo'n sôn am ryw Ianto Nanw Llwyd o Ddol'ddelan yn marw adag y brwydro yn Nyffryn afon Wysg yn amsar yr hen Ddistain Gronw ab Ednyfad. Ac wedyn mi a'th y T'wysog i lewyg a Hal Feddyg yn dal 'i ben o fel tasa fo'n dal cwpan yn 'i law. A'r munud wedyn mi aeth Hal Feddyg yn wyn fel y galchan ac mi ddechreuodd sôn am ddryllio cnawd ac am waed. Wyt ti ddim yn cofio, Tryst?'

Oedd, roedd yr hogyn Trystan yn cofio'r digwyddiad hwnnw a cherddodd ias drwy asgwrn ei gefn. Pethau iasol oedd ogylch y gaer yn Nolforwyn pa un bynnag!'

'Llid yr Ymennydd,' oedd dedfryd Hal Feddyg ar salwch Einion Sychnant a nifer eraill o'r cleifion. Ysgydwodd ei ben mewn anobaith.

'Mi deimles i arogleuon ffiedd wrth nesu at y gaer ac mae hynny yn dwad â'r pla yn wastad. Does dim dianc unweth y bydd hwnnw'n taro!'

'Os na chawn ni ein lladd gan wŷr Rhosier Mortimer mi gawn ein claddu yn nhir Powys o'r pla gythril,' llefodd Trystan mewn anobaith, a digon prudd ei wala oedd y cyfaill Iolo hefyd heb air i'w gysuro y tro hwn.

Yn hollol annisgwyl un noson, yng nghanol y berw a'r boen, cyhoeddodd rhywrai bod y Tywysog, Llywelyn ap Gruffudd, yn Nolforwyn a'r eiliad wedyn cyhoeddodd rhywun mai celwydd oedd. Meddent,

'Ffolineb fydde i'r gŵr mowr hwnnw fentro i ffau'r llewod yn Nolforwyn. Fe fydde'r rheini am 'i waed o ac fe fydde ciel pen Llywelyn ap Gruffudd yn goncwest well i'r brenin na chiel mynyddoedd Eryri wrth 'i drêd. Na, fentre fo ddim i'r fath le, a pha un bynnag, mae o at 'i glustie mewn helynt yn y Berfeddwlad.'

Ychwanegodd llanc gobeithiol o Gedewain,

'Ond fe all bod tranc Dolforwyn yn agos at 'i galon o a'i fod o am weld a o's modd i'w arbed y funud ola'.'

Pa beth bynnag oedd wir parthed y nos honno yn Nolforwyn, yn gynnar drannoeth gorchmynnwyd hogiau Gwynedd i adael ar frys efo'r castellydd Bleddyn ap Llywelyn am y Berfeddwlad. Cyn eu bod yn ymadael, fe alwodd Hal Feddyg ar i'r ddau gyfaill Trystan ac Iolo ddod i'r gell fechan lle roedd y claf truan Einion Sychnant ar ei wely angau yn ôl pob golwg.

'Mae ar Einion ishio'ch gweld chi ill dau. Ma' gynno fo neges i chi . . . on'd oes, Einion?'

Nodiodd y claf ei ben a cherddodd y ddau gyfaill yn betrus efo mur y stafell. Ceisiodd Einion godi'i ben oddi ar y gobennydd ac yna pwyntio i'r chwith o'r gwely peiswyn tlawd yr oedd yn gorwedd arno. Meddai mewn llais egwan,

'Mi gweles i o . . . Llywelyn ap Gruffudd . . . y T'wysog . . . mi roedd o yma neithiwr ddwytha . . .'

Taenodd gwên foddhaus dros ei wyneb gwelw ar hynny a'r eiliad wedyn syrthiodd ei ben ar y gobennydd. Cymaint oedd syndod y bechgyn fel na fu i'r un ohonynt holi Hal Feddyg pa un ai gwir y stori ai peidio. Rhaid fyddai i'r peth aros yn ddirgelwch dros byth. Yn drwm eu calon gweithiodd y bechgyn eu ffordd gyda'r gweddill o garfan Gwynedd drwy Ddyffryn Tanat am lwybrau cudd y Berwyn ac ymlaen am Uwch Aled. Roedd y darlun o Einion Sychnant ar ei wely claf wedi'i serio yn y cof. Unwaith y byddai o wedi cau ei lygaid ym Mhowys fe ddôi diwedd ar bob ofn iddo a siawns na châi esboniad ar ddrychiolaeth y gaer yn Nolforwyn mewn byd arall yn rhywle!

Daeth y dydd cyntaf o fis Ebrill i'r gaer. Bellach roedd Einion Sychnant a'r gweddill a fu farw o'r llid ar yr ymennydd wedi'u claddu a Hal Feddyg wedi dychwelyd i Gaereinion. Prin ddwsin o fechgyn Cedewain oedd ar ôl yn Nolforwyn yn glynu'n dynn wrth eu harweinydd, Gwared. Bu cryn lawer o holi a stilio yn ystod y dyddiau olaf hyn.

'Ai gwir ai gau oedd yr hanes i Lywelyn ap Gruffudd ddychwelyd yn ddirgel i'r gaer a gadael wedyn fel pry'r gannwyll? Pam y mynnodd Tywysog mor ddoeth ag o godi caer mewn man lle roedd dŵr yn brin a ffynhonnau yn sychu? Pam yr oedd Duw a'r Forwyn yn anfon y gelyn o hyd ac o hyd i'r Gororau? Ai gwir bod yno wraig yn marchogaeth ar farch gwyn bob dydd fel yr oedd y wawr yn torri? Ai gwir bod byddin Rhosier Mortimer yn gwthio i Gedewain o gyfeiriad Maelienydd a bod gwŷr Trefaldwyn yn croesi'r Hafren ger Rhyd Chwima? Anelwyd ambell gwestiwn at Gwared ei hunan.

'Wyt ti'n meddwl y rhoddan nhw'r gaer ar dân? Fe fydde hi'n llosgi'n ulw mewn chwinciad.'

'Digon o waith y gwnâi Mortimer hynny a fynte'n ysu am ga'l y gaer iddo'i hun,' oedd ateb y gŵr.

Ond nid sŵn carnau march gwyn y 'ddrychiolaeth' oedd i'w glywed ogylch y gaer yn Nolforwyn efo gwawr y trydydd o Ebrill. Gwŷr Mortimer oedd yn amgylchynu'r lle a nifer o hogiau Ceri a

Maelienydd ac Elfael yn y gatrawd. Cachgwn i gyd, chwedl y bechgyn yn y gaer, ond beth oedd i'w ddisgwyl pan ddôi'r gelyn i fygwth tir a thŷ a thylwyth?

Yn ei wylltineb rhedodd un o'r bechgyn o'r gaer at fin y dibyn gan chwilio am ymwared yn rhywle. Hyrddiwyd saeth ato. Syrthiodd yn ei gwman yn y fan honno a'r eiliad nesaf rhoes yntau dro dros y dibyn serth i'w dranc. Hunanladdiad oedd peth felly ond pwy fyddai am fod yn hanner marw yn cwrdd â gelyn?

Wedi'r digwyddiad anffodus hwnnw daeth gorchymyn Gwared.

'Fe giedwn ni efo'n gilydd yn glòs a cherdded at y porth mowr a'n penne' yn uchel!'

Ni welodd yr un gaer olygfa mor drist â honno pan aeth breuddwyd byr Cymry Cedewain a'r Tywysog yn chwilfriw. Wrth iddynt nesu at y porth rhuthrodd prif swyddogion catrawd Rhosier Mortimer gan atal eu llwybr. Gwŷr Trefyclo oedd y rhain yng ngwasanaeth yr arglwydd pwerus o Wigmor. Gwaeddodd y blaenaf ohonynt,

'A phwy yw arweinydd y tipyn gwrthryfelwyr?'

Llais gwawdlyd sbrigyn o Norman balch oedd hwn. Ar y gair cododd Gwared ei ddwylo i fyny.

'Picell i'w berfedd!' gorchmynnodd y gŵr. Wrth i gorff yr arwr wegian ac i'r gwaed sugno i'r ddaear fe neidiodd un o'r protestwyr ifanc i dynnu'r bicell o'r corff ac ymhen dim o amser hyrddiwyd yr un bicell i'w gorff yntau.

'Rhaffwch y lleill ac ewch â nhw i'w crogi!' gwaeddodd yr un swyddog eto. 'Does yr un bradwr i'r brenin i aros yn Nolforwyn!'

Ymysg gwŷr catrawd Rhosier Mortimer yr oedd milwyr o Gymry o dir Maelienydd wedi'u llusgo'n anfoddog i ymuno â byddin Castell Wigmor. Gwaeddodd un ohonynt,

'Allwn ni ddim rhaffu'r hogie achos ma' ene afiechyd yn y ga'r. Cyrff heb 'u priddo. Does dim dŵr yno. Ffynhonne wedi sychu ac arogleuon ange hyd y lle!'

'Picellwch y rhain a chleddwch nhw efo'r lleill cyn i ni sod picell ynoch chithe, hogie Maelienydd!' oedd y gorchymyn cignoeth wedyn.

Ond rywsut rywfodd fe fu Ffawd yn garedig wrth y bechgyn. Efo'r sôn am y pla yn y gaer a'r diffyg dŵr enciliodd y gelyn beth. Fe aeth nifer o'r bechgyn o dan y bicell ond arbedwyd eraill gan eu cyd-Gymry o Faelienydd a mannau tebyg. Onid oedd Cymry'r Gororau yn adnabod ei gilydd a heb galon i ladd cydnabod? Ffodd dau neu dri o fechgyn y gaer ar ôl hogiau Gwynedd am y Berfeddwlad ac yn y modd hwn y machludodd haul Dolforwyn a hynny mor greulon o gynnar. Mygwyd yr adeiladau rhag bod haint yn y lle cyn i filwyr Rhosier Mortimer feddiannu'r Castell. Creulon o fyd.

Yno yn y bwthyn ger y porth mawr roedd y wraig ganol oed a'r penbwl, y ci yn cyfarth a'r ferlen yn pori fel tae dim wedi digwydd. Roedd rhywbeth oesol yn y rhai hyn fel tir Powys ei hunan. Mynd a dod yr oedd eraill. Nhw yn unig oedd yn aros.

VII

DYFFRYN AFON ADDA
Sul y Blodau 1277

Yr adeg yma o'r flwyddyn byddai'r dyffryn ogylch yr eglwys ym Mangor Fawr yn Arfon yn ei ogoniant. Coed y Garth tuag afon Menai i'r chwith o Hiraul yn drwch o wyrddni ffres ac argoelion o gnwd blodau bwtsias-y-gog hyd lawr y fforest erbyn y dôi mis Mai. Mynydd Bangor yn flagur blodau eithin a banadl oedd yn rhyw ddechrau ymysgwyd a'r briallu eisoes yn glystyrau hyd ochrau Pen-rhos.

Ar y Sadwrn cyn Sul y Blodau arferiad y gwragedd a'r plant oedd casglu tuswau blodau i addurno'r beddau. Ymhell cyn Sul y Pasg byddai Eglwys Deiniol Sant wedi'i hamgylchu efo cymysg liwiau blodau carn-yr-ebol, llygad Ebrill a'r anemoni gwyn efo'i wythi coch yn adlewyrchu Croes y Crist a'r Atgyfodiad.

Roedd trigolion y ddinas wedi hen arfer â gweld y preladiaid yn mynd a dod o gwmpas Eglwys Deiniol a rhyw chwarter canrif cyn hyn daeth Urdd y Brodyr Duon, sef Urdd Sant Dominic i sefydlu ger Porth y Penrhyn. Crintachlyd ar y gorau oedd gwŷr yr Eglwys ond yr oedd y Brodyr beth yn fwy haelionus. Fodd bynnag, taenodd si bod Llywelyn ap Gruffudd, Prior Tŷ'r Brodyr, wedi troi cefn ar y Tywysog a ffoi am nodded brenin Lloegr. Roedd y gŵr yn ŵyr i'r hen Ddistain Ednyfed Fychan ac, yn ôl y sôn, roedd eraill o'r tylwyth hwnnw yn ceisio ffafr y brenin Edward. Dyddiau drwg oedd y rhain.

Prin y cafodd y tlodion olwg ar yr Esgob Anian ers tro byd am ei fod yn amlach na pheidio ar berwyl o gymrodeddu rhwng y Tywysog a'r brenin Edward ond ar adeg Sul y Blodau y flwyddyn hon roedd newydd ddychwelyd o fod yn gennad at Archesgob Caer-gaint. Clywed sibrydion yn unig a wnaeth y bobl.

Yn y Mis Bach pan oedd y Tywysog a'i swyddogion yn cynnal llys yn Llan-faes ym Môn caewyd y drws yn erbyn cennad yr Archesgob. Roedd Elinor Mymffwrdd yn gaeth o hyd yng Nghastell Windsor. Y brenin Edward yn crynhoi ei luoedd yng Nghaerlleon Fawr ac yn yr Amwythig a Swydd Henffordd. . . . Y gaer yn

Nolforwyn wedi syrthio i ddwylo'r hen elyn, Rhosier Mortimer . . .
Dyffryn Dyfrdwy yn graddol syrthio i filwyr Iarll Warwig a Madog
a Llywelyn, meibion yr hen arglwydd Gruffudd ap Madog, yn colli
eu hawliau ar Bowys Fadog . . . a gwarchae ar gastell Dinas Brân,
y gaer orau hyd y Gororau.

Digon diddigwydd a fu bywyd ogylch Eglwys Deiniol ers
degawdau a phrin bod yno neb ar wahân i ambell hynafgwr yn cofio'r
gyflafan pan ddaeth y brenin John i losgi'r ddinas ac ymaflyd yn
yr Esgob Robert yn ei wisg eglwysig ger yr allor. Y Dywysoges Siwan,
merch y brenin, a ddaeth i'r adwy bryd hynny a chyfryngu ar ran
ei gŵr, y Tywysog Mawr, Llywelyn ab Iorwerth. Ond bellach doedd
yno yr un Dywysoges o waed y Norman yn y llys yn Abergwyngregyn
i gyfryngu ar ran y Tywysog, Llywelyn ap Gruffudd.

Yn blygeiniol ar fore Sul y Blodau yn y flwyddyn arbennig hon
pan oedd y Tywysog benben efo'r brenin Edward fe glywyd canu
clychau'r eglwys yn anarferol o gynnar a thros amser maith. Tyrrodd
y dyrfa at y pyrth a chanfod bod yr eglwys i gyd yn olau fel tae'r
canhwyllau ynghyn i wahodd yr addolwyr. Yn ddisymwth distawodd
y clychau ac fe ddiffoddwyd y canhwyllau un ac un.

Erbyn hyn roedd nifer o wŷr meirch yn amgylchu Eglwys Deiniol
a chydiodd ofn yn y bobl. Safodd pawb mewn syfrdan. Yna fe
ymddangosodd yr Esgob Anian a'i osgordd o breladiaid oddi allan
i ddrws caeëdig y gadeirlan. Syrthiodd tawelwch dros y ddinas wrth
i'r Esgob agor y sgrôl o'i flaen. Prin y medrid clywed llefaru'r gwr
crynedig a blinedig hwnnw nes i'r Magister Iorwerth gamu ymlaen
i ailgyhoeddi'r neges mewn llais clir a disgybledig. Fel hyn y
darllenodd:

*'Ar y degfed dydd o fis Chwefror y flwyddyn hon, fe alwodd Robert Kilwardy
Archesgob Caergaint ar i esgobion y Dalaith ysgymuno Tywysog Cymru,
Llywelyn ap Gruffudd, ef a'i ddilynwyr yng Nghymru am iddo wrthod
presenoli ei hun yng ngwyddfod Edward, brenin Lloegr ac fe wnaed hyn yn
enw'r Pab. . . . Yn bresennol yn y Deml Newydd y dydd hwnnw yr oedd
esgobion Caerfaddon, Henffordd, Llandâf a Llanelwy . . .'*

Efo'r cyfeiriad at esgobaeth Llanelwy torrodd llef o brotest o blith
disgyblion Ysgol Deiniol Sant yn erbyn y bradwr hwnnw, Anian
Ddu o Nannau. Hwn, meddid, oedd yn bennaf gyfrifol am ddwyn

gwarth yr ysgymundod ar Dywysog y Cymry. Trodd y brotest wedyn yn erbyn Archesgob Caer-gaint.

'Pam mae'n rhaid i ni, y Cymry, wrando ar Archesgob Caergaint?' gwaeddodd disgyblion Ysgol Dewi Sant. 'Norman ydy hwnnw a does ganddo mo'r hawl i ysgymuno Tywysog y Cymry! Dilynwyr Gerallt Gymro ydan ni a fynnwn ni ddim cael ein llywodraethu gan Archesgob Caer-gaint, yr Archesgob estron! Yn Nhyddewi y dylai Archesgob y Cymry fod, yn ôl Gerallt Gymro!'

Wrth i'r dyrnau ifanc godi ac i'r lleisiau protest foddi lleisiau gwŷr yr Eglwys trodd y gwŷr meirch yn fygythiol ar y disgyblion. Yna daeth y Magister Iorwerth heibio iddynt o'r diwedd gan ymbilio am heddwch. Roedd Esgob y Gadeirlan, meddai, yn gweithredu rhwng y Tywysog ar y naill law a Duw a'r Eglwys ar y llall a rhaid oedd iddo ymostwng yn y diwedd nid i bwerau'r byd hwn ond i awdurdod y Pab yn Rhufain. Arweiniodd y gŵr hwy wedyn i ddiogelwch y Cabidyldy ac fe chwalodd y dorf i ddiogelwch y mân deiau mewn syfrdan ac ofn.

Pan ganwyd y gloch law o newydd i alw'r ffyddloniaid i'r Offeren doedd yno ond cynulliad bychan o rai yn ffoi at Dduw a'r Forwyn am gysur rhag bygythiad y byd brwnt o'u hamgylch. Casglodd ychydig o henwyr o'r elusendai a llond dwrn o wragedd heb blant ar eu cyfyl gyda'r preladiaid a disgyblion Ysgol Sant Deiniol. Prin y medrid clywed llais yr Esgob wrth iddo fendithio'r afrlladen, sef bara'r Cymun, a chan faint ei gryndod syrthiodd smotyn o'r gwin coch ar liain yr allor wrth iddo gydio yn y Caregl a chyhoeddi'r geiriau, 'Hwn yw fy ngwaed.' Yr un pryd llithrodd llu o ddelweddau o flaen llygaid y cymunwyr syfrdan. Unwaith eto, fel yn nyddiau'r hynafgwyr, roedd gwaed y gwirion hyd ffyrdd y ddinas a sŵn rhyfeloedd rhwng cwmwd Arllechwedd a Chaerlleon Fawr. Nid oedd diwedd chwaith ar ofidiau disgyblion Ysgol Deiniol Sant. Hogiau'r Tywysog oeddynt bob un, yn barod i antur ac yr oedd dial yn y gwaed.

Hwn oedd y bore Sul y Blodau rhyfeddaf a fu ym Mangor Fawr yn Arfon erioed ac erbyn bod y clychau'n canu i Wasanaeth y Gosber y min nos hwnnw cyhoeddodd y prelad bod yr Esgob Anian ac un neu ddau o'r clerigwyr wedi ffoi am nodded y brenin dros Glawdd Offa. Ffoi rhag llid Llywelyn ap Gruffudd a gwŷr y llys.

Rhwng popeth ni bu llawer o hwyl ar ddathliad y Pasg yn y ddinas y flwyddyn honno.

VIII

Gyda chwymp Dolforwyn a'r ceyrydd eraill hyd y Gororau, y gelyn yn treiddio i Ddyffryn Tywi a Cheredigion yn y De a milwyr y brenin yn bygwth y Berfeddwlad, fe wthiwyd lluoedd y Tywysog i warchod ffiniau Edeirnion a Meirionnydd a thrwy Ardudwy i Benrhyn Llŷn ac Ynys Môn gan amgylchynu Eryri. Cadwyd gwarchodaeth arbennig ar gestyll Dolwyddelan a Dolbadarn. Digon truenus yn wir oedd cyflwr y carcharor Owain Goch, wedi cyffio o'r cryd yn Nolbadarn ond pe câi'r brenin led troed yn Eryri fe allai eto ddarnio'r Dywysogaeth i'w rhannu rhwng yr Owain hwn a Dafydd ap Gruffudd, y brawd iau.

Lledodd pob math o straeon i Wynedd. Roedd rhai cannoedd o Gymry anfoddog eu byd wedi'u rhestru ym myddinoedd arglwyddi'r Gororau. Yr hen elyn, Hywel ap Meurig, arglwydd Castell Cefnllys yn ne Maelienydd, yn casglu byddin o ddwy fil o wŷr-traed o Faesyfed a Buellt. Eisoes roedd Meurig ap Llywelyn, arglwydd Brycheiniog ac Ifor ap Gruffudd, arglwydd Elfael — gwŷr y bu'r Tywysog yn amau eu ffyddlondeb ers tro hir — wedi ochri efo'r brenin. Ond pan oedd Rhys Wyndod a Rhys Maredudd yn ymostwng i drefn y brenin yn Nyffryn Tywi, fe ffodd tri arglwydd o'r Deheubarth am nodded Eryri. Hywel ap Rhys Gryg, Llywelyn ap Rhys a Rhys Fychan oedd y rheini.

Byd anodd oedd hwn a chymylau duon ar y gorwel. Erbyn diwedd mis Gorffennaf yr oedd y brenin Edward wedi dod â byddin o Gaerwrangon drwy'r Amwythig i Gaerlleon Fawr. Yn y llys fe glywyd y geiriau,

'Mae o wedi dwad â thri chant a chwanag o labrwyr i'w ganlyn yn seiri maen a seiri coed i dorri i lawr goedwig Tegeingl ac i godi ceyrydd o newydd ger Dinas Basing ac yn Rhuddlan. . . . Mae o am symud ceg afon Clwyd er mwyn i'r llonga' ddwad â choed a cherrig at wal y castell. Ond mi wnawn ni danchwa a llosgi'r lle yn ulw cyn y caiff dynion Edward Longshanks dorri i lawr y coed! Does gan y brenin mo'r hawl i newid cwrs yr afon 'chwaith. Ni bia'r coed a ni bia'r afon! Ond choncrith y Longshanks byth Eryri. Byth bythol!'

Chwythu bygythion y byddai gwŷr y llys a gadael i Feibion Uthr Wyddel gynnau'r fflam a marw yn y tân. Roedd hogiau fel Morgan y Gyffin a ddychwelodd o frwydro hyd y Gororau bellach yn ôl yn rhengoedd y Meibion. Y nhw efo tân yn eu boliau oedd yn mentro rhwng rhengoedd y gelyn gefn trymedd nos ac yn cario gwybodaeth gyfrin i'r llys. Nhw oedd y sbïwyr. Llifodd newyddion brawychus i'r lle.

'Mae'r brenin wedi mynnu dwad â meirch o wlad Gasgwyn i gyrrau Cymru. Mae ganddo lond barila' o arian parod wedi dwad efo llonga' o Iwerddon i dalu i'r milwyr a'r arglwyddi. Llogi'r rheini am amsar byr y bydd o a'u gyrru nhw adra cyn iddyn nhw flino gormod a mynd yn ddiwerth iddo fo. Wedyn mi ddaw yna rai er'ill yn 'u lle nhw. Dyna ydy trefn byddinoedd gwledydd Cred rwan . . . ac mae llonga' mawr y 'Cinque Ports' wedi cyrra'dd y môr wrth Gaerlleon Fawr ac mi fyddan ymhen dim yn bygwth o'r môr hwnt i'r Gogarth Mawr!'

Llongau rhyfel y pum porthladd yn ne-ddwyrain gwlad Lloegr oedd y rhain ac yr oedd llong ryfel arall ar ei thaith o borthladd Bayonne yn ne gwlad Ffrainc yn ystod yr haf hwn. Blinodd yr hogiau ar gicio'u traed yn Eryri pan allent fod yn gwthio bidog i ymysgaroedd gelyn. Yn eu plith yr oedd llanciau fel Trystan Arawn ac Iolo Pen-maen a gafodd flas ar frwydro yn ymgyrchoedd y Gororau ond bellach yn segura ac yn aros. Cenfigennent wrth y Meibion oedd yn ymgreinio ar eu pedwar bron o Ddyffryn Conwy ac yn wynebu her y gelyn yn eu gwrthgefn. Aent heibio glannau'r Elwy belled â'r gaer newydd yn y Fflint nad oedd hyd yma ond cabanau o goed yn aros y dydd pan geid codi castell o garreg yno. Cuddio yn y prysgwydd a lluchio pelenni o dân i ganol y cabanau nes bod y lle'n wenfflam. Aros wedyn yn ddigon hir i glywed gwaeddiadau'r gelyn ac yna sŵn sislan y cyrff yn y gwres. Wrth iddynt ddychwelyd am Uwch Conwy hefo'r bore bach dôi aroglau drewdod y tomennydd llosg o gyfeiriad Tegeingl a Dyffryn Clwyd.

Wrth i fis Awst dreiglo ymlaen dwedid fod pymtheng mil o wŷr y brenin yn croesi Morfa Rhuddlan tua'r gaer yn Negannwy, yn wŷr-meirch a gwŷr-traed, yn saethyddion, yn wŷr y waywffon hir a'r bwa croes. Roedd y brenin hefyd wedi casglu holl gadfridogion ei deyrnas i'r ymgyrch fawr yn erbyn y Tywysog — John de Monthaut o dylwyth Castell Penarlâg, Bogo de Knoville, siryf Amwythig, Rhosier Lestrange, Rhisiart Fitzalan a Rhosier Mortimer. Digon anniben, yn ôl sôn gwlad, oedd byddin fawr y brenin serch hynny. Yn groes i'r graen gwthiwyd Cymry'r Gororau i rengoedd y brenin yn ogystal â phob gŵr o'r Berfeddwlad a allai ddal cleddyf neu waywffon. Gwenu i fyny'r llawes y byddai gwŷr Gwynedd am mai am amser byr y byddid yn cadw'r Cymry ym myddinoedd y Norman rhag eu bod yn troi'n fradwyr ac yn ffoi i'r mynyddoedd! Doedd dim dal beth a fedrai ddigwydd o lusgo Cymro i reng y gelyn!

'Mae yna saith cant o forwyr y brenin yn nesu am y Gogarth Mawr,' gwaeddodd rhywun fel yr oedd mis Awst yn cerdded ymlaen, 'a wyddon ni ar y ddaear be' ydan ni'n 'i neud yn y rhyfal ddiryfal yma!'

Cofiodd yr hogiau a fu yn yr ymgyrchoedd hyd y Gororau ac yng nghwymp Dolforwyn am arwriaeth yr arweinydd Gwared a bechgyn cwmwd Ceri. Ymladd hyd farwolaeth yr oedd y rheini. Meddai Trystan Arawn wrth ei gyfaill Iolo Pen-maen,

'Mi fydda'n well gen i fod wedi marw yn y gaer yn Nolforwyn a cha'l fy nghladdu gan Hal Feddyg ym Mhowys na bod yn dal dwylo ar y Carnedda.' Gwyn fyd Einion Sychnant ddweda' i. Mi fu o farw'n arwr o'r Pla yn Nolforwyn ond fydda' waeth i ni fod yn dal pen rhaw mwy na chario bidog segur yn Eryri!'

Bron nad oeddynt yn credu bod y Tywysog yn colli yn ei synhwyrau. Ifanc oedd y bechgyn a'r ysfa i ddial yn gryf ynddynt. Eto, er gwaethaf popeth, fe lwyddodd Llywelyn ap Gruffudd i gadw'i ben yn uchel gan wybod mai dyletswydd gwladweinydd da oedd cynnal y bobl mewn dyddiau o bryder fel mewn dyddiau o goncwest. Roedd osgo herfeiddiol ei gerddediad a'i lygaid yn llawn tân yn cyflwyno'r neges i'r bobl.

'Nid dyma'r waith gyntaf,' oedd byrdwn y neges honno, 'y bu i'r gelyn fentro belled ag Aberconwy a bygwth o gyfeiriad y môr. Peth ffôl fyddai mentro i'r frwydr yn erbyn y fath luoedd! Fe adawn ni i frenin gwlad Lloegr, y cawr castiog Edward, lusgo traed ei wŷr hyd y glannau nes y byddan nhw ar eu gliniau yn ymbil am fara. Fedar o ddim bwydo miloedd o wŷr-meirch a gwŷr-traed yn hir yn Aberconwy a fentrith o byth ddringo Eryri. Aros ein hamser yr ydan ni, y Cymry . . . aros i daro eto ryw ddydd pan fydd pocedi'r brenin yn gwacáu a phan fydd raid iddo dalu'n ôl i fancwyr gwlad yr Eidal am yr arian mawr i gadw byddin ers misoedd hir hyd y Gororau a ffiniau Dyfed. Os daliwn ni hyd ddiwedd Awst mi fydd yr hin yn dechrau oeri a'r nos yn hel ac yn amser i'r Norman hel ei draed yn ôl o gaer Degannwy. Dyna fu'r hanes yn nyddiau'r hen frenin John pan oedd fy nhaid, Llywelyn ab Iorwerth, yn ei anterth ac wedyn yn nyddiau'r hen frenin Harri pan oedd Dafydd ap Llywelyn yn Dywysog yn Abergwyngregyn.'

Ond dal i holi cwestiynau yr oedd y gwŷr blaengar.

'Pam y mae'r Tywysog a'i lys yn oedi mor hir yn Arllechwedd uwch ben y Fenai a'r gelyn bellach wedi llyncu pob modfedd o'r tir concwest? Y tir concwest a enillwyd efo gwaed yr hogiau ers ugain mlynedd bellach. Be' ddaeth o Gymry'r Berfeddwlad . . . a be' ddaw o bobol Ynys Môn pan fydd y gelyn yn taro?'

Draw dros y dŵr o Eryri gellid gweld cynhaeaf yr Ynys yn barod i'w gynaeafu.

Eto, dal fel rhyw dduw yr oedd Llywelyn ap Gruffudd i fwyafrif y boblogaeth, yn disgwyl yr awr y rhyddheid hwy o gaethiwed y Ffawd anorfod oedd arnynt. Fel cenedl Israel gynt ar lannau afonydd Babilon, canent eu cerddi o dan yr helyg ac yr oedd cytgord rhyfedd rhwng deiliaid y llys a Meibion Uthr Wyddel uwch Dyffryn Conwy. Roedd nifer o'r Meibion yn syrthio, meddid, yn union fel cymynu coed am eu bod ym mlaen y gad yn Is Conwy.

Ond yn cuddio o'r tu ôl i osgo herfeiddiol y Tywysog yr oedd pryder. Yn nhrymder nos y byddai hwnnw'n cnoi waethaf. Onid oedd yr Edward newydd hwn wedi dysgu holl driciau ymladd gwledydd Cred dros bedair blynedd i ffwrdd o wlad Lloegr fawr? Wrth i'r brenin a'i filwyr grynhoi yn Negannwy casglwyd y da, yn ôl arfer yr oesoedd, i'r mynyddoedd gan gario bwydydd mewn cistiau a diodydd mewn costrelau. Tyrrodd y bobl i'r eglwysi yn ymbil ar i Dduw a'r Forwyn anfon yr hydref yn gynt nag arfer ar bac y gelyn. Roedd yna bob math ar ofnau yn poenydio meddwl y bobl — ofn newyn, ofn anwydon yn y mynyddoedd ac ofn y blaidd.

Draw ar y gorwel roedd llongau rhyfel y gelyn yn ddu fel ellyllon y Fall a mwg yn codi o danau'r gelyn ger Ynys Cybi. Gwasgarodd y Tywysog ei luoedd yn drwch hyd yr ochrau yn ymestyn gyda glannau'r Fenai o waelodion Arllechwedd at Gaer-saint gan amgylchu Eryri. Wrth i'r tadau a'r meibion ymuno â byddinoedd y Tywysog a gadael y merched i ddilyn y da fe ddechreuodd y plant sugno lefain a daeth cryndod dros yr hen bobl.

Dros y dŵr roedd Ynys Môn yn aeddfed i'r cynhaeaf ac o'r fan honno y dôi cynhaliaeth gwŷr Eryri. Ar y bore cyntaf o fis Medi fe redodd negesydd i'r llys yn cyhoeddi bod llongau'r gelyn yn beryglus o agos i'r Ynys a bod dau arglwydd Normanaidd o'r enw John de Vesci ac Otto de Grandson yng ngofal lluoedd y gelyn. Byddai, fe fyddai yno dywallt gwaed o'r diwedd ac fe roes yr hogiau yn Eryri ochenaid o ryddhad gan ddisgwyl y dôi rhyw gymaint o antur i'w rhan wedi'r aros hir. Ond y tro hwn, ysywaeth, roedd y gelyn yn rhy gryf, yn rhy agos i lannau'r Fenai i'w herio o Eryri!

O'r bore argyfyngus hwnnw pan welwyd llongau'r Pum Porthladd, sef y 'Cinque Ports', draw ar y gorwel fe ddechreuodd y mynd a dod gwyllt rhwng y llys yn Abergwyngregyn ac Abaty Aberconwy lle roedd cymrodeddwyr y brenin wedi crynhoi. Rhaid oedd sicrhau rhyw lun o gymod rhag i Eryri hefyd fynd i'w golli. Bellach yr oedd calon eithaf y Dywysogaeth yn y fantol ac Ynys Môn yn friwus agored i ymosodiadau o'r môr mawr.

IX

Un bore yn blygeiniol yng nghwmwd Dindaethwy daeth cwch i'r bae yn union islaw tyddyn un Siôn Ifan a'i fab Ifor ond bod yr olaf, fel degau o hogiau'r Ynys, dros afon Menai ym myddin y Tywysog. Roedd yr awyr yn ffres a'r tywydd yn argoeli tridiau braf i'r medelwyr. Gweithiodd tri gŵr nerthol eu ffordd i fyny ochr y clogwyn heibio i'r cae ŷd at y bwthyn unig a phob un yn cario pladur ar ei ysgwydd.

Tua saith o'r gloch y bore daeth curo ffyrnig ar ddrws y bwthyn. Yno roedd Siôn Ifan, y taid, yn gripil yn ei gwman a'r hen wraig yn hanner dall. Hefyd y ferch a thyaid o blant mân. Ymystwyriodd pawb hefo'r dyrnu caled ac yn hanner cwsg llithrodd Dafydd, yr hynaf o'r plant, ei ffordd i lawr o'r groglofft. Deg oed oedd y bachgen ond yn llawer hŷn na hynny o ran ei grebwyll.

'Dafydd!' gwaeddodd y fam. 'Aros 'ngwas bach i!'

'Ond 'Nhad wedi dwad adra o'r rhyfal, Mam!'

Rhedodd y fam yn wyllt ar ei ôl yn ei chrys nos i'w atal. Cydiodd yn y bachgen a dweud,

'Nid dy dad, Dafydd bach, ond y "nhw" . . . y "nhw" sydd wedi dwad i gynaeafu'r ŷd am fod dynion y brenin yn brin o fwyd yn Abarconwy.'

Ar hynny aeth y bachgen yn gryndod i gyd o dan ei llaw. Meddai wrtho,

'Rhed i'r groglofft i roi dy ddillad bob dydd amdanat, Dafydd!'

Erbyn hynny roedd y dyrnu'n ffyrnicach nag o'r blaen ar ddrws y tŷ. Daeth llais cras yn gweiddi arnynt,

'Open the door, you Celtic brats!'

Erbyn hyn yr oedd Siôn Ifan yn ymbalfalu'i ffordd o'i wely wrth fur y briws. Gwaeddodd ar ei ferch i ddychwelyd i'r groglofft a tharo dillad gwaith drosti.

'Nid gwiw i'r Sacsoniaid gwyllt yna dy weld di yn dy grys nos, ferch. Mi fydd gwanc y rheina yn waeth na bwystfil o gwmpas y lle. Os mai bwyd sy' arnyn nhw ei eisiau, yna can croeso iddyn nhw i fwthyn Siôn Ifan ond nid byth i roi bys ar fy merch i! Ar fy nghorff marw i y digwydd hynny!'

Mewn chwinciad o dro roedd Dafydd a'i fam yn rhuthro am yr eildro i lawr y grisiau o'r groglofft a'r hen ŵr erbyn hyn wedi cyrraedd y ddôr.

'Estyn i dynnu'r bollt, 'merch i, a chadw o'r tu cefn! Gwell i ni agor iddyn nhw rhag iddyn nhw losgi'r lle i'r llawr. Faddeuai Ifor byth i mi tasa hynny'n digwydd. Mae'r Sacsoniaid yma'n arwach pobol na'r Norman!'

Gynted ag yr agorwyd cil y ddôr fe wthiodd tri gŵr nerthol heibio i Siôn gan ei luchio i'r llawr a chwalu wedyn i bob cornel o'r bwthyn fel cŵn ar eu cythlwng. Gyda chymorth Dafydd a'i fam fe lwyddodd yr hen ŵr i sefyll ar ei draed a gweiddi ar yr hen wraig,

'Hei! Margiad! Dos i'r tŷ-llaeth ar ôl y giwad gythril yna. Mae'r hen frenin yna wedi'u llwgu nhw tuag Abarconwy. Gad iddyn nhw gladdu i'r dorth a'r menyn a phopath arall y medran nhw roi eu dwylo arnyn nhw.'

Cododd yr hen wraig hanner dall wedi hynny ac ymbalfalu am y tŷ-llaeth orau y medrai. Ar hynny trodd yr hen ŵr at ei ferch a'i gorchymyn i hel y plant o'i chwmpas ac meddai,

'Faddeuai Ifor byth i mi tasa'r dynion Sacsoniaid yna'n ca'l cyffwrdd bys ynot ti. Gwasga'r babi yna at dy fynwas a fynn gelyn ddim ca'l gwaed gwirion ar 'i gydwybod!'

'Dowch, blant bach!' llefodd yr hen ŵr wedyn. 'Cydiwch yn dynn yn ffedog ych mam . . . gafa'l yn dynn, dynn, blant bach!'

Syrthiodd tawelwch trwm dros dylwyth y tŷ nes i'r tri gŵr nerthol symud o'r diwedd.

'Dyna'r tri gŵr drwg wedi'u digoni o'r diwadd dybiwn i . . . ond sgwn i be' arall sy' yn y caws?'

'*Stop your Celtic prattle, old man!*' llefodd y tewaf o'r tri gŵr gan bwnio Siôn Ifan yn ei frest gaeth. Roedd y ferch ar fin ei rwystro pan syrthiodd llygaid gwancus yr un gŵr ar ei chorff aeddfed. Bron nad aeth y gŵr yn wallgof a dechreuodd ddynesu'n fwystfilaidd tuag ati. Y foment nesaf fe gydiodd Siôn Ifan yn ei ffon a chyda rhyw nerth anhygoel fe wthiodd ei blaen nes taro'r gŵr nerthol yn ei dalcen yn union uwch ben ei lygad de. Gwingodd y gŵr o dan y straen a gweiddi,

'You bloody old man . . . you should be in a stinking grave with the bloody Druids and curse be upon Edward Longshanks for bringing us to this bloody Wales!'

Chwarddodd y ddau ŵr arall ar hynny a'r foment nesaf fe ddaeth llais awdurdodol o'r buarth yn gorchymyn i'r tri dyn ddod allan o'r bwthyn. Dau filwr oedd yno, wedi dod mae'n amlwg i arolygu gwaith y dydd. Roedd y ddau filwr beth yn foneddigeiddiach ac fe gynigiodd yr hen wraig ddiod o fetheglyn iddynt.

'Rhywbath i dawelu'r dyfroedd,' meddai.

Wrth i'r plant dorri allan i grio fel un côr ar lawr y bwthyn fe adfeddiannodd y fam beth o'i hunan-hyder. Hyd yma roedd yr hogyn Dafydd wedi bod yn gwarchod dau o'r plant iau wrth bentan y grât. Trodd ei fam ato,

'Dafydd,' meddai, 'ti ydy'r "dyn" yma heddiw. Dos efo'r milwyr a dangos i'r ddau filwr lle mae'r hoewal. Hwyrach fod arnyn nhw angan cryman neu ddwy a chribin a phicfforch.'

'Ond Mam . . . beth ddeudith 'Nhad?'

Nodiodd y fam i gyfeiriad y ddau filwr a dweud,

'Hwyrach y byddan nhw'n ffeindiach wrthon ni, Dafydd, dim ond i ni roi i mewn iddyn nhw. Tasa'r T'wysog yn gneud yr un peth mi gâi dy dad ddwad adra!'

Oedd, roedd y milwr yn ddigon teg o ran hynny. Trodd at yr hogyn a thynnu'n chwareus yn ei glust a'i gyfarch wrth ei enw, neu o leiaf felly y tybiodd yr hogyn dengmlwydd. Arweiniodd Dafydd y ddau allan i'r buarth a theimlodd yn ddigon cartrefol yn y fan honno. O leiaf ni fedrai'r gelyn ddwyn y tir oedd o dan ei draed. Dilynodd y llwybr heibio i'r cwt mochyn ond yr oedd gwaed yn y fan honno a rhywrai wedi lladd y creadur a thorri darnau cig efo cyllell. Teimlodd yr hogyn gyfog yn ei ymysgaroedd gwag. Ond ymlaen yr aeth heibio i gwt yr ieir. Oedd, roedd gwaed yn y fan honno hefyd. Gwaed yr hen iâr goch oedd i'w lladd at y 'Dolig. Hynny oedd addewid y taid, Siôn Ifan.

Rhedodd yr hogyn wedyn am ei hoedl at ddrws yr hoewal gan adael y gelyn i chwalu ymysg yr offer fel y mynnai. Galwodd y milwr ar ei ôl a thynnu'r hogyn wedyn gerfydd ei glust i'r Cae-dan-tŷ lle roedd yr ŷd yn felyn dwfn i'w gynaeafu. Yno roedd y tri o Sacsoniaid eisoes efo'u pladuriau yn dymchwel yr ŷd. Estynnodd y milwr gryman i'r hogyn gan roi arwydd iddo ddilyn y tri gŵr yn un llinell syth. Cofiodd Dafydd eiriau ei fam pan ddwedodd hi wrtho y bore hwnnw mai fo oedd y 'dyn' ogylch y lle. Plyciodd yr ŷd efo'r pladurwyr ac wrth i bob gwanaf ddisgyn i'r ddaear teimlodd beth o falchder y cenedlaethau yn ei waed. Tymor yn unig oedd tyfiant yr ŷd ond ei eiddo fo a'i dad a'i daid oedd y ddaear. Yn sydyn fe ddiflannodd y ddau filwr i warchod cynaeafu ar dir rhai o'r cymdogion a rywdro tua chanol y bore fe ddaeth y taid, Siôn Ifan, i'r Cae-dan-tŷ hefo costrelaid o laeth enwyn i'r pladurwyr.

'Dafydd! Rhed i'r tŷ at dy fam i ti ga'l enllyn ac i warchod y plant. Mi gydia' i yn y cryman tra byddi di. Y pladurwyr yma ydy'r drwg. Ond feiddian nhw ddim ymosod tra bydd y milwyr o gwmpas Dindaethwy. Cymer di gysur, 'machgan i. Rhyw gae digon tila ydy hwn a'r ŷd yn dena'. Pobol dlodion ydan ni ac fe ŵyr y giwad nad oes yma fawr o fwyd i ddyn nac anifail. Rhed at dy fam, Dafydd.'

Sibrydodd wedyn yn ei glust,

'Hwyrach y cei di dafall o fara a chaws. Un dda ydy dy nain am guddio celc erbyn hirlwm.'

Roedd gan yr hogyn syniad pur dda ymhle y cadwai'r hen wraig y celc hwnnw o fenyn-pot a chig moch o dan un o slabiau cerrig y tŷ-llaeth! Fe redodd am ei hoedl at y giât cefn-tŷ ond erbyn iddo roi troed ar y buarth glynodd ei ddau ben-glin yn ei gilydd fel glud. Oherwydd maint ofnadwyaeth y bore hwnnw a bod ei gorff ifanc yn brin o fwyd prin y medrodd gyrraedd rhiniog y drws. Ond yno yn aros amdano yr oedd ei fam. Lluchiodd ei breichiau amdano.

'Dafydd bach! Tyrd 'ngwas i, i fyny i'r groglofft at y plant. Rydan ni i gyd yn cadw'n dawal fel llygod bach rhag i'r hen ddynion yna ddwad yn ôl.'

Syrthiodd dagrau'r fam ar ben yr hogyn a'r foment nesaf adfeddiannodd Dafydd beth o hyder y bore hwnnw a dringodd yn eofn risiau'r groglofft. Roedd y gweddill o'r plant yn gylch ar y gwely gwellt yn y fan honno.

Estynnodd y fam blatiad o fara a chaws i'r hogyn a llond potyn priddin bychan o laeth enwyn.

'Tyrd, Dafydd bach, i ti ga'l tipyn o nerth yn dy gylla erbyn yr ei di'n ôl i'r Cae-dan-tŷ at Taid.'

Y foment honno fe sylweddolodd Dafydd nad oedd yr hen wraig ogylch y lle.

'Ond Nain . . . ble mae hi?'

'Sh!' sibrydodd ei fam, 'Mi fynnodd fynd efo'i ffon wen a dilyn y cloddia' i'r Pandy a Cae Tanws.'

'Ond mae Nain yn ddall bost!'

'Ond nid felly roedd hi ers talwm, yn 'nabod pob twll yn y clawdd . . . pob adwy. Fe synnat ti mor graff y medar dyn fod mewn cyfyngdar a phan fydd 'i dylwyth o ar drengi.'

Gloywodd llygad Dafydd ar hynny. Os llwyddai'r hen wraig i gyrraedd y Pandy a Cae Tanws siawns na ddôi rhai o'r hogiau i'w gwarchod rhag y Sacsoniaid felltith. Newidiodd yr hogyn ei dôn ar hynny. Dechreuodd gwestiynu.

'Ma'r dynion yna drwy'r bora wedi bod yn sôn am ryw Edward Longshanks . . . fel'na mae o'n swnio beth bynnag. Pwy ydy Edward Longshanks, Mam?'

'Yr hen frenin hwyrach.'

'Hwnna sy' wedi dŵad hefo'i fyddin i Abarconwy. . . . Os felly tydyn nhw ddim yn licio'r dyn . . . a pam maen nhw'n edrach dros 'u 'sgwydda' o hyd, fel tasa arnyn nhw ofn 'u cysgod.'

'Mi ddeudwn i mai dynion o dan awdurdod ydyn nhw ac mai ofn y ddau filwr yna sy' arnyn nhw, a wyddost ti ddim, Dafydd, nad oes ganddyn nhw dŷ a thylwyth yng ngwlad Lloegar.'

'Gwlad Lloegar ddiawl,' sibrydodd yr hogyn ac ni phetrusodd ei fam ei gywiro.

'Be' ydy "blydi" Mam? Mae'r hen ddyn cas yna o'dd yn edrach fel baedd gwyllt arnoch chi yn deud "blydi" bob munud.'

'Rheg hwyrach . . . rhywbath i ga'l bwrw'i lid ar rywun ne' rywbath.'

'Ar Dduw a'r Forwyn hwyrach?'

'Synnwn i dama'd Dafydd! Ond dos di i nôl Taid. Fedar o ddim dal cryman yn hir o achos y cryd yn y cymala'.'

Ie, Taid. Beth tae'r medelwyr wedi lladd yr hen ŵr efo'r pladuriau? Beth tasa fo yn gorffyn a dyn y 'blydi geiria' yna wedi'i gladdu o yn y Cae-dan-tŷ? Llithrodd Dafydd fel ewig ar hynny hyd risiau'r groglofft ac allan i'r buarth. Cododd aroglau llosg i lenwi'r awyr hyd y lle a mwg am y gwelai llygad dros gwmwd Dindaethwy. Yna fe dorrodd lleisiau cyfarwydd ar glust yr hogyn. Lleisiau hogiau'r Pandy a'r Cae Tanws nad oeddynt hyd yma wedi ymuno efo byddin y Tywysog.

'Maen nhw wedi mynd yn y cwch am 'u hoedl ac allan i'r môr mawr. Ddaw'r rheina ddim yn ôl i Ddindaethwy ar chwarae bach! Mi gawn ni lonydd y rhawg ac mae'r mwg yn debyg o'u hel nhw tuag Ynysoedd y Moelrhoniaid ac Ynys Cybi yn ddigon pell o lannau Menai. Mae dynion y T'wysog yn gwylio fel gweilch o Draeth y Lafan i Ddinas Dinlle. Mae siawns y cawn ni saib o leia oddi wrth filwyr a medelwyr cythril Edward Longshanks, fel y byddan nhw yn galw brenin Lloegar.'

Chwarddodd yr hogyn Dafydd yn uchel ar hynny. Onid oedd o wedi clywed yr enw o wefusau'r medelwyr yn y Cae-dan-tŷ? Ond hyd yma doedd dim sôn am Taid!

Daethpwyd o hyd iddo o'r diwedd yn pwyso am ei anadl ar glawdd y Cae-dan-tŷ yn edrych allan i'r môr a gwedd drychiolaeth ar ei wyneb.

'Siôn Ifan!' gwaeddodd yr hogiau. 'Ydach chi'n iawn, yr hen ŵr? Choeliach chi byth, ond mi gyrhaeddodd Margiad Ifan y Pandy yn ddiogal hefo'i ffon wen ac wedyn mi heliodd yr hogia' i 'neud llanast-llosgi rhedyn sych a thomennydd o goed crin a hen geriach tai fel tasa cwmwd Dindaethwy i gyd ar dân! Mi gododd yr haid ddieflig 'u pac wedyn yn ofni 'i bod hi'n uffarn dân arnyn nhw.'

'Diolch i'r Drefn na roisoch chi'r c'aea' ar dân, hogia'. Dyna ydy Rhaglunia'th dda ond feddyli's i 'rioed y gwelwn i ddynion diarth yn medi yn y Cae-dan-tŷ. Naddo 'rioed!'

Roedd yno'r olygfa ryfeddaf yn y cae hwnnw. Un hanner o'r cae yn waneifiau cytbwys glân, yn waith medelwyr proffesiynol y brenin, gydag ambell i wanaf deneuach na'r gweddill lle bu cryman yr hogyn Dafydd wrth y gwaith. Am yr hanner arall o'r Cae-dan-tŷ roedd yr ŷd yn y fan honno yn sefyll yn syth a'r tywysennau yn ysgwyd yn bendrwm yn y tes.

'Peidied neb ag ymyrryd â'r gwaneifiau, hogia', rhag i'r giwad ddwad yn ôl efo'r wawr. Rydan ni'n rhy agos i geg afon Gonwy a hen gaer Degannwy i gadw'r gelyn draw yn hir. . . . Ond ymhle mae Margiad yn ddall fel ag y mae hi?'

'Oni bai am yr hen wraig, Siôn Ifan, mi fydda' medelwyr y gelyn

211

wedi cyrra'dd y Pandy a'r Cae Tanws. Yr hen wraig efo'i ffon wen fentrodd 'i bywyd i'n harbad ni ac wedyn mi helsion ni'r gymdoga'th i yrru'r Fall ar y giwad.'

Meddai Siôn Ifan wrth lusgo rhwng yr hogiau drwy adwy Cae-dan-tŷ,

'Un ddewr fuo Margiad erioed a phan fydd dyn yn hen ac yn ddall fydd ganddo ddim i'w golli. Gwarchod y genhedla'th newydd oedd bwriad yr hen wraig.'

Ar y gair wylodd Siôn Ifan yn hidl. Am ddyddiau wedyn parhaodd hogiau Dindaethwy i warchod y trigolion. Yn y bwthyn bach fe fu Dafydd a'i daid a'i fam dros foreau lawer yn gwrando am sŵn traed y gelyn ar y buarth gan gerdded yn garcus hyd adwy'r cae ŷd ond doedd dim sôn am y medelwyr diarth. Daeth y glawogydd ac fe dduodd y gwaneifiau ond pan ddaeth egwyl arall o dywydd sych fe aeth hogiau'r Pandy a'r Cae Tanws i fedelu gweddill y cae a'i gywain fel y medrid orau i sgubor Siôn Ifan.

Yn fuan wedyn fe gododd mwg du i'r awyr o gymydau Talybolion i Dwrcelyn ac yr oedd cyrff y diniwed yn y pridd a llawer o wŷr y Tywysog yn gelain. Roedd y gelyn hefyd wedi medi llawer o'r cynhaeaf gan ladd y da a noethi'r coed a'r perllannau. Nid oedd dim yn briwio'r Cymry yn waeth na gweld y gelyn yn cymynu'r coed. Yn wir, cysegr yr hen dduwiau oedd y coed a'r dderwen mor hen â'u gwreiddiau hwythau. Y coed a fu'n gwarchod y cenedlaethau, yn gysgod rhag y tes ac yn dal y glaw i ireiddio'r tir. Halogiad oedd i'r gelyn gymynu'r coed!

Wrth i fis Medi dreulio ymlaen, yr awyr yn trymhau a'r adar yn heidio am wledydd pell roedd sôn ym mrig y morwydd bod lluoedd y brenin yn teneuo rhwng Aberconwy a Chaerlleon Fawr ac fe ddechreuodd rhai o wŷr y llys gyhoeddi yn ddigon bostfawr 'nad Duw mo Edward Longshanks'. Meddent,

'Fedar o ddim bwydo'r miloedd milwyr yna ar bysgod môr. Fedar o ddim chwaith gadw'r llongau rhyfal yna'n segur yn y môr mawr yn hir achos llongau'r "Cinque Ports" ydyn nhw a wneith y rheini ddim ond gweithio i'r brenin am hyn a hyn o ddyddia'r flwyddyn. Mi ga'dd 'i dad o, Harri Tri, gythgiam o helynt efo nhw adag rhyfal y barwniaid efo Symwnt Mymffwrdd. Mae yna fôr-ladron yn 'u plith nhw ac mi fedran ochri efo brenin Ffrainc mor rhwydd â newid tywydd.'

Erbyn yr ail wythnos ym mis Medi doedd ond dwy fil o filwyr y brenin yn aros yn Aberconwy ac fe ddychwelodd yntau i'w gaer newydd yn Rhuddlan. Ni wyddai'r werin bobl ddim oll am gyfyngder gwŷr y llys ond o leiaf, rywfodd, rywsut fe ddechreuodd calon y genedl guro fel o'r blaen rhwng mynyddoedd Eryri. Roedd ffydd y Tywysog a'i bobl yn y mynyddoedd yn ddihysbydd. Mae'n wir bod Ynys Môn yn ddiffaith a gwaed y gwirion hyd lawr ond fe ddôi'r gwanwyn drachefn ac yn sgîl hynny fe ddôi'r cnwd i'r maes. Dysgodd y bobl y gellid dal i obeithio tra byddai anadl ynddynt.

X

Canol Hydref 1277

Roedd y Tywysog wedi dianc droeon yn ddiweddar i'r lle a elwid
Y Gell Gudd lle bu'r hen Ysgrifydd ffyddlon, y Crebach, yn treulio
mwy na hanner ei oes. Gan fod chwyn a mieri bellach yn mygu
dôr y gell prin y rhoddodd y genhedlaeth iau sylw i'r lle a rhyw grair
o'r gorffennol oedd y sôn am y Crebach bondigrybwyll. Wrth iddo
droi'r agoriad yn y clo rhydlyd tybiodd Llywelyn iddo glywed llais
y Crebach mor glir ag erioed.

'Roeddwn i'n rhyw obeithio y doet ti'n ôl, Llywelyn, i'r Gell
Gudd. Peth da ydy i ddyn mewn argyfwng chwilio'i enaid ei hun.
Fe fydd rhai yn mynd i'r eglwys ond yr wyt ti o dan ysgymundod
on'd wyt ti? Ond llawn cystal i ti ddwad yma, Llywelyn, i ti ga'l
gola' cliriach ar betha'.'

Yn ôl arfer y blynyddoedd cloi'r drws ar ei ôl a wnaeth y Tywysog
rhag bod rhywrai'n clustfeinio. Yn raddol fe ddaeth i ddygymod
efo hanner gwyll y gell ac yna eistedd ar y fainc lle bu gynt wyneb
yn wyneb â'r Ysgrifydd ffyddlon. Sŵn crafiad main y cwilsyn ar
y memrwn yn dilyn ac yna'r cyfarchiad arferol, *'Princeps Wallie'.*
Roedd y cof am hynny yn agor briw.

O'r tu cefn iddo ar fur y gell yr oedd amlinelliad digon trwsgl
y Crebach o ddaear Cymru ac o ffiniau'r Dywysogaeth yn ei
hanterth. Mor hyfryd bryd hynny oedd yr enwau — Maelienydd,
Gwerthrynion ac Elfael. Nid oedd gan y Tywysog y galon i ddileu
amlinelliad pwyntil y golosg du oddi ar y mur. Fe gâi Amser wneud
hynny. Cysurodd Llywelyn ei hun na fedrai'r Crebach ddannod
iddo bellach na fu iddo gwblhau'r adduned efo'r Ffrancwr Simon
de Montfort i briodi â'i ferch Elinor — y ferch oedd mor ddieithr
iddo â'r nos ei hun hyd yn hyn.

Wrth fyfyrio yn y fan honno teimlodd drachefn fel tae'r Crebach
yn ailgydio yn ei stori.

'Fe wnest yn dda i briodi efo merch Symwnt Mymffwrdd.
Priodas-ddirprwyol, fel y bydd gŵyr yr Eglwys yn galw'r peth. Mae

arnat ti gyfrifoldebau i lawer o bobol, Llywelyn. Aeth dau o Urdd Sant Dominic dros y dŵr i wlad Ffrainc er dy fwyn di a than fendith yr Eglwys fe roddwyd dy fodrwy di ar fys y Dywysoges, Elinor. Beth ydy 'i hanas hi rwan tybad, druan fach? Mi fentrodd hi a'i brawd Amauri i'r môr mawr a herio'r cefndar o frenin . . . brenin gwlad Lloegar.

'Mae Amauri yn garcharor yng Nghastall brwnt Corfe a'i chwaer o dan warchodaeth y cefndar Edward yng Nghastell Windsor. Oes, Llywelyn, mae arnat ti gyfrifoldeb i dylwyth Mymffwrdd a chyfrifoldeb mwy i linach tywysogion Gwynadd. Mi roedd yna sôn fod ym mwriad yr hen frenin ddarnio tir Gwynadd rhwng Owain Goch a Dafydd, y naill yn gripil yng Nghastall Dolbadarn a'r llall fel ceiliog y gwynt. Rhyngddynt fe wnaent smonach o'r Dywysogaeth hardd wnest ti'i hadeiladu garrag wrth garrag, Llywelyn. Dal di dy 'sgwydda'n uchal fel yr hen fynyddoedd yma achos mae gan yr hen Edward ofn y rheini. . . . Cyn i ti 'madael mi ddwedwn i wrthat ti mai da o beth fyddai i ti blygu i droeon Ffawd er mor galad fydd hynny. Gwell colli peth na cholli'r cwbwl ac os oes raid i ti fynd ar dy linia' o flaen y brenin barus yna, siawns na chei di, efo tipyn o berswâd ddwad ag Elinor Mymffwrdd i'r llys yn Abergwyngregyn. Feddyliaist ti erioed, yr hen Lywelyn, tasa gen ti etifadd y basa hwnnw yn nai o bell i Edward Longshanks. Tafla'r dis, 'ngwas i, er mwyn dy bobol ac er mwyn dy freuddwydion. Mi wn ar y gora' nad ydy siarad fel hyn wrth dy fodd di ond prin bod gan ddynion reolaeth ar Amsar. Dal i obeithio pia' hi a rhyw ddydd, pwy a ŵyr na fedri di ail-sefydlu'r Dywysogaeth. . . . Mi gollaist dir ym Mhowys ond draenen yn y cnawd a fu fanno erioed i wŷr Gwynadd. Piti garw, serch hynny, oedd i ti golli Dolforwyn achos roeddat ti wedi rhoi dy galon ar y trysor hwnnw ond mi fetia' i na ddaw dim da fyth i'r sawl a rydd droed ar y gaer honno o hyn allan!'

Hyd yma yr oedd Llywelyn wedi llwyddo i ddianc i'r gell heb i lygad barcud y llys ei weld ond ar y pnawn arbennig hwn yng nghanol mis Hydref doedd dim sôn amdano wrth y ford adeg cwynos. Dechreuodd y cwestiynu.

'Ymhle mae'r Tywysog? Ydy dynion y brenin wedi'i ladd o? Heb y Tywysog fe gawn ninna'n lladd!'

Aeth y neuadd yn ferw. Na, doedd neb wedi gweld y Tywysog

ers rhai oriau. A oedd o wedi syrthio i gysgu yn rhywle a bod y milwyr wedi'i adael yn ddiamddiffyn ar ochr y Carneddau? Edrychodd pawb ar ei gilydd mewn stad o nerfusrwydd. Pwy oedd yn euog o gamwri ac a oedd bradwr yn y llys?

Y pnawn hwnnw, fel y digwyddodd, yr oedd y gŵr Rhisiart Arawn a dyrnaid o'i filwyr wedi dychwelyd i'r llys o warchod y carcharor Owain ap Gruffudd yng Nghastell Dolbadarn rhag i gynllwynwyr y brenin geisio'i ryddhau. Yng nghanol berw'r neuadd daeth i gof Rhisiart Arawn ddigwyddiad arall ymhell yn ôl pan ruthrodd y Crebach allan o'r gell gan weiddi bod ei Dywysog yn marw! Pur anaml y bu'r ffefryn, Rhisiart Arawn, yng nghwmni'r Tywysog yn ddiweddar gan fod gwarchod Castell Dolbadarn yn rhan o'i swyddogaeth ond yr oedd ei fab, Trystan Arawn, yn ddigon uchel ei gloch yng ngosgordd Llywelyn ap Gruffudd. Tybed, meddyliodd, a oedd yr hen wendid wedi gafael yn ei arglwydd unwaith yn rhagor wedi straen y dyddiau diweddar? Cuddio'i salwch a wnaeth yn nyddiau'r Crebach gan alw Rhisiart Arawn yn 'ferchetan drafferthus' a'r Ysgrifydd fel 'dyn o'i go'.

O ganol stŵr y neuadd rhuthrodd Rhisiart Arawn allan i'r garthau a chwilio'i ffordd orau y gallai drwy ddrain a mieri at ddrws y Gell Gudd. Yno'n ddigon siŵr yr oedd ôl troedio diweddar ond mai prin y medrai'r anghyfarwydd ddilyn y llwybr. Curodd Rhisiart Arawn yn ddidrugaredd ar y ddôr a gweiddi,

'F'arglwydd, ydach chi yna? Rhisiart Arawn sy' 'ma! Mae'r llys yn dechra' chwilio amdanoch chi!'

Yn y man daeth sŵn rhiglo mainc hyd lawr caled y gell ac yna gŵr yn ymlwybro'i ffordd at y drws. Teimlodd y milwr ias oer drwy asgwrn ei gefn. Beth os mai'r Crebach ei hun a ddôi i'w agor? Ond na. Yno'n ddigon siŵr yr oedd y Tywysog.

'Diolch i'r Drefn ych bod chi'n fyw!' llefodd y milwr.

Gwenodd y Tywysog arno mewn rhyw osgo o hanner cwsg.

'Tyrd i mewn, Rhisiart Arawn. Wedi syrthio i gysgu yr o'n i, ond nid gwiw i Dywysog gwlad wneud hynny, ddyliwn!'

Sylwodd fod y milwr yn wyn fel y galchen, a'r tro hwn fel yn y troeon o'r blaen, prysurodd i'w gysuro. Rhoddodd law dyner soled ar ei ysgwydd a'i arwain yn ôl i neilltuedd y gell. Meddai, gyda rhyw ddwyster anarferol,

'Fe fu gofal dy fam, Gwenhwyfar, yn fawr drosto i gydol y blynyddoedd ac mor bell yn ôl y dyddiau hynny pan ddaeth dy dad, Rhys Arawn, o'r Berfeddwlad i'r llys. Dyddiau braf weldi! Mae brenin Lloegr fawr yn trio bod yn rhyw fath ar fistar arna'i, Rhisiart Arawn, a'r sôn ydy y bydd y Cochyn yn cael ei ryddhau o Ddolbadarn. Synnwn i ddim na fydd dy fam, Gwenhwyfar, yn cael mynd i'w warchod o i Ben Llŷn. Mi gadwai dy fam wastrodaeth arno fo. Un llym ei thafod fu hi erioed a chystal bod felly pan fydd dynion y brenin o gwmpas! Ond, Rhys Arawn, rydw i am iti weld campwaith y Crebach ffyddlon ar fur y gell, a'r cwbl yn dangos maint y Dywysogaeth belled â chymydau Ceri, Maelienydd a Gwerthrynion hyd dir Buellt a Brycheiniog. Breuddwyd gwych, Rhisiart Arawn, ac fe fynnai'r Crebach fy mod i yn meddiannu tiroedd y Gororau hyd at gastell y gelyn mawr, Rhosier Mortimer yn Wigmor! Rhyfedd o fyd!'

Ysgydwodd ei ben ar hynny a dweud yn dyner fel wrth gyfaill, 'Mae'r hen Grebach yn 'i fedd ers tro byd ond bob tro y do' i yma mae o fel tae o'n siarad efo mi. Yr arwydd ydy crafiad y cwilsyn ar y memrwn. Hwyrach mai breuddwyd ydy'r cwbl ond tae waeth mae o'n adfywhau'r ysbryd, a chofia' di, Rhisiart Arawn, mae hwnnw'n gallu bod yn ddigon isel ar brydiau!'

Pan ymddangosodd y Tywysog o'r diwedd yn y neuadd yng nghwmni Rhisiart Arawn torrodd ochenaid o ryddhad drwy'r lle. Serch hynny roedd yno isel sibrwd fel yn yr hen ddyddiau pan oedd y fam Gwenhwyfar yn arglwyddiaethu yn y llys.

'Welwch chi o, y ffefryn yng nghwmni'r Tywysog! Disgynyddion y milwr Rhys Arawn bob tro a chyda hyn fe fydd yr ŵyr, Trystan Arawn, yn canu'i glodydd hyd y lle ac yn chwilio am ffafrau Llywelyn ap Gruffudd!'

Prin y medrai neb ohonynt amgyffred yr unigrwydd oedd wedi meddiannu Llywelyn ap Gruffudd yn ystod y dyddiau hynny ond ar y min nos arbennig hon yr oedd yna fflach o lawenydd o'i gylch. Âi, fe âi o eto i'r Gell Gudd dro ar ôl tro i gymuno â rhyw anweledig bŵer oedd yn rhyw ddechrau gosod sylfaen unwaith yn rhagor dan ei draed. Nid mater bach fyddai gorfod ymostwng o flaen brenin Lloegr, y llwynog a fynnodd ei bluo fel pluo iâr ar lawr buarth tyddynnwr. Eto, yr oedd Llywelyn ap Gruffudd yn ormod o wleidydd i adael i ryw ddefod felly ei goncro ac nid oedd y llwynog i ddianc heb fod addewid y rhyddheid ei wraig briod gyfreithlon o Gastell Windsor. Gallai y byddai etifedd eto o'i lwynau ei hun a chwerthin etifedd yn y garthau yn Abergwyngregyn! Oedd, yr oedd yr ymweliad y pnawn hwnnw â'r Gell Gudd yn achos rhyfeddod a'r marw fel petai'n parhau i gynghori'r byw. Hwyrach mai rhywbeth felly oedd cyfrinach y dolennau a lwyddai i gydio'r cenedlaethau ynghyd.

XI

*1275 — wyth niwrnod wedi Gŵyl Fair ym Medi ar ganol dydd,
digwyddodd daeargryn yn ysgwyd y Dywysogaeth ac yn
darogan gwae.*

*— yn niwedd y flwyddyn honno bu priodas-ddirprwyol rhwng
Llywelyn ap Gruffudd ac Elinor de Montfort ym Montargis
yng ngwlad Ffrainc.*

*1276 — yn nechrau mis Ionawr gwŷr y brenin yn atal llong tylwyth
Mymffwrdd ger traethau Cernyw a charcharu Amauri de
Montfort yng Nghastell Corfe. Cadwyd ei chwaer, Elinor, yng
Nghastell Windsor.*

*1277 — yn y gwanwyn ymgyrchoedd hyd y Gororau a chwymp
Dolforwyn. Payn de Chaworth yn ymosod ar Ddyffryn Tywi
ac Iarll Warwig yn ymosod ar Bowys Fadog.*

*— y brenin Edward yn crynhoi ei luoedd yn Nghaerlleon Fawr
tua chanol Gorffennaf a sefydlu dwy gaer wedi hynny yn Y
Fflint a Rhuddlan, gan newid cwrs Afon Clwyd.*

*— Llywelyn ap Gruffudd ar y nawfed dydd o fis Tachwedd yn
Abaty Aberconwy yn gosod ei sêl ar Gytundeb Aberconwy a
thrannoeth yn talu gwrogaeth i'r brenin Edward yng Nghastell
Rhuddlan.*

Cytundeb Aberconwy:
'Llywelyn ap Gruffudd i gadw'r hawl ar y teitl Y Tywysog
dros ei oes ei hun . . . i gadw'r hawl ar Wynedd Uwch
Conwy, Edeirnion a Meirionnydd ac o bydd yn ddietifedd
i'w drosglwyddo i'r brenin . . . i dalu mil o forciau am yr
hawl i ddal Ynys Môn . . . i'w ryddhau o'i ysgymundod
wrth iddo ymostwng i'r brenin. Dafydd ap Gruffudd i ddal
Dyffryn Clwyd a Rhufoniog ac Owain ap Gruffudd i ddal
gwlad Llŷn . . .'

Y Brawd Flavius oedd yn croniclo y bore hwnnw o fis Tachwedd
yn y memrwn a fu unwaith yn perthyn i'r cymeriad rhyfeddol

hwnnw, yr Ymennydd Mawr. Ni fu ond y dim iddo ychwanegu troed-nodyn bychan ar waelod y ddalen i'r perwyl . . .

'. . . addewid y brenin i Lywelyn ap Gruffudd y rhyddheid y briodasferch Elinor de Montfort o Gastell Windsor a'i sefydlu yn wraig gyfreithlon iddo.'

Rhyw sibrwd yr oedd gwŷr y llys mai hynny oedd wir wedi bargeinio caled rhwng y Distain Tudur ab Ednyfed, Gronw ap Heilin a gwŷr y Tywysog ar y naill law a gwŷr y brenin ar y llall. Gwŷr y brenin oedd y Brawd William, Pennaeth Urdd Sant Dominic yn nheyrnas Lloegr, Antony Bek, Ysgrifydd y brenin a Robert Tibetot, Ustus y Deheubarth wedi hynny.

Diwrnod trwm niwlog yn nechrau mis Tachwedd oedd hwn yn Aberconwy a phrin y medrid gweld dros yr aber i gaer Degannwy lle roedd rhai cannoedd o wŷr y brenin yn ailgodi'r muriau. Bu cloch yr Abaty yn canu am hydoedd yn union fel tae angladd yn y lle a hwnt ac yma roedd milwyr ogylch yr adeilad — rhai yn gwarchod cynghorwyr y brenin a rhai yn gwarchod y Tywysog a'i gynghorwyr yntau. Ar wahân i hynny doedd na siw na miw yn unman.

Ond yn pwyso ar wal y Cei yr oedd Wali'r cychwr yn syllu'n syfrdan i'r niwl ac i lawr rhodfa'r môr fe ddaeth sŵn taro ffon wen Braint, y gŵr dall, ar y cerrig. Roedd Braint bellach yn gwisgo gwisg Brawd o Urdd y Sistersiaid — gwisg nofis yr Abaty. Er gwaethaf ei ddallineb medrodd synhwyro presenoldeb y cychwr.

'Braidd yn ddywedwst, Wali!' meddai. 'O's gen ti ddim i'w ddweud wrth dy hen gyfell?'

Meddai Wali heb ddal ei anadl bron,

'Ma' Matilda'n sâl . . . yn marw, Braint, a fydd gen i, Wali, neb wedyn. Neb byw bedyddiol!'

Roedd y nofis eglwysig ar fin gwneud arwydd y Groes pan ddywedodd Wali,

'Llai o'r stumia' eglwysig yna, y Brawd Braint. Mi est at wŷr yr eglwys i osgoi dial y Norman pan ddaeth y genfaint wyllt honno wrth y milo'dd i Ddegannwy does fawr yma. Roedd arnat ti ofn iddyn nhw dy nabod di, ti, y milwr yn y Tŵr yn Llunda'n helpodd yr Arglwydd Gruffudd ap Llywelyn i ddianc 'stalwm . . . ond mynd i'w dranc wna'th hwnnw wedyn yntê, Braint, ac mi ddoist titha' am dy fywyd wedyn i chwilio am nodded y Brodyr yn Aberconwy ac i lusgo wrth glogyn yr Ymennydd Mawr!'

Bu tawelwch hir wedyn o'r ddeutu. Meddai Braint o'r diwedd, 'Na, nid osgoi'r Norman, Wali, ond ffoi oddi wrth y drygioni sydd yn y byd. Gwallgofrwydd y Fall a barodd i'r brenin ene anfon y miloedd gwŷr i fwrw i lawr y fforestydd yn Nhegeingl ac arteithio'r tir ar Ynys Môn. Ymyrraeth Rhagluniaeth sy'n gyrru'r hen frenin ene yn ôl bellach i wlad Lloegr.'

'Ymyrra'th Rhaglunia'th yn wir!' torrodd Wali ar ei draws. 'Choelia' i fawr! Weli di mo'r creigia' acw yng nghyfeiriad y Penmaen-bach fel cyrn yn gwarchod yr hen Gymry? Y rheina yrrodd yr hen frenin yn ôl!'

Sylweddolodd Wali'n sydyn nad oedd Braint yn gweld dim oll. Ymataliodd.

'Mae'n ddrwg gen i, Braint! Ysbryd dial yn erbyn y gelyn yn mynd yn drech na synnwyr weithia'. Ond cofia di, tasa Edward wedi dechra' dringo Eryri mi fasa'r Cymry wedi dwad ar 'i bac o fel geifr o begynna' Tal-y-fan a'r Glyder a Tryfan a lleoedd pell felly!'

Trodd y gŵr dall y stori ar hynny.

'Wali! O's gen ti ddim awydd mynd i'r môr?'

'Dim ffiars o beryg, efo'r hen longa' rhyfal yna wedi bod yn gwenwyno'r dŵr ers dechra' mis Awst. Ond os bydd y Brodyr ishio 'sgodyn blasus mi ddaliwn i un ar ochor Eryri o afon Gonwy!'

Peidiodd brwdfrydedd Wali y foment wedyn. Meddai, 'Wneiff yr un 'sgodyn godi stumog Matilda, yn ôl y gymdogas. Wyt ti'n meddwl, Braint, y cawn i ddwad i fyw i'r Abaty wedi i Matilda ein gada'l ni . . . llnau a hel coed tân a ballu?'

Roedd sŵn dagrau yn ei lais efo'r geiriau nesaf, 'Wyt ti'n meddwl, Braint, y basa Matilda yn ca'l angladd gwŷr yr Eglwys? Rhyngot ti a fi tipyn o bechaduras fuo hi 'stalwm. Hel ar ôl y Norman tua Degannwy 'na, yn ôl y sôn. Fan'no y ca'dd hi'r farwol, meddan nhw, i mi ga'l fy ngeni. Ond y tro yma pan dda'th y milo'dd Normaniaid yna i fancw dros y dŵr, mi dda'th ofn dros yr hen wreigan ac Anga' sy'n ca'l y farwol arni rwan.'

Estynnodd y gŵr dall ei fraich at ysgwydd Wali a dweud, 'Fe elli di ryfygu, Wali, yn wyneb Angau ond os cedwi di'n agos at wŷr yr Eglwys fe gei di nodded. Pryderu yr wy' i, Wali, am y

Tywysog Llywelyn ap Gruffudd, y gŵr mawr ag yw e' yn gosod ei sêl y foment hon ar ddogfen y Norman yn yr Abaty ac yn gorfod ymostwng i frenin estron yfory yng Nghastell Rhuddlan. Ond, cofia di, ma'n cymryd gŵr mawr i ymostwng fel ene . . . ymostwng i godi drachefen falle.'

Ar hynny gwnaeth Braint, y nofis dall, arwydd y Groes a ffoi gyda chymorth ei ffon wen am nodded y Brodyr. Parhau i syllu allan drwy'r niwl tua'r môr mawr yr oedd Wali a syrthiodd dagrau heilltion dros ei ruddiau. Peth braf, meddyliodd, oedd bod yn glyfar fel y gwŷr eglwysig a gwŷr y llys. Y foment honno doedd ganddo fo, Wali, yr un enaid byw i ddal ei freichiau. Yn sydyn, ailfeddyliodd a chwilio'r hesg am y cwch. Âi, fe âi o allan i'r môr wedi'r cwbl. Y môr oedd ei gariad cyntaf! Naw wfft i bob llong estron a fu'n hwylio'r glannau! Ac yn raddol fe gododd y niwl y diwrnod hwnnw.

Drannoeth, yn blygeiniol, roedd Wali eto ar ben y Cei pan welodd yr olygfa ryfeddaf erioed yn dynesu i lawr i gyfeiriad ceg yr afon o'r Abaty. Hon oedd yr orymdaith yn cychwyn tua Rhuddlan i gwrdd â'r brenin. Oedd, roedd Wali wedi 'nabod pob un o wŷr Gwynedd — y Tywysog, y Distain a'r Prif Swyddog, Gronw ap Heilin. Roedd o hefyd yn 'nabod gwŷr yr osgordd a'r olwg ar fechgyn fel Trystan Arawn ac Iolo Pen-maen a'r gweddill yn rhyw awgrymu bod y byd wedi mynd â'i ben iddo. Doedd dim disgwyl i Wali 'nabod cynghorwyr y brenin, Antony Bek a Robert Tibetot a'r osgordd niferus. Roedd yno lond y lle hefyd o filwyr yn gwarchod y ddwy ochr i Afon Gonwy. Serch hynny sylwodd Wali bod y Tywysog yn cadw'i ben yn uchel yn union fel tase fo'n cychwyn allan i warchod y Dywysogaeth. Tybed ai gwir y sôn bod Llywelyn ap Gruffudd yn ymostwng i'r brenin er mwyn cael yr hogan Elinor Mymffwrdd yn rhydd a'i dwyn i'r llys yn Abergwyngregyn? Dechreuodd Wali flasu'r syniad hwnnw. Fu erioed ddrwg na fu'n dda i rywun!

Unwaith y cyrhaeddodd y ddwy osgordd yr ochr arall i'r afon, poerodd Wali'r pysgotwr dros ymyl y Cei i'r môr a dweud wrtho'i hun,

'Dyna'r rheina wedi'i throi hi am Langwstennin ac mi fydd Cwmwd Rhos yn drewi o dan 'u traed nhw wedi i filo'dd o ddynion y brenin fod yn chwydu ac yn bwrw'u carthion hyd y lle gydol yr haf poeth.'

Ac felly yn wir yr oedd.

Carfan gymysg oedd carfan y Tywysog, yn cynnwys gwŷr o'r Deheubarth ac yn eu plith ddau o feibion yr hen Rhys Fychan o Ddyffryn Tywi a ffodd i Wynedd rhag llid y Norman, Payn de Chaworth. Digon aflonydd eu byd oedd hogiau'r osgordd hefyd yn ysu am waed y gelyn ac yn chwerw yn narostyngiad eu Tywysog. Torrodd isel sibrwd yn eu mysg wrth iddynt farchogaeth o gwmwd Rhos a thros Forfa Rhuddlan.

'Ma'r hen Forfa yma'n union fel tasa Satan 'i hun wedi bod yn 'i 'redig!'

Lle digon moel oedd yno ar y gorau ond yn dilyn rhaib byddinoedd y brenin prin bod un arwydd o wyrddni yn aros.

'Tasan ni'n gweld y difrod ar fforest Tegeingl mi aem yn wallgo,' ychwanegodd rhywrai. 'Trueni na fasan ni wedi cynna' coelcerth a dal dynion y brenin i rostio yn y fflama'.'

Ond eisoes o gyfeiriad y bryniau uwch ben y môr roedd aroglau llosg yn codi. Meddai rhywun,

'Y Meibion yn cynna' coelcerthi i rybuddio'r Norman mai ''dynion dwad'' ydyn nhw ac na fydd byth aelwyd gyfforddus i Edward Longshanks yn y gaer newydd yn Rhuddlan ac y daw dial am iddo fo newid cwrs Afon Clwyd!'

Roedd yna dristwch yn ogystal ymysg bechgyn yr osgordd a'r tristaf yn eu plith oedd y ddeuddyn Trystan Arawn ac Iolo Penmaen, y ddau filwr ifanc a welodd gwymp y gaer yn Nolforwyn.

'Tryst!' meddai Iolo yn dawel. 'Gwastraff amsar oedd i ni fod yn ymladd ar lan yr Hafren ac i feddwl bod Einion Sychnant wedi marw yn y gaer yn Nolforwyn a bellach yn gorwadd yn naear Powys . . . mor bell o Wynadd! . . . ac i feddwl bod y Tywysog yn rhoi'r cwbwl yn ôl bellach i'r hen frenin ddiawl!'

'Sh!' meddai'i gyfaill. 'Ma'r hen Forfa yma yn glustia' i gyd ac mi all gair croes wthio cyllell i gefn!'

Yn dynn wrth sodlau'r bechgyn hyn roedd dau lanc ifanc yn newyddian i'r osgordd ac ni fedrai Trystan eu goddef. Y naill oedd Gruffudd ab yr Ynad a'r llall Deio fab y Coediwr. Dau o Ddolwyddelan oeddynt. Pam roedd yn rhaid i'r Tywysog ddod â'r ddau hyn i'w ganlyn? Roedd yr hogyn Gruffudd yn ffefryn yn y llys ac yn cynffonna efo Bleddyn Fardd. Roedd o hefyd yn ffefryn efo'r Tywysog. Pen mawr oedd yr hogyn! Sylwodd Trystan ei fod o'n tyfu i fod yn llanc tal golygus ac yn cadw'n barhaus wrth ochr yr eneth Angharad Wen. Meddai Iolo wrth ei ffrind,

'Rwyt ti'n berwi o wenwyn on'd wyt ti, Tryst, am dy fod di dros dy ben mewn cariad efo'r hogan Angharad yna! Ma'r hogyn yn frawd-maeth i'r hogan ac mae yna ryw sôn bod perthynas gwaed rhyngddo fo a'r T'wysog.'

Ond doedd fawr o gysur yn y geiriau i'r llanc Trystan. Prin y cafodd o olwg ar yr hogan er pan gyrhaeddodd yn ôl o dir Powys gan iddo fo a'i gyd-filwyr fod yn gwarchod ffiniau Eryri byth wedyn. Na, fedrai o ddim goddef Gruffudd ab yr Ynad!

Torrwyd ar feddyliau'r bechgyn pan ymddangosodd gosgordd arall yn croesi'r Morfa i'w cyfarfod — gwŷr y brenin Edward bob un ohonynt.

Yno i gwrdd â'r Tywysog Llywelyn ap Gruffudd yr oedd Robert Burnell, Canghellor y brenin a Henri de Lacy, Iarll Lincoln. Yng nghwt y rheini roedd Anian, esgob Llanelwy — y Brawd Du o Nannau a fu'n bennaf gyfrifol am ysgymundod Llywelyn!

'Y bradwr o esgobyn!' sibrydodd yr hogiau. 'Hwn ddaeth â thranc y Dywysoga'th!'

Ond parhau i gadw'i ben yn uchel yr oedd Llywelyn ap Gruffudd a mynnodd yr hogiau ei fod yntau hefyd yn cadw rhyw gyfrinach yn gudd o dan ei gesail yn rhywle.

Ond Ow! wrth iddynt gyrraedd cyffiniau Rhuddlan, fel yr oedd newid cwrs Afon Clwyd wedi troi'r lle yn ddiffeithwch! Roedd y dyffryn yn fudreddi o glai. Milwyr y brenin ymhob cilfach a llongau'r gelyn draw tua'r gorwel.

Rhyw le digon di-sut hyd yma oedd Neuadd Castell Rhuddlan, hyd yn oed i'r Cymry digon anwar eu gwedd. Y muriau'n foel a llwyfan dros-dro wedi'i godi yn yr eithaf pellaf lle roedd bwrdd a chadair y brenin. Dros y bwrdd hwnnw taenwyd cwrlid taselog yn gyfrodedd o addurniadau'r Dwyrain. Roedd rhyw swyddog ar frys wedi gosod rhimyn o garped main lliw sgarlad hyd ganol y Neuadd yn arwain at orseddle'r brenin.

Pan ddaeth yr awr o'r diwedd i'r Tywysog ymostwng i dalu gwrogaeth i'r gŵr hwnnw synnodd bechgyn yr osgordd o'i weld yn cynnal yr hen falchder oedd yn nodweddu'r hil. Hyd yn oed wrth iddo wrando ar huodledd y Canghellor yn cyhoeddi tynged ei Dywysogaeth ni symudodd amrant y llygad ddim. Ond yr oedd amrant llygad chwith y brenin yn llaes dros y gannwyll ac yn cuddio oerni glas y llygad hwnnw. Didostur hefyd oedd y lleisiau mileinig yn adleisio o furiau oer y castell wrth i Lywelyn ap Gruffudd arwyddo'r sgrôl oedd ar fwrdd y brenin. Edliw yr oedd y lleisiau.

'Fe gest dy luchio'n ôl ddeng mlynedd ar hugain o'r bron, Llywelyn, y tu mewn i ffiniau Gwynedd Uwch Conwy gyda Meirionnydd a gwlad Edeirnion yn friwsion. Fe gollaist y Berfeddwlad yn ei chrynswth ac mae disgwyl i ti brynu Ynys Môn yn ôl o ddwylo'r gelyn. Meddylia bod yn rhaid i ti brynu dy wlad dy hun oddi ar estron. Prin y meddyliaist ti, Llywelyn, bod y brenin newydd hwn o wneuthuriad caletach na'r hen frenin, ei dad. Carreg galed iawn ond na hidia ormod, rwyt ti o hyd yn cario'r enw "Tywysog" ac yn gwisgo'r goron a synnem ni ddim nad wyt ti a'r Distain yn cuddio rhyw gyfrinach yn rhywle. Dy gysur pennaf di ydy'r hen fynyddoedd yna. Does yr un gelyn wedi concro mynyddoedd Eryri hyd yn hyn ac mae Meibion Uthr Wyddel, na fynn gwerin gwlad eu harddel, yn swatio fel bleiddiaid yn gwarchod y ffiniau i ti, Llywelyn. Bu farw rhai heb fod sôn amdanynt . . .'

Synnodd yr osgordd fwyfwy pan eisteddodd Llywelyn ap Gruffudd a'i uchel swyddogion wrth fwrdd y brenin i'r wledd. Y Tywysog ochr yn ochr ag Edward Longshanks yn sgwrsio fel hen gydnabod! Milwyr oedd y bechgyn heb fod yn deall cyfrwystra gwleidyddion. Tybed bod rhyw wirionedd wedi'r cwbl yn y sôn am briodas go-iawn ryw ddydd rhwng y Tywysog ac Elinor Mymffwrdd? Wedyn gallai o fod yn rhan o garennydd tylwyth brenhinol Lloegr Fawr fel ei daid Llywelyn ab Iorwerth! Fe ddôi rhamant i'r llys yn Abergwyngregyn a byddai hynny wrth fodd yr egin feirdd. Fe loywodd llygaid ifainc Gruffudd ab yr Ynad wrth freuddwydio am y peth. I'r merched o fewn y llys fe fyddai unrhyw beth yn well na'r sôn bod y Tywysog yn mela rhwng y ddwy 'goeden' Collen a Llwyfen yn Neuadd Uthr Wyddel! Chwyddo fel caseg eira yr oedd sibrydion felly, yn fêl i rai ac yn fustl i eraill.

Ar drawiad amrant fel petai, roedd y mater o drosglwyddo'r etifeddiaeth drosodd ac wrth ddychwelyd yn ôl i Arllechwedd y noson honno o fis Tachwedd, fe ddringodd y Tywysog a rhai o'i uchel swyddogion a rhan o'r osgordd tua Neuadd Uthr Wyddel yn ôl arfer y cyfnod diwethaf hwn. Fel y gellid disgwyl roedd y lle yn fwstwr mawr o wŷr garw yr olwg wedi hel o du draw yr afon lle roedd milwyr y brenin yn llercian yn y cysgodion. Roedd yno un llanc efo craith ddiweddar ar ei foch a'r dolur heb lawn groenio. Dafydd fab Tabitha oedd y llanc a ddaeth yno efo'r hogiau o Nant Peris ac ar hwn y rhoes Orion y forwyn llys ei serch. Trawodd Llywelyn ap Gruffudd olwg sydyn ar y gŵr ifanc heb wybod ei fod yn fab y Tabitha honno a fu'n ymgeleddu'i frawd dros flynyddoedd maith — y carcharor Owain Goch yng Nghastell Dolbadarn. Craith o un o'r sgarmesoedd mileinig efo'r Norman yn Is Conwy oedd hon wrth geisio gwarchod tir y Tywysog. Na, doedd dim disgwyl i Dywysog gwlad allu amgyffred dioddefaint ei bobl drosto.

Fe anghofiwyd am y graith ar wyneb Dafydd fab Tabitha pan ddaeth yno garfan o feirdd o Uwch Aled i'r lle. Efo'r rhai hynny roedd Telynor Elwy a oedd wedi deisyfu am gael canu moliant yr hen fardd Dafydd Benfras i Lywelyn ddegau o weithiau cyn hyn. Ond fel pry'r gannwyll doedd dim dal ar y Tywysog ysywaeth! Yn ddiymdroi bwriodd y Telynor ati i diwnio tannau'i delyn a chanu'r gerdd hir o gan llinell yn clodfori ymgyrchoedd y Tywysog. Ni ddaeth i feddwl Telynor Elwy ei fod yn briwio'r gŵr wrth sôn am y 'Breiniawg Llywelyn', yr 'Arbennig Wledig' a fu'n ymgyrchu ym Mryn Buga ar Afon Wysg, yng Nghydweli, yn Nyffryn Tywi a ger Carreg Hofa ym Mhowys. Fel yr oedd y gân yn cyflymu'i hapêl wrth sôn am y mannau teg ger Hafren — Rhyd Chwima, Gwerthrynion, Maelienydd, Ceri a Chedewain aeth y geiriau yn drech na'r Tywysog. Cododd arno hiraeth affwysol a llithrodd am gysur at y ddwy efell, Collen a Llwyfen, oedd yn eistedd mor glòs yn ei gilydd â dwy eirinen. Gwthio rhyngddynt gan eu gwahanu a lluchio'i ddwyfraich drostynt. Mor gynnes, mor aeddfed oedd corff yr efell Collen a'i ddwylo yng nghysgodion y Neuadd yn chwilio meddalwch ei chnawd ifanc — ei gwallt, ei gwddf, ei bronnau. Ond eto, yr oedd arno o hyd rwystredigaeth Tywysog — 'Tywysog Gwynedd' yn unig, ysywaeth, bellach — ond rhwystredigaeth serch hynny.

Ond dal i ganu yr oedd Telynor Elwy am y Llywelyn ap Gruffudd hwnnw, y gŵr oedd â holl Gymru o dan ei faner:

Mi yw ei bencerdd mawr yw ei angerdd,
Mynegais ei gerdd ffordd y cerdda.
Mwyfwy ei gythrudd, mireinfab Gruffudd,
Mae yn ei ddeurudd ddawn ni chilia.

Rhwng cynhesrwydd corff yr eneth a'r hiraeth am y mannau a gollwyd llifodd dagrau i lawr wyneb Llywelyn ap Gruffudd. Hwn oedd y gŵr caled, grymus a welodd sgubo ymaith bob rhwystr yn ei ffordd am yn agos i chwarter canrif. Wrth iddo lacio gafael ar yr efell Llwyfen gwyrodd ei chorff gwan ar ysgwydd ei thad Uthr Wyddel a gwnaeth ei chwaer Collen osgo i'w thywys allan o'r Neuadd i ddiogelwch eu stafell wely. Cyn mynd, fodd bynnag, cymerodd ei hances boced i sychu'r dagrau oddi ar wyneb Llywelyn ap Gruffudd a sibrwd,

'F'arglwydd Llywelyn! Y nos sy'n dywyll. Fe fydd yfory yn well!'

Ymadawodd y ddwy efell yn dynn yn ei gilydd a'r ferch ryfeddol honno, Collen, yn cynnal y brigyn brau a elwid Llwyfen. Erbyn meddwl, brigyn brau bellach oedd ei Gymru yntau, y Tywysog. Cododd Llywelyn a'u dilyn at ddrws y Neuadd a chydio ym mraich yr efell Collen. Meddai,

' 'Mechan i, rwyt ti'n werth y byd on'd wyt ti, ac yn ddigon da i lonni calon Tywysog.'

Prin y sylwodd neb ar y cyffro syml hwn yng ngoleuni pŵl y Neuadd y noson honno. Wedi i'r ddwy efell ymadael llithrodd Llywelyn yn ôl i ganol ei wŷr ac unwaith eto roedd geiriau'r telynor yn dal i atseinio hyd y lle o gerdd Dafydd Benfras.

'Fe fydd yfory yn well.' Ie, dyna oedd geiriau'r eneth Collen. Rhyw ddydd fe âi yntau'n ôl i adfeddiannu tir y Gororau fel o'r blaen, yn union fel y'i croniclwyd gan yr hen fardd:

Degfed ddigysellt, dug ato Fuellt —
Dibellt, a'i fflamwellt y'i fflamycha.

Ac ni ddôi clwyf iddo o'r ffagl honno.

227

Rhan III
Eleanor De Montfort
1278—1282

I

Yn hwyr y noswaith cynt cyrhaeddodd Llywelyn ap Gruffudd, ei uchel swyddogion, y mân arglwyddi a'r osgordd ddinas Caerwrangon gogyfer â phriodas y Tywysog â merch yr arglwydd mawr, Simon de Montfort. Fel yr oedd y bore hir-ddisgwyliedig yn gwawrio dechreuodd llanciau ifanc yr osgordd anesmwytho a sibrwd ymysg ei gilydd. Trystan Arawn a Iolo Pen-maen fyddai'n gyrru'r sgwrs i gerdded.

'Ydach chi'n cofio gorchymyn y Distain, hogiau?' meddai Trystan. 'Bechgyn gosgordd y Tywysog i sefyll yn stond, y pen yn uchel, y sodlau ynghyd, y cleddyf ar yr ysgwydd a chadw'r llygad o'ch blaen fel y bydd y tylwyth brenhinol yn dynesu at borth yr eglwys.'

'Ond mi fyddi di, Trystan Arawn, yn llygada i gyd pan ddaw Elinor Mymffwrdd ym mraich y cefndar, Edward Longshanks, at y porth. Mi fyddi di a Iolo Pen-maen wedi llygadu'r morynion o'u pen i'r traed mi wranta!' chwarddodd rhywun.

Ond ar y bore arbennig hwn yng nghanol gwlad y Norman yr oedd pob math ar ofnau wedi meddiannu hogiau Gwynedd. Adeg y Nadolig y flwyddyn cynt fe fuont i gyd yn gwersylla oddi allan i ddinas fawr Llundain ac yn treulio Gŵyl y Geni yng ngwyddfod gwŷr y brenin Edward a'r Frenhines Elinor o Gastîl. Y pryd hwnnw y daeth eu Tywysog i dalu gwrogaeth i frenin Lloegr am yr hawl i ddal y teitl o Dywysog Gwynedd!

Trystan Arawn oedd y cyntaf i atgoffa'r bechgyn o ddiflastod y dyddiau hynny:

'Doedd yna ddim digon o laeth i ni 'i ga'l i'w yfed a doeddan ni ddim yn licio gwinoedd na chwrw Llunda'n fawr a dyna lle roedd y Normaniaid yn edrach arnon ni fel tasan ni'n angenfilod. Roeddan nhw'n dilorni'n gwisgoedd ni ac mi ddeudson ni y byddai'n well gynnon ni farw yn amddiffyn ein gwlad na dwad i'r fath uffarn wedyn. Ond yma yr ydan ni eto, hogia. Yma o barch i Elinor

Mymffwrdd ac er cof am 'i thad hi, pwy bynnag oedd hwnnw . .
. coblyn o ddyn mawr yn ôl y T'wysog. Braint, medda fo, fydd ca'l
Elinor Mymffwrdd yn D'wysogas Gwynadd. Siawns na chawn ni
d'wysogion bach wedyn!'

Chwarddodd yr hogiau'n galonnog ar hynny am y waith gyntaf
er iddynt gyrraedd dinas Caerwrangon. Yr unig un tawel yn eu plith
oedd Gruffudd ab yr Ynad yn llygadu darn o femrwn yn y llwyd-
olau a Deio fab y Coediwr yn plygu dros ei ysgwydd fel tae'n astudio
gwaith Ysgrifwr. Glynodd y ddau hynny yn ei gilydd fel gelen er
y diwrnod cyntaf y daethant o Ddolwyddelan i'r llys yn
Abergwyngregyn. Roedd cenfigen yn dal i gorddi Trystan Arawn
am nad oedd hyd yma wedi llwyddo i ddenu calon yr eneth
Angharad Wen am fod honno yn wastad yng nghwmni ei brawd-
maeth, Gruffudd ab yr Ynad!

Ni fedrodd Trystan ymatal hyd yn oed ar y bore hwn:
'Dwyt ti 'rioed wedi dwad â chân foliant i'th ganlyn, Gruffudd,
i Elinor Mymffwrdd. Fydd y Longshanks yn dallt yr un gair o
hwnna!'

'Taw, Tryst,' ymbiliodd Iolo Pen-maen,' a gad lonydd i'r hogyn.
Mae'r hogan Angharad yna yn cnoi yn dy berfadd di fel cnonyn.
Tasa gen ti lond gwniadur o blwc mi fyddat wedi'i sodro hi bellach!'

Sorrodd yr hogyn Trystan yn bwt am sbel wedyn ond ar air y
Distain fe syrthiodd pob un o hogiau gosgordd Llywelyn ap
Gruffudd i'w le priodol yn yr orymdaith at eglwys dinas
Caerwrangon.

Cynullodd gosgordd y Cymry yn rhes hir ar y naill ochr i'r rhodfa
goed a oedd yn arwain at borth yr eglwys gadeiriol. Wrth iddynt
aros am ddyfodiad eu Tywysog syrthiodd tawelwch drwy'r lle heb
ddim ond mân gynnwrf y dorf a oedd wedi ymgasglu hyd y
strydoedd i weld y brenin a merch Simon de Montfort. Codwyd
baner Llywelyn ap Gruffudd yn uchel wrth i wŷr y llys gyrraedd
y fan a disgleiriodd pedair draig pais-arfau Tywysog y Cymry yn
haul y bore hwnnw o fis Hydref.

'*Bloody dragons of the Celts!*' gwaeddodd rhyw lefnyn o dan ei
anadl. '*Louts who drink the blood of sows and live in the mire!*'

Efo'r gair hwnnw symudodd y milwr Trystan Arawn ei droed

232

y mymryn lleiaf a chan droi at y llanc meddai yn ddigon hyglyw
i beri i hwnnw swatio yn ei blu,
   'Bloody Saxons all!'
Fel y digwyddai dyna'r cwbl o iaith y Sacsoniaid a wyddai Trystan
Arawn a rhywbeth a glywodd pan ddaeth yr haid efo'u pladuriau
i fedi'r ŷd ym Môn oedd hwnnw!
   Adfeddiannodd y bechgyn eu hyder wrth weld eu Tywysog yn
cerdded ymlaen yn hyderus gyda'r gŵr ifanc tal Gronw ap Heilin
megis tarian wrth ei ochr. O'r tu cefn iddynt hwythau roedd y mân
arglwyddi o Wynedd ac Edeirnion a Meirionnydd a phrin bod un
gair o iaith y Sacsoniaid ar wefusau'r rheini ychwaith.
   Roedd y Tywysog yn gwisgo mantell o sgarlad melfed tywyll gyda
ffwr carlwm o amgylch y gwddf a'r llewys, a choron ar ei ben.
Rhythodd bechgyn yr osgordd ar eu Tywysog. Meddai Iolo Pen-
maen o dan ei anadl:
   'O ble da'th y fantell yna, Tryst?'
   'O gist yr hen D'wysog Llywelyn ab Iorwerth, debyg.'
   'Paid â malu. Mi fydda' honno'n dwll.'
   'O gist y cefndar newydd hw'rach . . . o wlad Gasgwyn!'
   'Ond nid coron y Berffro ydy honna ar 'i ben o! Fentra' o ddim
dwad â honno i wlad estron. Mae o'n cadw honno yn Abaty Cymar
fel secwndid. Rhyw goron g'neud ydy hon sy' ar 'i ben o heddiw
yn llawn o batrwm dail y dderwen a mes o berla' gwyn yn y corneli.'
   Unwaith y cyrhaeddodd y Tywysog ris uchaf porth yr eglwys fe
dorrodd awyrgylch ddisgwylgar hyd y lle.
   'Mae'r brenin ar 'i ffordd! Mae'r briodasferch ar 'i ffordd!'
   Bellach yr oedd hi bron yn ganol Hydref a'r coed wedi'u
dinoethi'n llwyr bron ond eto roedd ambell ddeilen unig yn cwhwfan
yn awel ysgafn y bore a'r lliwiau'n gyforiog o frown a melyn a choch
ac ambr wrth i'r haul fentro allan rhwng y brigau. Canodd clychau'r
eglwys yn uchel, uchel nes atseinio dros y wlad o amgylch a bellach
tyrrodd dwsinau o'r trefwyr hyd yr ymylon. Roedd eraill hyd y ffyrdd
a'r pontydd yn ceisio cael cipolwg ar y garfan frenhinol. Y trydydd
ar ddeg o Hydref! Diwrnod anlwcus, meddai rhywun. Ond unwaith
y daeth y brenin o fewn cyrraedd gellid clywed y bloeddio, 'Hir
oes . . . hir oes i'n brenin!'
   Wrth i'r brenin gamu allan o'r cerbyd brenhinol bron na faglodd

ei droed yng ngodre'r fantell ysblennydd o ddefnydd coch dwfn a sidan drutaf Arras yn cordeddu drwyddo. Roedd ei goron ef yn llawn o berlau gwerthfawrocaf y Dwyrain. Cydiodd y brenin yn llaw'r briodasferch ac fe'i dilynwyd hithau gan y morynion. Ar flaen y morynion yr oedd Elinor, merch hynaf y brenin, yn un mlwydd ar ddeg a'i harddwch ar flodeuo.

Y brenin a ddaeth i olwg hogiau gosgordd y Tywysog gyntaf wrth iddo roi troed ar rodfa'r eglwys. I ambell enaid trist fel eiddo Gruffudd ab yr Ynad bron nad oedd y coed yw yn wylo o'i blegid. Hwn oedd y brenin ysgwyddog gyda chaead y llygad chwith yn gwyro'r mymryn lleiaf, y milwr tal a ddysgodd holl gelfyddyd milwrio gwledydd Cred ar y daith i'r Crwsâd, y gŵr a ddaeth â deng mil a mwy o wŷr-traed i lannau afon Gonwy ac a fedodd gynhaeaf gwŷr Môn flwyddyn a mis cyn hyn! Roedd calon y Gruffudd ifanc yn curo yn ei frest fel calon dryw bach y funud honno.

O'r diwedd, a'r clychau yn dal i ganu, fe ymddangosodd y briodferch yn y tro lle roedd y coed yw ar waelod rhodfa'r eglwys. Aeth pawb yn fud. Dyma ferch yr arwr hwnnw, Simon de Montfort, merch y drasiedi fawr, yn ymddangos yn y cnawd oddi allan i eglwys Caerwrangon! Ei thad a'i brawd Henry yn naear Evesham, ei mam yn naear gwlad Ffrainc, Simon yn farw yn dilyn llofruddio Henry o Almain yn Viterbo, Guy, y llofrudd, yn ffoadur ac Amauri yn garcharor y brenin yng Nghastell Corfe. Eto cerddodd y ferch yn hyderus i'w phriodas yn teimlo yng nghraidd ei bodolaeth bod ei thad Simon de Montfort yno'n ei disgwyl yn eglwys Caerwrangon. Oherwydd y tymor hydrefol, roedd ei gwisg o'r gwlân meinaf yn bod ac wedi'i wau'n gywrain gan wehyddion y brenin. Lliwur y brenin hefyd a roes y wawr felynfrown yn y gwlân a gwniadyddesau'r llys a fu'n gweithio'r brodwaith o ffurfiau mân ddail yn gymysg o oren, aur ac ambr. Roedd y cêp dros ei hysgwydd o'r un ffurf â'r wisg.

Dros flwyddyn a mwy fe fu Elinor a'r frenhines yn bennaf ffrindiau ac fe gymerodd fisoedd hir i drefnu'r briodas hon. Byddai priodas yn yr hydref yn dwyn yr Elinor ifanc yn ôl i erddi Castell Kenilworth lle bu hi'n eneth fach yn dilyn ei thad hyd y lawntiau. Simon, y tad arbennig hwn, oedd yn arwain y barwniaid yn yr ymgyrch fawr am ryddid yn erbyn gormes y frenhiniaeth! Simon, y tad a ewyllysiodd ei bod hi i briodi â Llywelyn ap Gruffudd, Tywysog y Cymry.

Ar ben y briodferch a'r trwch o wallt tonnog brown golau oedd iddi fe orweddai coron ysgafn o aur pur a phatrymwaith honno eto yn llawn o fân ddail y dderwen fel yng nghoron y priodfab. Er na welodd hi erioed ei Thywysog fe fynnodd hi gynllunio holl batrymwaith y gwisgoedd priodasol. Merch Simon de Montfort oedd hi wedi'r cwbl a hyd yma nid oedd gofidiau'r blynyddoedd wedi'i llethu. Oedd, roedd hi'n hardd y bore hwnnw, fel duwies, yn dalach os rhywbeth na'r priodfab. Mynnai rhai ei bod yr un ffunud â'i chefnder y brenin ond i'r sawl oedd yn adnabod tylwyth Montfort l'Amauri anodd fyddai i hwnnw wrthod ei thras.

Gyda dyfodiad y briodasferch hardd hon fe dynnwyd gosgordd y Tywysog oddi ar eu gwyliadwriaeth am un eiliad fer. Meddai Iolo Pen-maen,

'Tryst! Ddaw dy Angharad Wen di ddim o fewn milltir i honna!'

Rhoes Trystan Arawn winc lydan ar hynny fel petai'n dweud,

'Aros di'r Penci nes y caiff Angharad Wen ei phig i mewn i stafall y Dywysogas yn Abargwyngregyn a fydd yna neb i'w chyrra'dd hi wedyn!'

Ond bellach yr oedd Elinor yn cerdded i lawr ystlys yr eglwys tuag at yr allor ar ysgwydd y brenin. Cododd y mynaich yn y Côr ar hynny gan lafarganu anthem y briodas. Cododd hiraeth arni hithau am leianod y Cwfaint ym Montargis bell ar y dydd du hwnnw yn angladd ei mam, yr Iarlles Elinor.

Yn fecanyddol yr aeth hi drwy ddefod y briodas â'r gŵr hen o Eryri y dwedid ei fod yn wyth a deugain oed!

'A gymeri di? . . . Cymeraf! . . .'

'A gymeri di? . . . Cymeraf! . . .'

Ac yna'n sydyn fel yr oedd y priodfab yn tynnu'r fodrwy-ddirprwyol oddi ar fys y briodasferch gan osod y fodrwy newydd yn ei lle fe deimlodd Elinor y llaw arw ond cadarn a thyner fel llaw ei thad yn cydio yn ei llaw hithau. Mentrodd edrych y foment hon i gyfeiriad y gŵr hwn o Gymro wrth ei hochr. Gwenodd y gŵr arni ei wên chwareus llawn bodlonrwydd. Onid oedd o wedi aros yn agos i bymtheng mlynedd am y foment hon? Gwasgodd ei llaw yn dynnach yn ei law ei hun wrth iddynt benlinio ar y llawr carreg gerllaw yr allor. Daeth sicrwydd i'r eneth ac ymdeimlad o ddiogelwch na theimlodd er dyddiau Castell Kenilworth yn llaw ei thad. Byddai, fe fyddai hi'n ddedwydd yn y lle efo'r enw hir hwnnw ger afon Menai. Roedd yr hen wraig hanner dall a fu'n nyddu ger y lawnt yng Nghastell Windsor wedi ei dysgu i ynganu'r enw anodd 'Abergwyngregyn'.

Oddi allan i ddrws yr eglwys yr oedd Marie, y forwyn fach, yn aros am ei meistres. Gynted ag y rhoddodd Elinor ei throed ar lawr y porth fe redodd Marie a lluchio'i breichiau amdani.

'Oh! Demoiselle!' gwaeddodd, a'r dagrau yn llifo i lawr ei gruddiau.

'Non,' meddai rhywun y foment nesaf, 'Madame!'

Hwyrach yn wir mai felly y dylid cyfarch gwraig briod ond yr annwyl Demoiselle a fyddai ei meistres i'r forwyn fach byth. Yna fe ddigwyddodd rhywbeth a barodd fawr lawenydd i'r dorf. Plygodd y Tywysog at y briodferch a'i chusanu'n dyner ar ei boch a'r eiliad nesaf cydiodd yn y forwyn fach a'i thynnu'n dynn at ochr ei meistres a sibrwd rhywbeth yn iaith y Cymry y byddai croeso i'r forwyn fach hefyd yn y llys yn Abergwyngregyn. Ychydig a wyddai fod yr hen wraig hanner dall yn Windsor — yr hen Gymraes — wedi dysgu llawer o iaith y Cymry i'r ddwy Normanes.

Yn cysgodi gyda'i morynion o dan un o fwâu'r porth yr oedd y Frenhines Elinor yn aros i gofleidio'r briodferch. Roedd hi'n feichiog unwaith yn rhagor ac yn taer erfyn y bendithid hi y tro hwn â mab a ddôi'n etifedd y deyrnas. Eisoes bu farw dau o'r bechgyn, John a Henry, a gwachul ar y gorau oedd Alfonso, yr olaf ohonynt. Dwedid ei bod yn wraig ffrwythlon iawn ond y merched oedd yn ennill bob tro ac yn goroesi tymor babandod. Breuddwyd y Dywysoges Elinor oedd y rhoddai hi ryw ddydd fab yn yr olyniaeth i Lywelyn ap Gruffudd!

Cynhaliwyd y wledd yn Neuadd yr Esgobaeth i'r gwahoddedigion o blith mawrion y deyrnas ac yno yr oedd yr hen, hen elyn, gwŷr fel Rhosier Mortimer, arglwydd Wigmor a'i arglwyddes a Gilbert de Clare, Iarll Caerlŷr. Yno hefyd yr oedd y brawd iau, Dafydd ap Gruffudd, ei wraig a'i ddau fab fel pictiwr mewn ffrâm. Prin y rhoes y Tywysog unrhyw sylw i'r un o'r rhai hyn nac i John Giffard, Cwnstabl Castell Buellt, oedd yn llygadu'r pâr priodasol fel rhyw eryr mawr yn chwilio am ei ysglyfaeth.

Roedd yno gawl cennin er mwyn y Cymry, brithyll newydd sbon ac eogiaid o'r Hafren. Cigoedd eidion ac ŵyn diweddar yn boeth o'r cigweiniau, ieir wedi'u stwffio efo bara a phersli a sawsiau a llysiau. Clared Bwrdais a gwinoedd Ainsio, Maen a Chwlên. Yna ar y diwedd fel ddaeth y mân ddanteithion yn orennau a datys a ffigys, siwgwr candi a sgwariau bychain o ddiliau mêl. Roedd y brenin Edward, wedi pedair blynedd yn cyfarwyddo ag arferion y Dwyrain Canol, wedi mewnforio i wlad Lloegr lawer o gynnyrch y mannau pell hynny.

Fe ddodwyd yr ameuthunion ar y trensiwr bychan yn union o flaen y pâr priodasol. Wrth i'r briodasferch estyn ei llaw wen at ffigysen fe sylwodd Llywelyn bod ei llaw yn grynedig — crynedig gan oerni'r bore hwnnw o fis Hydref a straen y rhialtwch oedd mor ddieithr iddi. Am yr eilwaith y bore hwnnw fe gydiodd Llywelyn yn ei llaw a'i gwasgu'n dynn ac er mawr ddifyrrwch i'r brenin Edward a'i Frenhines fe gododd y ffigysen a'i gwthio rhwng gwefusau'i briodasferch. O hynny ymlaen bu'r pâr yn cyd-fwyta o'r danteithion a chael bod dewis y naill bob tro yn boddhau'r llall. Serch hynny byddai raid aros nes cyrraedd y llys yn Abergwyngregyn cyn dod i ymgydnabod mwy â'i gilydd. Daeth cuwch dros wyneb hardd ond caled y brawd iau, Dafydd ap Gruffudd. Taflodd ddau lygad llawn edmygedd ar ei wraig Elisabeth Ferrers a'i ddau fab ifanc. Na, nid oedd yn chwennych gweld etifedd yn y llys yn Abergwyngregyn!

O'r diwedd, cliriwyd y byrddau a gwthiwyd y cadeiriau a'r meinciau o'r naill du fel y gellid rhoi lle i ddawnswyr ac offerynwyr cyflogedig y brenin. Dosbarthwyd yr anrhegion gan y gwŷr mawr a chaed y cyfarchion i'r Dywysoges ac yna fe nodiodd Llywelyn ap Gruffudd ei ben ar yr egin bardd oedd yno o blith y Cymry. Prin y rhoes y Tywysog unrhyw sylw i fyd Penceirddiaid gan brysured y gwaith o amddiffyn y ffiniau. Bellach yr oedd Llygad Gŵr, y bardd o Edeirnion, yn farw a Bleddyn Fardd yn heneiddio ac fe ymddiriedwyd y gwaith i'r egin bardd newydd hwn. Cododd y gŵr ifanc ar ei draed — llanc a fyddai yn y man yn gryf o gorffolaeth a ffurf y pen ac osgo'r ysgwyddau yn olyniaeth penceirddiaid. Milwr a bardd gellid tybio. Cerddodd i ganol y neuadd gan gario memrwn yn ei law. Rhythodd Trystan Arawn. Meddai,

'Gruffudd ab yr Ynad ar fy llw! Y penci!'

Distawodd pob sŵn pan ddechreuodd y gŵr ifanc adrodd y gerdd 'Gorhoffedd Hywel ab Owain', sef cerdd ramantus y bardd Hywel ab Owain Gwynedd i'w gariadon. Erbyn hyn roedd llawer o'r gwesteion yn drwm o fwyd a gwin a llygaid yn hanner cau. Ni ddeëllid gair o'r gerdd gan na Norman na Sacson ond yr oedd rhywbeth heintus yng nghlecian y cytseiniaid a llafarganu'r gŵr:

'Cyfarchaf ddewin gwerthefin,
Gwerthfawr wrth ei fod yn frenin . . .

Ac yna fe ddaeth enwau'r genethod:

'Gwenllian liw hafin . . . Gwerful a Lleucu, Enerys a Hunydd a Hawis . . .

Daeth ymdeimlad o hiraeth dros y Dywysoges a llithrodd deigryn dros ei grudd. Soniodd ei mam yr Iarlles wrthi droeon am groeso'r llys yn Abergwyngregyn yn amser y Dywysoges Siwan, mor bell yn ôl bellach, ac am y mynydd a elwid 'Snowden' i fyny yn yr entrychion o'r tu cefn iddo. Dros y blynyddoedd fe gafodd hithau'r pleser o wau breuddwydion ei dychymyg i'r deunydd tapestri a fyddai yn y man yn hulio'i stafell yn y llys ger afon Menai. Cofiodd hefyd am yr hen wraig ddall yng Nghastell Windsor yn sôn am yr enwau Gwenllian, Gwerful a Lleucu. Enwau persain a allai ryw ddydd fod yn enwau ar ei merched hi a'r Tywysog! Oedd, roedd pethau'n argoeli'n dda. Un cwmwl oedd ar y gorwel, sef carchariad ei brawd Amauri yng Nghastell Corfe. Drannoeth fe fyddai Elinor Mymffwrdd y Cymry yn cychwyn ar y daith hir tua gwlad ei mabwysiad.

II

Hwn oedd yr haf cyntaf i'r Dywysoges Elinor yn y llys ar lannau
Menai ac yr oedd y dyddiau yn braf odiaeth. Ychydig o sylw a roes
Elinor i'r ddwy forwyn a'r ddau was Normanaidd a yrrodd y cefnder,
y brenin Edward, i'w hebrwng i wlad y Cymry. Sbïwyr oedd y rheini,
medd pobl y gaer! Ond roedd y forwyn fach, Marie, yn dynn wrth
ei sawdl yn wastad a'r Gymraes Angharad Wen yn glòs wrth sawdl
honno.

Tyfodd Angharad Wen yn llances olygus, yn deilwng o sylw'r
Dywysoges a'i llaw yn fedrus bellach at drin llysiau'r maes i wella
clwyf, fel Meistres Mererid o Gastell Dolwyddelan a mam honno
o'i blaen, sef y gecrus Gwenhwyfar. Roedd yr olaf wedi hen adael
y llys am wlad Llŷn ac yno'n gweini ar y cyn-garcharor, Owain Goch
a fu ugain mlynedd yng ngharchar ei frawd yng Nghastell
Dolbadarn. Ond doedd dim disgwyl i'r Dywysoges Elinor wybod
dim oll am hynny. Erbyn hyn aeth glannau Menai â'i bryd yn llwyr
ac yr oedd hi hefyd wedi dechrau dod i 'nabod' ei Thywysog a'r
cynnwrf yn ei chorff yn cyd-fynd â chynnwrf yr haf yn Eryri.

Mynnodd orwedd ar y tywod ger Traeth y Lafan yn gwylio'r llanw
a gwrando llepian y dŵr yn y brwyn. Fe fu hi droeon dros y traeth
belled â Thŷ'r Brodyr yn Llan-faes a phenlinio yno ger bedd ei
modryb, y Dywysoges Siwan. Roedd 'awyrgylch' y Dywysoges
honno ym mhobman — yn stafell y Tŵr yn y gaer, yn y blodau
gwylltion ar y llethrau, yn yr eira ac ym machlud yr haul. Ni welodd
Elinor ddim cyffelyb i fachlud yr haul dros Ynys Cybi ym mhellter
Ynys Môn. Felly yr oedd yn yr hydref pan ddaeth hi gyntaf i'r llys
a'r awyr yn stribedi o waed ac ymylon o aur wedi'u gwau am y rheini.

Roedd hi'n rhan hefyd o 'Dynged' ei thad Simon de Montfort,
a'r Dynged honno oedd yn gyfrifol am ei dwyn i lannau Menai.

Roedd dydd y briodas yng Nghaerwrangon yn rhan o ryw
orffennol pell bellach ac ar y siwrnai o Gastell Windsor i eglwys
Caerwrangon roedd hi wedi mynnu bod y cefnder, y brenin Edward,
yn caniatáu iddi ymweld â beddfaen ei thad yn eglwys gadeiriol

Evesham. Yn y lle hwnnw fe oleuodd hithau gannwyll unig wrth y beddfaen a oedd bellach yn gyrchfan pererinion ac yn fangre gwyrthiau. Gosododd dorch ar y beddfaen yn enw holl dylwyth Montfort-Amauri. Lledodd ias oer drosti. O fewn y beddfaen byddai corff y tad nerthol hwnnw wedi hen ddadfeilio gydol yr amser y bu hi a'i mam, yr Iarlles, yn trigo yng Nghwfaint y Chwiorydd ym Montargis. Os gwir y stori i wŷr y brenin ddwyn pen ei thad a'i gyflwyno i wraig Rhosier Mortimer yng Nghastell Wigmor fel prawf fod y Ffrancwr arwrol yn farw, yna roedd amser dial yn rhywle! Amser dial hefyd am fod ei hoff frawd Amauri, a fentrodd ei fywyd drosti hi, yn parhau yn garcharor y brenin yng Nghastell Corfe. Lliniarodd ei meddyliau beth o'r diwedd a chyn ymadael â'r eglwys penliniodd o flaen delw'r Forwyn a rhoi gweddi o ddiolchgarwch ddarfod i fynaich Abaty Evesham ymgeleddu corff ei thad. Gydag arwydd o swildod hefyd gofynnodd i'r Forwyn fendithio'i chroth hithau fel y gallai ddwyn aer i Lywelyn ap Gruffudd, Tywysog y Cymry.

Ond dyddiau pell oedd y rheini bellach pan groesodd o wastadedd gwlad Lloegr i fynyddoedd y Berwyn a'r fan honno yn llanastr o gochni grug yr hydref. Yna ymlaen hyd lannau'r Ddyfrdwy a thiroedd glas Edeirnion cyn cyrraedd garwedd Eryri o'r diwedd. Ond Ow! Dyna ryfeddod oedd canfod ynys werdd dros lafn llydan disglair o ddŵr. Gwnaeth ddiofryd yn y man a'r lle na fyddai iddi hi byth droi cefn ar yr olygfa honno o afon Menai ac Ynys Môn hyd nes y dôi Angau i'w chyrchu hithau at ei Modryb Siwan yn naear Llan-faes. Peth rhyfedd wedi'r cwbl oedd y busnes 'perthyn' yma ac yn rhywle yng nghraidd ei bodolaeth roedd yna rithyn o deimlad tuag at y cefnder castiog o frenin Lloegr fawr!

Yn y dyddiau cynnar pan ddaeth hi gyntaf i Arllechwedd dechreuodd y merched siarad.

'Pam roedd yn rhaid i'n T'wysog gyrchu "Carreg Farmor" o wraig iddo'i hun o wlad bell? Fydd honna ddim yn debyg o ddoddi byth ac mi fasa'n well iddo fo droi at efell frau Uthr Wyddal am aer i'r Cymry! Mae hi'n fain o gorff ac yn dalach na'r priodfab. Stamp y Norman arni hi fel ar y Dywysoges Isabella a Siwan 'stalwm byd. Ond mae ganddi wallt digon o ryfeddod, yn rhyw winau golau yn medru dal llewych yr haul. Cnawd llyfn a'r wynab yn siapus.

Dannadd gwyn glân a'r ddau lygad ym ymwthgar braidd. Biti na thoddai hi i i wenu. Hwyrach bod arni hi hira'th!'

Brysiodd rhywun i gywiro'r gwragedd ynghylch y 'Garreg Farmor'.

'Mi welodd hon ddioddefaint cyn bod yn ugain oed. Caethiwed Castell Dover cyn iddi hi a'r Iarllas 'i mam ymada'l am Gwfaint y Chwiorydd yng ngwlad Ffrainc. Y brenin Edward yn mynd â'i brawd Amauri yn garcharor i Gastell Corfe o lannau Cernyw a'i rhoi hitha' wedyn rhwng muria' Castall Windsor. Hogan o genedl arall ydy hon wedi dwad i wlad 'i mabwysiad yn chwilio am ddiogelwch ac i ddial Tyngad 'i thad. Pwy a ŵyr? Merch 'i mam, Iarlles Caerlŷr, bob blewyn oddi allan ond yn frau yn y bôn fel plisgyn ŵy yn barod i dorri!'

Sobrodd y gwragedd efo'r newyddion hynny.

Do, fe ymserchodd y Dywysoges Elinor o'r eiliad cyntaf yn y berl o gaer yn Abergwyngregyn ar lan y Fenai ond mater arall oedd ymdopi â'r priodfab. Nefoedd wag fyddai yno hebddo ac wedi'r cwbl, i barhau'r hil yng Ngwynedd y cyrchwyd hi bob cam o Fontargis bell! Am rai wythnosau wedi'r briodas yng Nghaerwrangon prin yr ymwelodd y Tywysog â'r stafell yn y Tŵr. Roedd ar drafael yn amlach na pheidio a hyd yn oed yn y llys ni wnaeth ond eistedd gerllaw iddi wrth fwrdd y wledd. Digon prin fu ei sgwrs hefyd. Hwyrach nad oedd ei allu i siarad iaith y Norman yn ddigonol a digon prin hyd yma oedd ei gwybodaeth hithau o iaith y Cymry ar wahân i'r hyn a ddysgodd gan y nyddwraig ar lawnt Castell Windsor. Yn y cyfnod hwn o aros dechreuodd amynedd y Dywysoges wisgo'n denau a daeth arni hiraeth, a does dim yn waeth na hiraethu mewn gwacter. Daeth Marie y forwyn fach i'r adwy ac fe aed ati i harddu stafell breifat y Tŵr. Brigodd penderfyniad y fam, yr hen Iarlles, i'r wyneb o'r diwedd yn y ferch Elinor. Pan ddôi ei Thywysog adre o'r diwedd i'r llys ei heiddo hi fyddai o yn llwyr! Hwyrach mai rhyw swildod oedd arno oherwydd garwedd ei wedd. Y cnawd tywyll a'r rhychau yn ymwthio tua'r ên a'r corff a fu gynt yn rymus wedi crymu y mymryn lleiaf. Pa fath o briodfab a fyddai o i dduwies o ferch lân ei phryd nad oedd wedi arfer â gerwinder y Cymry? O bryd i'w gilydd daliodd Elinor ar yr edmygedd yn ei wedd wrth daro cil llygad arni. Daliodd hefyd ar

241

ôl y tristwch oedd yno. Gŵr y dioddefaint oedd hwn ac fe wybu hithau beth oedd hwnnw hefyd. Âi ati felly i baratoi stafell y Tŵr ar batrwm stafell ei rhieni yng Nghastell Kenilworth ymhell, bell yn ôl, ond mai efelychiad gwan o'r cwbl oedd.

Ar fur y stafell taenwyd y brodwaith o dapestri y bu hi, Marie a'r Chwaer Josephine mor ddiwyd yn ei gynllunio ym Montargis bell. Rhoddodd Elinor ochenaid o sylwi mor ddisymud oedd y peunod y buwyd yn eu gweithio mor gywrain ym mlaen y darlun — y peunod ar lawnt y plas. Gosodwyd cist dderw o gyfnod yr hen dywysogion wrth fur y stafell ac ynddi y blwch o drysorau y mynnodd Marie ei warchod pan ddaeth gwŷr y brenin ar fwrdd y llong ger glannau Cernyw. Y gwely mawr ffôr-poster efo lliain damasg yn nenlen iddo, cwrlid a falans o sidan a llenni trwchus o'i gylch. Cyn cychwyn y daith o Gastell Windsor roedd y cefnder Edward wedi ei hanrhegu'n hael efo rhai o drysorau'r Dwyrain ac yn unol â'i bonedd rhaid oedd i Dywysoges ddarparu'n deg gogyfer â'i Dyweddi. Ond pa Ddyweddi?

Ar fyrder wedyn yr oedd gwledd fawr i fod yn neuadd y llys yn Abergwyngregyn a thra oedd y Tywysog ar drafael fe ymroes hithau i drefnu gogyfer â'r nos honno yn ôl patrwm y wledd briodas yng Nghaerwrangon. Hon fyddai gwledd ddathlu priodas y Tywysog yng Ngwynedd!

Yng nghanol yr haf hwn ar lannau'r Fenai yng nghwmni ei morynion gwenodd efo'r cof am noson y wledd briodas honno wedi Calan Gaeaf. Gwisgodd wisg liw hufen yn llaes at ei thraed, cêp o liw hufen tywyllach dros ei hysgwyddau o sidan Arras a thalaith o aur ar ei phen. Yno yn aros amdani fel ar ddydd ei phriodas yn eglwys gadeiriol Caerwrangon yr oedd y Tywysog Llywelyn ap Gruffudd yn gwisgo mantell sgarlad frenhinol a choron Tywysogion Aberffraw ar ei ben. Gwenodd arni efo'r wên o sicrwydd honno oedd wedi dal ei hanadl yn llwyr yn nefod y briodas yng ngŵydd y cefnder, y brenin. Gafaelodd yn ei llaw a'r cydiad yn gadarn fel yn llaw ei thad ers talwm yng Nghastell Kenilworth. Bron na ddaeth crasder i'w llwnc ond rhaid oedd codi pen yn uchel yng ngŵydd gwahoddedigion y wledd. Canwyd y corn ac yna wedi i hwnnw dawelu daeth tinc ysgafn telyn wrth i'r Tywysog arwain ei briodasferch rhwng pileri'r neuadd at fwrdd yr uwch-gyntedd. Torrodd bloedd o orfoledd drwy'r lle efo'r waedd,

'Hir oes i'r Tywysog Llywelyn a'r Dywysoges Elinor!'

Ni chlywyd erioed y fath waedd fyddarol o fewn neuadd y llys yn Abergwyngregyn. Curodd gordd y Gostegwr y rhybudd am dawelwch ac yna daeth cyfarchiad y Prif Swyddog wrth fwrdd y wledd.

'Pinceps Northwallia. . . . Princeps Aberffraw et Dominus Snowdonia!' llefarodd.

Aeth yr awyrgylch yn wenfflam ar hynny pan waeddodd nifer o wŷr ifanc yr osgordd y geiriau,

'Princeps Wallensium . . . Princeps Wallensium!'

Galwyd am osteg drachefn a pheri i'r cynulliad mawr eistedd wrth y byrddau. Gallai galw Llywelyn yn Dywysog holl Gymru frifo at yr asgwrn y nos hon.

Wrth i'r arglwyddi, y swyddogion a'r osgordd eistedd i wledda caed bod yno fel yn y wledd briodas yng Nghaerwrangon bob danteithion. Cawl cennin, brithyll ac eogiaid, cig eidion ac ŵyn yn chwilboeth o'r cigweiniau. Clared Bwrdais a Chwlên ac yna'r mân ddanteithion yn orennau a datys a ffigys. Oedd, roedd arferion y Dwyrain pell yn prysur symud i'r llys yn Abergwyngregyn efo dyfodiad yr Elinor hon o dylwyth y brenin Edward. Ar ddiwedd y wledd, fel yn y neuadd yng Nghaerwrangon, ac er mawr lawenydd i'r gwesteion hyn o Wynedd fe fynnodd y Tywysog godi ffigysen a'i gwthio rhwng gwefusau'r briodasferch. O hynny allan bu'r ddau yn cyd-fwyta o'r danteithion o'r trensiwr bychan gan foddhau calon y naill a'r llall er gwaethaf y dieithrwch a fu rhyngddynt er dyddiau'r dyfodiad i'r llys. Efo'r weithred honno rhwng y ddeuddyn gwenodd y gwesteion. Roedd olyniaeth tylwyth Tywysogion Gwynedd yn ddiogel, meddent, a delwedd merch y 'Garreg Farmor' ar ddiflannu dros byth. Y Dywysoges Elinor Mymffwrdd a fyddai hi bellach i'r Cymry.

Ar ddiwedd y wledd daethpwyd ag anrhegion gwŷr Gwynedd yn bentyrrau i lawr yr uwch-gyntedd, yn godau arian, yn berlau drudion a phersawrau, yn ddefnyddiau a bwydydd a gwinoedd. Wedi hynny dechreuodd Gruffudd ab yr Ynad a'r mân ddisgyblion adrodd eu cerddi hir o fawl mewn iaith oedd yn ddieithr i'r Dywysoges a chyn

243

hanner nos fe ddaeth ei morynion i gyrchu Elinor i stafell y Tŵr. Ond nid oedd un osgo bod y Tywysog am ffarwelio ag arglwyddi'r dalaith. Roedd ar ben ei ddigon a'r hen freuddwydion am feddiannu holl Gymru wedi'u haileni efo'r cyfarchiad tanbaid hwnnw o lawr y neuadd y noson honno, *'Princeps Wallensium!'*

Heb ddeall odid air o weithgareddau'r nos honno, yr oedd hi, Elinor de Montfort, eto mor unig ag ar y nos honno pan aed â'i mam, yr Iarlles, i'w chladdu ym Montargis bell. Y nos hon eto ym mhreifatrwydd stafell y Tŵr mynnodd arllwys ei dagrau i'w gobennydd. Archodd i'w morynion ei gadael wrthi'i hun. Oedodd Marie, y forwyn fach, mor drwm ei chalon â'i meistres. Wrth i'w dagrau bylu datglôdd Elinor y blwch bychan o'r trysorau gwerthfawr a gadwodd o fewn y gist dderw yn y stafell. Tynnodd y mân drysorau allan un ac un — y pinnau ifori o'r Eidal, anrheg y brawd hoff Amauri. Y freichled, y dorch o'r cerrig saffir gleision ac yno'n fflachio ym mhlygion y darn melfed o hen wasgod ei thad, Simon, yr oedd modrwy briodas ei mam. Torrodd y fflodiart o ddagrau drachefn. Ai chwarae tric efo hi yr oedd Tynged unwaith yn rhagor? Ar noson arwyl ei mam cofiodd iddi weddïo ar i'r Forwyn Fair ei thywys yn ddiogel dros y môr i 'Wallie' fel y câi hi gyflawni breuddwyd ei thad a chael bod yn Dywysoges i'r Tywysog 'Fluelen' yn y lle efo'r enw hir Aber . . . gwyn . . . gregyn. Mor drist, ysywaeth, oedd y cwbl bellach. Fel adyn yng nghanol pobl o genedl ddieithr roedd hi ar goll, a hyd yma cadwodd y Tywysog hyd braich oddi wrthi.

Wrth i'r oriau mân ddwysáu fe ddaeth blinder. Rhoddodd y blwch i'w gadw yn y gist dderw. Tynnodd ei gwisg liw hufen oddi amdani a gwisgo'i gŵn nos. Plethodd ei gwallt yn ddwybleth drwchus i orwedd dros ei gwar. Lluchiodd siôl wlanen dros ei hysgwyddau. Tynnodd ei sliperi gan orwedd o dan garthen oer y gwely. Ymhen byr o dro byddai'r wawr yn torri eto dros y Penmaen-mawr ar y llys ac afon Menai.

Wrth iddi gychwyn syrthio i gwsg blinedig fe ddaeth sŵn troedio ar risiau stafell y Tŵr. Gwichiodd y ddôr wrth agor a cherddodd gŵr yn wyliadwrus at y lle-tân lle roedd y marwor yn farw bron. Cydiodd mewn boncyff pren a'i luchio i lygad y mymryn fflam oedd yn aros. Gloywodd y stafell ar hynny.

'Elinor!' gwaeddodd y llais. 'Wyt ti'n cysgu, f'arglwyddes?'

'Na, f'arglwydd. Na.'

Mor anodd oedd deall iaith y Cymry. Synhwyrodd Llywelyn ei thrafferthion. Ond y nos hon nid oedd iaith yn bwysig fel y cyfryw. Nesaodd ati gan geisio egluro nad teilwng fyddai iddo ef, y Tywysog, gyfathrachu â hi heb yn gyntaf ddathlu defod y briodas yn y llys yn Abergwyngregyn yng ngŵydd gwŷr Gwynedd. Rhyw hanner deall yr oedd hi serch hynny ond nid oedd hynny'n broblem bellach. Roedd ei phriodfab wedi cyrraedd stafell y Tŵr o'r diwedd! Mewn rhyw gymysgedd o iaith y Norman ac o iaith gwŷr Gwynedd mynnodd yntau ei chyfarch hi. Meddai gyda brwdfrydedd,

'Roeddet ti'n hardd heno, Elinor, fel rhyw dduwies o'r hen chwedlau . . . ac mi fuost yn crio! Oes hiraeth arnat ti? Wyt ti'n unig yn y lle diarth yma, f'arglwyddes?'

Cododd hithau ei phen gan edrych yn dirion arno. Roedd ei lais fel llais ei thad ers talwm, yn llawn cysur a chariad. Cododd gwrlid y gwely oddi arni a symudodd tuag ato. Meddai,

'Roeddwn i'n unig, f'arglwydd.'

'Tyrd,' meddai wrthi, 'i mi gael gweld dy wyneb di yng ngolau'r tân.'

Cymerodd hithau gam tuag ato gan ysgwyd i ffwrdd yr hanner cwsg oedd wedi gafael ynddi. Syllodd Llywelyn mewn syndod ar y rhyfeddod hon o wraig oedd yn dwyn holl nodweddion brenhinol ei thras. Sut yn y byd y medrai o ymdopi â'r fath urddas pan oedd garwedd Eryri wedi gwreiddio mor ddwfn ynddo? Tro'r ferch oedd mentro bellach. Wrth synhwyro'i betruster estynnodd ei llaw iddo ac yna yr oedd Tynged ei hun ar waith rhwng y ddeuddyn. Cydiodd ei freichiau cadarn amdani. Tynnodd y siôl wlanen oddi ar ei gwar a datododd blethiadau'i gwallt nes bod hwnnw'n syrthio'n bentwr llaes dros ei gŵn. Ac wedyn dyma ddechrau adrodd yr hen, hen gyfrinach,

'Fe ddoist ti o bell, f'arglwyddes, dros fôr a thir.'

'Do, f'arglwydd.'

Mor anghyflawn oedd ei geiriau wrth geisio cyfarch y gŵr hwn ac fe sylweddolodd y milwr caled mai rhaid oedd ei thrafod efo tynerwch mawr, yn wir fel trysor brau y bu'n ei hir chwennych. Rhaid oedd gwarchod y trysor rhag ei chwalu. Ond fe ddarganfu Llywelyn mai merch ei mam oedd Elinor. Yn wyneb protest gwŷr

245

y llys fe briododd yr Iarlles â'r Ffrancwr dengar Simon de Montfort — priodas ddirgel yn torri'r llw o ddiweirdeb a wnaethai o flaen Archesgob Caer-gaint! Roedd yr Elinor ifanc yn ferch ddeallus, fentrus a nwydus hefyd a'i dyhead oedd bodloni chwant ei gŵr a chan mor hir fu'r dyheu hwnnw roedd o'r herwydd yn felysach. O leiaf y nos hon fe welwyd datgelu i ferch Simon de Montfort un o ddirgelion mawr ei bywyd cythryblus.

Drannoeth, efo golau'r dydd, chwarddodd Llywelyn o astudio'r tapestri ar fur y stafell. Rhythodd mewn syndod ar y brodwaith o fynydd yn union uwch ben y llys yn Abergwyngregyn. Gofynnodd,'

'A pha fynydd ydy hwn, fy ngwraig Elinor?'

'Snowden,' oedd yr ateb pendant.

Chwarddodd Llywelyn drachefn. Mor dwp y medrai'r Norman fod! Meddai wrth droi o stafell y Tŵr,

'Pan ddaw'r gwanwyn fe awn ni dros Draeth y Lafan i Ynys Môn ac ymlaen i'r hen lys yn Aberffraw ac o dir yr Ynys fe gaiff merch Symwnt Mymffwrdd lawn olwg ar fynyddoedd Eryri a "Snowden" yn goron ar y cwbwl!'

Chwarddodd y gŵr drachefn ac yr oedd y llys hefyd yn llawen.

Prin bod Elinor wedi deall gair a lefarodd ei gŵr y bore hwnnw. Nid oedd hi ychwaith wedi deall gair o ganu'r beirdd yng ngwledd y dathliad yn neuadd y llys, ond wrth iddi hithau syllu ar frodwaith y tapestri ar y mur y bore hwnnw fe ddaeth y cwpl peunod 'disymud' ar lawnt y llys yn fyw o flaen ei llygaid. Yn dawel fach yr oedd hithau yn dechrau deall pam y mynnodd y Chwaer Josephine wneud arwydd y Groes wrth iddi weithio lluniau lliwgar yr adar hynny i'r deunydd tapestri! Pa hiraeth dirgel oedd yng nghalon y Chwaer Josephine unig tybed? Wrth iddi glywed sŵn troed y Tywysog ar y Garthau islaw'r Tŵr y bore newydd hwn sylweddolodd mor ddieithr iddi bellach oedd byd diwair lleianod caredig y Cwfaint ym Montargis bell.

Wrth iddi sefyllian ar lannau'r Fenai yng nghanol ei morynion yn ystod dyddiau'r haf cyntaf wedi'i phriodas â Llywelyn ap Gruffudd yr oedd merch Simon de Montfort o'r diwedd yn wyn ei byd. Y math o ddyddiau oedd y rhain pan ddwedai dyn mai da oedd cael byw hyd yn oed pe bai farw drannoeth.

III

Dair blynedd union wedi Cytundeb Aberconwy roedd yr hen Gymry unwaith eto yn troi yn eu gogwr a'r elyniaeth oesol at y gelyn yn cyniwair. Yn Rhufoniog a Dyffryn Clwyd efo'i gestyll yn yr Hob a Dinbych fe'i cafodd Dafydd ap Gruffudd ei hun wedi'i gaethiwo rhwng Ustus Caer ar y naill law a'i frawd, Llywelyn, yn Eryri, ar y llall. Roedd iddo ddau fachgen ifanc llawn asbri a deunydd tywysog yn y ddau ohonynt. Mor greulon oedd ei Dynged yntau! Mae'n wir iddo dderbyn ffafrau gan y brenin Edward o bryd i'w gilydd ond hyd yn oed yng Nghytundeb Aberconwy ni throsglwyddwyd iddo ei hawliau yn Eryri. Gwysiwyd ef o flaen Ustus Caer i bledio'i hawl i diroedd yn yr Hob ac Estyn a hynny yng ngwlad ei dadau. Datganodd yn gryf nad oedd hawl gan y brenin i ymyrryd â hen gyfraith y Cymry nac ychwaith i fynnu gwrando ei gŵyn yntau mewn gwlad estron. O'r diwedd roedd Dafydd ap Gruffudd yn arwr ei bobl. Meddent,

'Mae'r arglwydd Dafydd yn cyhuddo'r brenin Edward o wyrdroi hen gyfraith Hywel Dda a gwthio cyfraith y Norman ar Gymru. Ond ymhle mae'r Tywysog Llywelyn ap Gruffudd? Ydy o'n cysgu yn Eryri, y fo a fu gynt yn gwarchod y Berfeddwlad? Oes arno fo ofn digio'r hen frenin Edward am i hwnnw ganiatáu Elinor Mymffwrdd yn wraig iddo?'

A phan oedd y brawd iau, Dafydd ap Gruffudd, yn mynnu ei hawliau yn y Berfeddwlad roedd Llywelyn mewn ymrafael â'r hen elyn Gruffudd ap Gwenwynwyn am dir Arwystli, y darn gwlad a fyddai'n agor y porth yn ôl iddo i Bowys a thua'r Gororau. Unwaith eto yr oedd cyfraith brenin Lloegr yn gwthio Cyfraith Hywel o'r neilltu ac Edward yn chwarae'r ffon-ddwybig. Mentrodd Llywelyn belled â'r Gororau dros Ryd Chwima o fewn golwg y gaer y bu ef mor ofalus yn ei chodi yn Nolforwyn a chyhoeddi yng ngwyddfod gwŷr y brenin y geiriau:

'Y mae i bob talaith o dan awdurdod y brenin Edward ei chyfreithiau a'i harferion ei hun. Felly y digwydd yng ngwlad Gasgwyn, yn yr Alban, yn Iwerddon ac yn Lloegr fawr, a hyn sydd yn mawrhau'r Goron. Gofynnwn ninnau am gael glynu wrth gyfraith Cymru a gweithredu yn unol â hi.'

Onid oedd y Cytundeb o Heddwch yn Aberconwy, meddai, wedi gwarantu mai Cyfraith y Cymry a fyddai'n weithredol mewn materion llys rhwng dau arglwydd yng Nghymru?

Draenen arall yn ystlys y Tywysog oedd ymyrraeth Ustus Caer hyd arfordir Gwynedd gan fynnu'r hawl ar bob broc môr a olchid i'r glannau. Roedd swyddogion y brenin fel adar sglyfaeth ym mhobman. Ustus Caer yn rheoli Castell Fflint a chymydau Rhos a Thegeingl; y brenin yn codi arian o'r Cantrefi i adeiladu'r castell bygythiol yn Rhuddlan; Rhosier Lestrange yn gwarchod Castell Dinas Brân lle gynt bu meibion Gruffudd ap Madog; Rhosier Mortimer yn arglwyddiaethu ar y ceyrydd yn Nolforwyn, Maesyfed a Chefnllys; yr hen, hen elyn Hywel ap Meurig yn prysur godi'r castell newydd ym Muellt; John Giffard yn Llanymddyfri a William de Valence yn Llanbadarn . . . ac wedi'r ymosod ar Ddyffryn Tywi gan Payn de Chaworth a'i debyg fe ffodd arglwyddi'r Cantref Mawr, y Cantref Bychan a Genau'r Glyn am nodded gwŷr Gwynedd.

Rhwng popeth rhyw ffrwtian i'r berw yr oedd 'crochan' cenedl y Cymry oherwydd y dibrisio ar Gyfraith Hywel ac ar hawliau'r Cymry o Degeingl i Fuellt a Brycheiniog ac o lannau Dyfrdwy hyd yr Hafren a Dyffryn Tywi. Lledaenodd y sôn am y rhyfeddod o Dywysoges oedd wedi cyrraedd y llys yn Abergwyngregyn a honno'n ferch i'r gwrthryfelwr Simon de Montfort. Hwn oedd y Simon a arweiniodd y barwniaid yn erbyn yr hen frenin Harri Tri. Yn wir, roedd pob math ar bosibiliadau yn y tir yn codi calonnau'r bobl.

Ychydig a wyddai'r Dywysoges Elinor ei bod yn destun siarad y Cymry dros wastad hen Dywysogaeth Llywelyn ap Gruffudd. Yn ystod dwy flynedd ei phriodas fe fu hi ym Môn a gwlad Llŷn, yn Ardudwy a Dysynni ac yn tario ym maenor sawl arglwydd ac wrth wrando ar brepian parhaus y forwyn llys, Angharad Wen, roedd hi wedi meistroli iaith Gwynedd yn rhyfeddol. Roedd y forwyn llys hon hefyd wedi syrthio dros ei phen mewn cariad o'r diwedd efo'r llanc o'r osgordd, sef Trystan Arawn, a'i brwdfrydedd yn heintus. Er i Iolo Pen-maen, cyfaill y Trystan hwn, geisio ennill serch Marie, y Ffrances fach, ofer fu'r ymdrech. Dilyn ei meistres fel ei chysgod y byddai Marie rhag i'r gwynt ei chwythu. Roedd ei magwraeth gaeth yng Nghwfaint Chwiorydd Sant Dominic ym Montargis fel carreg adamant o'i chylch.

Edrych ymlaen yr oedd Elinor yn eiddgar am y dydd y câi gyhoeddi bod ei chorff yn anwesu'r aer oedd i lonni calon y Tywysog. Ym mêr ei bod roedd merch Simon de Montfort yn distaw ddyheu y byddai'r aer hwnnw rhyw ddydd yn parhau hil Montfort-Amauri yng ngwlad Lloegr fawr! Wedi'r cwbl roedd meibion y cefnder, y brenin, yn marw fesul un! Marw a wnaeth y mab bach Alfonso hefyd er iddynt gadw'r canhwyllau ynghyn yn yr eglwys i geisio'i gadw yn fyw. Merch hefyd, yn ôl y sôn, oedd newydd-anedig olaf y brenin Edward. Druan o'r Frenhines Elinor o Gastîl! Roedd hi'n hoff o'r Elinor hon.

Roedd y Tywysog ar drafael yn amlach na pheidio y dyddiau hyn — yn Edeirnion yn derbyn gwrogaeth un Elise ap Iorwerth a mân arglwyddi eraill, ym Meirionnydd lle roedd Madog ap Llywelyn yn mynnu ei hawl ar y diriogaeth honno ac ar y Gororau yn dadlau ei hawl yntau i Gantref Arwystli. Rhoisai Llywelyn y byd am gael adfeddiannu'r gaer yn Nolforwyn a chael cerdded cymydau Ceri a Maelienydd eto!

Ond doedd dim yn ddedwyddach i'r Dywysoges Elinor na chael dilyn rhod y tymhorau o lannau'r Fenai. Y pysgotwyr yn y dŵr, Ynys Seiriol yn dal haul y bore, tir y Faerdref yn aeddfedu i'r cynhaeaf ŷd ac Ynys Môn wedi hen ailffrwythloni ar ôl difrod pladurwyr y brenin dair blynedd cyn hyn.

Un peth yn unig oedd yn peri blinder i Elinor, a hynny oedd y siwrnai dros y mynydd i Ddyffryn Conwy ac i fyny'r afon tua Chastell Dolwyddelan. Draw i'r chwith o lwybr y mynydd yr oedd cwmwd Rhos lle roedd swyddogion y brenin yn torsythu'n drahaus ac yn gormesu'r Cymry. Ond nid hynny oedd unig achos blinder Elinor. Roedd yma gyfrinach fechan ymhlyg yn y siwrnai honno na fynnai ei rhannu â neb byw ac nad oedd hithau yn ei deall.

Bob tro yr âi hi efo'r Tywysog ar y goriwaered tua Dyffryn Conwy byddai dwy efell ifanc yn mynnu sefyll ar fin y ffordd fel tase rhywun wedi'u rhybuddio bod y Tywysog yn pasio heibio. Yn ddieithriad, fe fyddai yntau yn disgyn oddi ar ei farch, yn dynesu'n eiddgar at y ddwy efell, taflu'i freichiau amdanynt a lluchio cusan i'r ddwy ohonynt. Llygaid y ddwy efell yn gloywi wedyn ac yn parhau i'w ddilyn nes iddo ddiflannu dros y gefnen. Yn ddieithriad hefyd, byddai'r Tywysog yn ddwedwst nes i'r osgordd o'r diwedd gyrraedd godre'r dyffryn. Pan ofynnodd hi iddo beth oedd enwau'r ddwy efell fe ddwedodd mai enwau coed oedd arnynt — Collen a Llwyfen — ac na wyddai o ddim am eu henwau bedydd. Prin y medrai esboniad felly fod yn gredadwy i Elinor. Ychwanegodd hefyd mai rhaid oedd iddo ef, y Tywysog, blesio tad yr efeilliaid am i'r gŵr hwnnw ei gynnal wrth iddo dalu'i ddyledion i frenin Lloegr. Pa berygl a fedrai fod iddi hi, y Dywysoges, ym mhresenoldeb dwy efell werinol yn dwyn enwau dwy goeden? Ond cyn sicred â dim, peri blinder iddi yr oedd y genethod bob tro yr aent ar y siwrnai tua Chastell Dolwyddelan. Hwyrach mai hyn oedd wrth wraidd ei hatgasedd hi o'r lle hwnnw efo'i waliau trwchus fel Castell Dover! Ond unwaith y byddent wedi dychwelyd i'r llys yn Abergwyngregyn rhyw gysgod bychan o linell dros yr haul oedd mater y ddwy efell a phan ddôi ei Thywysog hi adre o'i deithiau pell ei heiddo hi fyddai o yn llwyr.

Roedd hi hefyd wedi mynnu gweddnewid y llys a diwyllio'r ardd honno na roddodd neb lawer o sylw iddi er dyddiau'r Dywysoges Isabella de Breos. Syrthiodd y fwyell yn drwm ar y llys yn y dyddiau pell hynny pan fu farw'r Tywysog Dafydd ap Llywelyn. Ar adeg min nos yn yr haf pan oedd aroglau'r gwellt a'r rhosynnau gwylltion yn fwyaf treiddgar byddai Elinor yn hoffi crwydro wrthi'i hun ogylch yr ardd fechan yng nghefn y llys yn anadlu awyrgylch y lle, yn troi yn ei meddyliau ac yn coleddu'r presennol. Âi ar ei llw bod y Dywysoges Isabella yn cydgerdded efo hi bryd hynny. Nid aeth un nos heibio ychwaith er pan gyrhaeddodd y llys na fu hi'n ymbil ar i'r Forwyn estyn cysur i'r brawd Amauri yng nghaethiwed Castell Corfe. Roedd hi wedi ymbil mewn sawl llythyr at y brenin y byddai i'r cefnder hwnnw gael ei ryddhau ond hyd yma nid oedd dim yn tycio. Dyfal donc oedd piau hi ym mater Amauri.

Roedd Elinor yn arswydo rhag unrhyw fath ar derfysg er dyddiau y brwydro yn Lewes ac Evesham gan fod y cwbl yn briwio'r cof. Dyna pam roedd hi'n mwynhau edrych tua'r gorllewin o'r llys gan ddiolch bod y mynyddoedd mawr rhyngddi a gwlad Lloegr. Nid oedd arni'r awydd lleiaf i ddychwelyd i'r wlad honno.

IV

Hydref - Gaeaf 1291

Yn nechrau mis Hydref gwysiwyd Llywelyn ap Gruffudd i ymddangos o flaen Ustusiaid y brenin dros y Gororau yng Nghastell Trefaldwyn i ddadlau hawliau ei achos dros feddiannu tir Arwystli. Ond eto, doedd y brenin yn gogwyddo dim o blaid Cyfraith Hywel. Trodd Llywelyn oddi yno yn ŵr siomedig gan ysgwyd y llwch oddi ar ei draed. Ond gwleidydd ystyrlon, doeth oedd Llywelyn, yn ymateb i her y foment.

Gweithiodd y ffordd efo'i osgordd i lawr i Gastell Maesyfed — castell y bu o a'i filwyr yn ei ddryllio cyn hyn — yn westai i'r hen elyn, y cefnder Rhosier Mortimer. Roedd y Mortimer hwn yn heneiddio ac am sicrhau heddwch i'w feibion, Edmwnd a Roger yn nhiroedd y Gororau. Roedd o hefyd yn gwrthod cais Gruffudd ap Gwenwynwyn i drafod mater y tiroedd yn ôl Cyfraith y Brenin.

Ac felly ar y nawfed dydd o fis Hydref y flwyddyn honno gwnaed Cytundeb o Heddwch rhwng y ddau hen elyn, Rhosier Mortimer a Llywelyn ap Gruffudd, ac fel arwydd o gwrteisi fe drosglwyddodd Llywelyn ei hawl ar ran o wlad Gwerthrynion i'r cefnder, nai yr hen Dywysog Llywelyn ab Iorwerth. Yn y dyddiau hyn, pan oedd anniddigrwydd ledled Cymru o dan iau swyddogion y brenin, gwelwyd hen elynion yn siglo llaw.

Ar y Cytundeb o Heddwch hwn roedd sêl y brawd iau, Dafydd ap Gruffudd, ochr yn ochr â sêl Llywelyn ap Gruffudd ac Amauri de Montfort. Yn raddol bach roedd dylanwad y Dywysoges Elinor yn y llys yn dechrau treiddio drwy wythiennau'r hen Dywysogaeth!

Dwedid bod y brenin Edward bellach yn cadw llygad barcud ar y gwaddol o ganlynwyr y gwrthryfelwr, Simon de Montfort, oedd mewn mannau fel esgobaeth Ely, yn barod i ailgynnau'r fflam efo'r esgus lleiaf. Er pan gipiwyd y Dywysoges Elinor a'i brawd Amauri gan wŷr y brenin ger arfordir Cernyw, yr oedd nifer y pererinion at fedd y gwron Simon de Montfort wedi dyblu. Bu nifer o wŷr eglwysig a gweinyddwyr gwlad hefyd yn erfyn ar i'r brenin Edward ryddhau'r carcharor Amauri o garchar caled Corfe. Hyd yma gwrthod pob ymbil drosto a wnaeth y brenin ac, yn yr un modd, anwybyddu llythyrau'r chwaer Elinor o'r llys yn Abergwyngregyn.

Rhwng popeth medrodd Llywelyn deimlo ym mêr ei esgyrn, yr hydref hwn, bod rhywbeth mawr ar gerdded unwaith yn rhagor drwy'r Dywysogaeth. Pa mor danbaid bynnag y byddai ymgyrchoedd Dafydd ap Gruffudd a'i debyg, ato fo, Llywelyn, yr oedd pob llygad yn troi.

Yn y gorffennol fe blannodd yn ei bobl y breuddwyd o Dywysogaeth Gymreig, a hynny dros diriogaeth eang anwastad ei thirwedd ac anhyblyg ei phobl yn aml. Yn ystod yr hydref hwn fe ganfu unwaith yn rhagor ymhlith y Cymry y dicter dinistriol yn codi'i ben at y Norman a'r brenin Edward a'i swyddogion. Roedd cerdded tiroedd y Gororau unwaith eto yn treiddio fel trydan drwy ei berson yntau a'r cof am y gaer yn Nolforwyn yn felys-drist yn mynnu procio'r meddwl. Os collwyd Dolforwyn, yna rhaid oedd cadw Gwynedd a thiriogaeth Eryri, doed a ddelo.

Yn llawn o'r hen freuddwydion y cyrhaeddodd Llywelyn a'i osgordd yn ôl i'r llys yn Abergwyngregyn yr hydref hwnnw ac yr oedd ar dân am gael dweud y newydd am y Cytundeb o Heddwch efo'r hen elyn, Rhosier Mortimer, wrth y Dywysoges Elinor. Yn ôl arfer y blynyddoedd bellach fe fyddai Elinor yn sicr o redeg i'w gwrdd ar y Garthau unwaith y cyrhaeddid y llys a lluchio dwyfraich gynnes amdano yng ngŵydd ei wŷr. Doedd dim yn debyg i groeso'r Dywysoges i ŵr a fu gynt mor unig, mor ofnadwy o unig!

Fel yr hydref hwnnw dair blynedd cyn hyn pan ddaeth o gyntaf â'r Dywysoges i'r llys, yr oedd y copr a'r coch gwinau a'r aur yr un mor lledrithiol yn y coed, a'r aur heb bylu dim yn y berthynas rhyngddo ac Elinor. Gofalodd yntau gadw'r gloywder yn yr aur fel y gweddai i ferch Symwnt Mymffwrdd a chyfnither brenin Lloegr fawr. Roedd cymysgedd o fonedd a dysg a chrebwyll o fewn ei berthynas â'i wraig. Nid merch Uthr Wyddel mo hon! Ni fyddai hon yn medru dygymod efo geiriau cwrs a chwant direol. Roedd yn Elinor beth o dreiddgarwch meddwl ei hil ac fe dyfodd rhyw fath ar gysegredigrwydd ogylch ei stafell yn y Tŵr. Nid oedd Llywelyn yn siŵr ei fod wedi'i llawn adnabod ac efallai na ddigwyddai hynny byth. Y cwbl a wyddai oedd bod rhyw

Anweledig Bŵer yn rhywle wedi dwyn y ferch hon o bair dioddefaint dynoliaeth i'w ddwylo fel trysor y duwiau. Byddai'r Cyfarwydd yn adrodd am y merched hynny — Blodeuwedd a Rhiannon y chwedlau — na ddaeth eu gwŷr yn eu bywyd erioed i'w hadnabod yn llawn. Un felly oedd Elinor.

Yn llawn o'r meddyliau hyn y cyrhaeddodd yntau'r llys ar ddiwedd y pnawn hwn o fis Hydref. Ond a oedd ei lygad yn ei ddwyllo? Doedd yno yr un arwydd o'r Dywysoges nac o'i morynion! Doedd Elinor ddim ar gael i fwytho pen ei farch blinderus. Ei ymateb cyntaf oedd ffromi'n bwt fel plentyn teirblwydd.

'Ymhle roedd Elinor? Oedd y ferch o dylwyth ffroenuchel brenin Lloegr am ei gywilyddio o flaen ei wŷr? Roedd yn rhaid cadw gwastrodaeth ar y Dywysoges ac ar forynion y llys!'

Wedi gadael i'r gwastrawd arwain ei farch i'r stabl fe drodd yntau o'r diwedd i gyfeiriad y Tŵr ac yn sefyll yn y fan honno roedd y forwyn llys, Angharad Wen.

'A be' wyt ti'n 'i wneud yma, y prepian-busnes-pawb?' gofynnodd yn haerllug iddi.

Aeth yr eneth yn wyn fel y galchen heb fedru yngan gair yn wyneb cerydd y Tywysog.

'Mi gollaist dy dafod, mi wela! Ond dwed i mi, ble mae'r Dywysoges Elinor?'

'Yn 'i stafell,' meddai'r eneth wedyn gan lusgo pob gair fel llyngyr o'i chyfansoddiad.

'Mi wela' i,' oedd yr ateb swta a phrysurodd ymlaen fel dyn o'i go'.

Ar risiau'r Tŵr fe gyfarfu â Marie, y forwyn fach. Gwthiodd hi o'r neilltu efo'r geiriau,

'Y Ffrances estron! Mi fynnwn i dy fod di yn ceisio gwarchod dy feistres rhagof i, y Tywysog. Dwyt ti'n gwybod fawr o iaith y Cymry, wyt ti? Llawn cystal hynny, y Ffrances fach. Fyddai fawr gen i dy luchio di efo'r llanw i'r Fenai a hwyrach y dôi rhyw forloi i'th lyncu!'

Aeth Marie yn gryndod drosti. Rhoddodd un ochenaid fawr a llifodd dagrau poeth i'w llygaid. Druan fach!

Cyrhaeddodd Llywelyn y grisiau ger drws stafell y Dywysoges

yn ei lid, ond dyna lle roedd y drws yn llydan agored ac aroglau treiddgar petalau blodau diwedd haf yn llenwi'r lle. Mae'n amlwg hefyd i'r Dywysoges orchymyn ei morynion i addurno'r stafell efo brigau a dail y coed, a'r lle fel copr ar dân!

Beth oedd ystyr hyn? Yn ymwybodol o'r hen fân wylltineb oedd yn perthyn iddo safodd yn stond yn nrws y stafell. Gwnaeth arwydd y Groes yn frysiog yng nghysgod y drws rhag bod neb yn ei weld. Hyn oedd yr arfer pan âi gwylltineb ei natur yn drech nag o.

Yno'n sefyll yng nghanol ei stafell yn union fel brenhines wedi'i gwisgo i wledd yr oedd Elinor. Yn ffrwcslyd euog cuddiodd yntau ei ben yn ei ddwylo, ac meddai wrtho'i hun,

'Y penbwl dwl i ti, Llywelyn, yn ymddwyn fel creadur gwallgo' . . . yn chwŷs o'r siwrna'. Penboethyn ffôl!'

Serch hynny, doedd o ddim am adael i'r digwyddiad hwnnw beri iddo golli'i awdurdod.

'Elinor!' meddai, 'Doeddet ti ddim ar y Gartha'!'

'Na, doeddwn i ddim,' oedd yr ateb swta ond yr oedd y wraig yn wên o glust i glust. Meddai yntau'n dawelach byth,

'Ond dyma'r tro cynta' i ti golli bod yno.'

'Mae tro cyntaf i bopeth, Llywelyn,' oedd yr ateb swta yr eilwaith.

'Ond yr osgordd . . . fe fyddan nhw'n meddwl dy fod ti wedi digio, wedi troi cefn ar y llys a mynd at y cefndar. Ofn oedd gen i bod rhai o swyddogion y cefndar wedi dy gipio i ffwrdd pan oeddwn i yng ngwlad Powys!'

Ond parhau i wenu yn ei holl ysblander yr oedd y Dywysoges. Estynnodd ei breichiau ato. Cymerodd yntau gam yn ôl.

'Na, maddau i mi, Elinor. Rydw i'n chwŷs diferol o'r siwrna' . . . yn fudr . . . rhaid i mi ddiosg y dillad yma . . . penboethyn ag ydw i!'

'Mi wn i. Gwylltineb dy bobl, Llywelyn. Ond paid mynd. Paid gwastraffu *amser!*'

Beth oedd yn bod ar y ferch? Meddai yntau wedyn,

'Mi fynna' i gosbi'r ddwy forwyn, Angharad Wen a Marie, yn sefyll ar risiau'r Tŵr yn chwarae tric â'r Tywysog.'

'Ac mi glywais i'r cwbwl . . . Angharad Wen, y prepian-busnes-pawb a Marie fach yr estrones! Dyna ddwedaist ti, yntê, Llywelyn?'

Gwridodd Llywelyn ar y gair ac meddai hithau,

'Paid pryderu am y morynion. Mi dawela' i'r dyfroedd efo'r llancesi. Fe ddaw *amser* i hynny yn y man.'

'Ond y chwŷs, Elinor.'

Estynnodd hithau hances a dechrau sychu'r chwŷs oddi ar ei wyneb. Pan edrychodd arni roedd hi eto'n gwenu o glust i glust, ac meddai'n dyner,

'Na, dwyt ti ddim yn dlws y foment hon, Llywelyn, ond fe fyddi di pan gei di dipyn o ddŵr glân dros yr wyneb blinedig yna.'

'Ond, ferch, be' sy'n bod arnat ti? Rwyt ti'n llawen fel y gog.'

'Fe gei di ddyfalu . . .'

Torrodd gwawr o ddealltwriaeth dros ei wyneb.

'A, mi wela' i. Busnes y brenin ydy o. Mi gefaist ateb i'th lythyr ac mae dy frawd yn rhydd. . . .'

Am eiliad taflwyd cysgod dros ei llawenydd hithau.

'Na, nid Amauri. Cofia di, fe fyddwn i'n llawen am hynny ond nid fel y gog hwyrach!'

Cododd ei phen ar hynny gan edrych i fyw ei lygaid. O'r diwedd daeth rhyw wên o ddealltwriaeth o newydd dros ei wyneb yntau. Meddai hithau,

'Rydw i'n feichiog, Llywelyn.' Ar hynny lluchiodd ei phen ar ei ysgwydd a boddi'i hun yn aroglau corff milwr a fu ar daith hir. Gwasgodd yntau hi ato a phan gododd hi ei phen i edrych arno gwelodd fod dagrau yn ei lygaid a rhyw foddfa o wên oddi tanynt. Meddai,

'Roeddwn i'n gwybod y byddet ti'n falch, Llywelyn.'

Y fo oedd â'r llaw uchaf bellach ac arweiniodd hi i eistedd ar y fainc esmwyth efo'r cwrlid sgarlad arni. Syrthiodd tawelwch dros y stafell, yn llawn siarad, yn llawn llawenydd.

'Rwyt ti mor lân, mor fonheddig, Elinor,' meddai yn y man. 'Ac mi fydd y mab yn deilwng o'i daid, Simon de Montfort, ac o dywysogion Gwynedd.'

Efo'r geiriau hynny daeth cwmwl eto dros lawenydd Elinor.

'Ond, f'arglwydd! Beth tase merch fydd y baban, fel yn hanes y Frenhines Elinor o Gastîl, gwraig y cefnder Edward?'

'Os merch fydd y baban yna fe drefnwn ni briodas rhyngddi hi ac un o arglwyddi'r Gororau neu'n well fyth ag un o dylwyth y brenin Edward!'

Chwarddodd y ddau yn llawen. Wedi'r cwbl roedd Llywelyn newydd ddod i Gytundeb o Heddwch efo Rhosier Mortimer yng Nghastell Maesyfed. Pwy ŵyr na fyddai un o'i ferched yn arglwyddes Castell Wigmor ryw ddydd?

Wedi ymolch a diosg ei ddillad milwr fe oedodd Llywelyn i swpera efo'i Dywysoges yn stafell y Tŵr y nos honno. Nid aeth ar gyfyl neuadd y llys.

V

Wythnos y Dioddefaint 1282

Wedi dathliad mawr Gŵyl y Nadolig yn y llys ymhell hyd Nos
Ystwyll efo'r beirdd fel Bleddyn Fardd a'r to iau efo Gruffudd ab
yr Ynad a'r telynorion, roedd disgwyl ymlaen am y gwanwyn.
Cyhoeddodd y gŵr ifanc, Trystan Arawn — yn falch a thrahaus
fel ag yr oedd — i'r byd a'r betws bod ei wraig Angharad Wen yn
feichiog ac y genid yr etifedd yn nechrau'r haf cynnar. Ond
sibrydion yn unig oedd yno am feichiogrwydd y Dywysoges
Elinor.

'Mi fydd tylwyth yr hen daid Rhys Arawn a'i wraig Gwenhwyfar
yn breplyd hyd y lle fel erioed,' oedd sibrydion y llys. 'Ddwedwn
ni ddim gair am y Dywysoges . . . rhag ofn. Mi fuon ni'n disgwyl
yn hir a dydy'r Dywysoges ddim yn ifanc fel Angharad Wen. Mi
dyfodd i fyny yng nghyfnod rhyfeloedd 'i thad Symwnt Mymffwrdd.
Ca'l 'i chipio o'r môr gan y brenin a'i chadw wedyn yn neilltuedd
Castell Windsor. Mae hi'n wialen o gyff y Montfordiaid ond mi
all gwialen felly blygu.'

'Mae'r brigyn briw o Efell oedd gan Uthr Wyddel wedi marw,'
medd rhywun. 'Yr Efell Llwyfen, fel y bydden nhw yn 'i galw hi.
Mae'r llall ar goll fel brigyn unig uwch ben Bwlch y Ddeufaen . . .
ond mae ambell frigyn yn fwynach na gwialen weithiau.'

Roedd y Dywysoges hefyd wedi gweld yr Efell unig ar ei siwrnai
olaf i'r castell yn Nolwyddelan. Ffodd y ferch Collen am ei bywyd
dros y gefnen pan welodd osgordd y llys yn dynesu y tro hwn. Yn
ddistaw bach yr oedd y Dywysoges yn chwennych y byddai hiraeth
yn llethu'r eneth ac fe arbedai hynny i'r Tywysog ddisgyn oddi ar
ei farch a'i chofleidio fel ei gariadferch. Ond cwmwl bychan iawn
yn ffurfafen heulog y Dywysoges y dyddiau hynny oedd
presenoldeb Collen hyd y lle. Ac eto mae byd dynion yn newid yn
union fel troad y rhod ar brydiau.

Felly y digwyddodd efo'r gŵr ansicr ei drywydd, Dafydd ap
Gruffudd. Roedd o'n cynghreirio efo'i frawd Llywelyn yn ôl y sôn.

'Mae'r ddau fynydd wedi cwrdd o'r diwedd,' gorfoleddodd rhywun.

'Ond 'rhoswch i'r bwlch gau rhwng y ddau eto,' sibrydodd un arall yn goeglyd. 'Mae'n hen dric yn y mynyddoedd i'r niwloedd grynhoi a chuddio'r copäon.'

'Ond tewach gwaed,' oedd y sylw pendant. 'Mae yma ddwy wraig o Normanes gynnes eu calonnau ac o dylwyth brenin Lloegr yn rhywle . . .'

Ond mynnu siarad ar eu cyfer yr oedd y bobl heb fod yn sicr o ddim.

Roedd y Tywysog a'r Dywysoges a swyddogion y llys yn gadael yr eglwys ar fore Sul y Blodau pan ruthrodd dau farchog dros y gefnen. Dau ŵr o'r Berfeddwlad.

'Neges i'r Tywysog, Llywelyn ap Gruffudd!' meddent. 'Neges o frys!'

Mewn byr o dro lledodd y newyddion blith draphlith drwy'r dorf ar yr union awr pan oedd y gwragedd yn cario eu tusẅau blodau ar y beddau.

'Neithiwr fe dorrodd Dafydd ap Gruffudd a'i wŷr i mewn i Gastell Penarlâg. Mi fuo yno ladd a llosgi ac mae'r arglwydd Roger Clifford wedi'i gymryd yn garcharor. Mae Cymry'r Berfeddwlad mewn gwrthryfel ac fe fu yno ysbeilio o gwmpas y castell yn y Fflint a Rhuddlan ac mae'r Cymry am yrru gwŷr y brenin allan o Ystrad Alun a Thegeingl ac mi fydd y tân yn lledu i Edeirnion a Dyffryn Maelor . . .'

Criw ofnus fu'n chwilio'u ffordd adre o wasanaeth bore Sul y Blodau o'r eglwys yn Abergwyngregyn a'r hen ofnau yn eu hamgylchynu unwaith yn rhagor.

'Mi fydd hyn yn ddigon i'r Dywysogas,' sibrydodd y mamau, 'a hithau chwe mis yn feichiog, a ninna' wedi edrach cym'int ymlaen am etifadd y T'wysog!'

'Ond hwyrach na fydd i'r T'wysog fynd i'r rhyfal,' cysurodd yr henwyr. 'Ystryw Dafydd ydy hyn. Mi aiff i'w dranc 'i hun!'

'Ond mae'r fflam a'r cynnud ar gerddad,' mynnodd y gwŷr ifanc, 'ac os bydd gweddill y Dywysogaeth yn y tanchwa mi fydd hogia' Eryri yno hefyd!'

Sobrodd Llywelyn efo'r newyddion ac ar fyrder cynullwyd y swyddogion i'r neuadd newydd a godwyd wedi'r terfysg dros y Fenai yn agos i bum mlynedd cyn hyn. Roedd Neuadd Garthcelyn mewn man dirgel allan o olwg y gelyn.

Dechrau Wythnos y Dioddefaint oedd hi wedi'r cwbl. Dyddiau o heddwch ac o sancteiddrwydd oedd y dyddiau cyn y Groglith yng ngwledydd Cred ac fe ddôi llid yr Eglwys i fwrw'r Cymry i'r llaid unwaith yn rhagor am iddynt ymosod ar ddyddiau Cadoediad.

Prin bod Llywelyn yn medru amgyffred y sefyllfa. Rai wythnosau cyn hyn fe fentrodd belled ag Ystrad Alun a thir yr Hob yn dadlau hawl y Cymry yn ôl Cyfraith Hywel yn erbyn Reginald de Grey, Ustus Caer a Roger Clifford, arglwydd Penarlâg. Roedd o yno yn pledio hawliau'r brawd iau! Ddwywaith fe drodd Dafydd yn fradwr i'w bobl ei hun a bellach fe drodd yn fradwr i'r brenin. Ynteu a oedd gwaed y Cymro ynddo o'r diwedd yn gwrthod plygu i estron?

Rhuthrodd llu o gwestiynau drwy feddyliau gwŷr y Cyfrin Gyngor ond eu bod yn ofni datgelu dim yng ngŵydd y Tywysog. Roeddynt yn wŷr praff bob un. Meddai Gronw ap Heilin o'r diwedd, y gŵr ifanc a orfodwyd wedi Cytundeb Aberconwy i warchod Cwmwd Rhos yn enw'r brenin:

'F'arglwydd! Fe fu'r olwynion yn troi ers amser. Haerllugrwydd yr estron fel briw ar groen o eithaf y Berfeddwlad hyd y Gororau a ffiniau Deheubarth yn Ystrad Tywi. Mae'r bobl fel erioed yn chwilio am arweinydd ac fe neidiodd Dafydd ap Gruffudd i'r adwy. Gall iddo wneud hynny yn wyneb cyni'r boblogaeth ond gall fod yna reswm dyfnach. Fe wyddost ti, Llywelyn, am amodau Cytundeb Aberconwy. Pe baet ti'n marw yn ddietifedd fe ddôi rhan o Eryri yn eiddo i Dafydd.'

Ymatebodd Llywelyn i'r sylw personol hwn yn y man,

'Rhy wir. Mae beichiogrwydd y Dywysoges wedi dyfnhau'r anniddigrwydd yn Dafydd rhag ofn na wêl sylweddoli byth ei freuddwyd o gael trosglwyddo tir Gwynedd i'w blant. Am hynny mae o am geisio adfeddiannu'r tiroedd a gollwyd dros ffiniau pell yr Hen Dywysogaeth.'

Roedd y Tywysog yn pwyso a mesur pob gair yn ofalus y dyddiau hynny. Meddai,

'Rydych yn wŷr deallus bob un ac fe all bod yr hen falchder wedi ailafael unwaith yn rhagor yn y genedl. Mae mawredd y gorffennol o'r dyddiau pan oedd Aberffraw yn ei grym yng ngwead pob un ohonom. Ond mae angen pwyll. Fe garwn i weld geni'r etifedd cyn rhuthro i ryfel . . . rhag cynhyrfu'r Dywysoges o gofio bod ei brawd, Amauri, o hyd yn garcharor i'r brenin. Fe ellid poenydio Amauri a dwyn mwy o anfri ar dylwyth y Montfordiaid. Cofiwn fod rhai o ddilynwyr y tad Simon yn cysgodi o hyd yng ngwlad Lloegr.'

Torrodd un gŵr allan gyda rhyw frwdfrydedd mawr. Meddai,

'Pwy a ŵyr, f'arglwydd, na fu'r sôn am feichiogrwydd y Dywysoges yn sbardun i ailgynnau'r hen awydd i wrthsefyll brenin Lloegr fawr ymysg y Cymry o'r Berfeddwlad i'r Deheubarth? Ond un peth sydd sicr, f'arglwydd, arnat ti y syrthiodd yr iau yn y gorffennol. Ti oedd ym mrwydr Cymerau saith mlynedd ar hugain yn ôl pan estynnwyd y Dywysogaeth i ffiniau pellaf Dyfed ac y collwyd tair mil o wŷr yng Nghoed Llathen ger Llandeilo Fawr. Pwy a ŵyr na welir ailfyw rhyw goncwest fawr arall yn erbyn y gelyn?'

Yn dawel fach hefyd roedd Llywelyn yn coleddu'r breuddwyd bod unrhyw beth yn bosibl efo'r bywyd newydd hwn yng nghroth y Dywysoges ac y dôi iddo yntau nythaid o fechgyn yn y man. Os felly, byddai angen ymestyn y Dywysogaeth drachefn ac felly cyn diwedd Wythnos y Dioddefaint gwnaeth ddiofryd y byddai yntau yn ailarfogi i frwydr yn y man. Ond nid ar frys. Roedd lle i ymgynghori ac i arfer pwyll rhag difetha llwybr bywyd i'r un bach na aned eto . . . i warchod y Dywysoges Elinor . . . i warchod Gwynedd.

Fodd bynnag, cyn Sul y Pasg roedd y gwrthryfel yn lledu fel caseg eira. Dridiau wedi'r ymosodiad ar Benarlâg rhuthrodd gwŷr Edeirnion a Phowys Fadog fel bytheiaid am dref Croesoswallt gan ddial ar bob Sais. Syrthiodd Castell Llanbadarn i Gruffudd ap Maredudd a'i frawd Cynan. Gwthiodd Rhys Fychan drwy Geredigion. Syrthiodd Castell Carreg Cennen a Llanymddyfri a chynheuwyd yr ias i daro hyd y Gororau.

Cadw llygad barcud y byddai Llywelyn o hyn allan gan

gryfhau'r ffiniau ac atgyfnerthu'r cestyll yn Nolbadarn, Dolwyddelan, Cricieth, y Bere a Charndochan ym Mhenllyn. Treiddiodd yr anniddigrwydd i'r llys yn Abergwyngregyn a hir yw pob ymaros.

VI

Roedd y cefnder, Edward, yn crynhoi ei luoedd yng Nghaerlleon Fawr a'i seiri unwaith yn rhagor yn adeiladu llongau er mwyn pontio'r Fenai o Lan-faes. Roedd o hefyd yn cadarnhau'r cestyll yn y Fflint a Rhuddlan a'r Iarll William de Valence yn gwthio o Benfro drwy Geredigion i ailgodi'r gaer yn Llanbadarn. Yr Iarll Gilbert de Clare yn darostwng Carreg Cennen, Roger Lestrange ym Muellt a Rhosier Mortimer yn Nhrefaldwyn. Fe ddwedid bod y brenin yn benthyca arian o ddinasoedd yr Eidal, yn casglu gwinoedd ac ŷd, pysgod a chigoedd o Gasgwyn i borthi'i filwyr ac yn cyrchu gwŷr-meirch o wlad y Basg. Os felly, fe fyddai byddin rymusaf gwledydd Cred erbyn canol haf yn paratoi i ddarostwng y Cymry a elwid yn genedl ddichellgar ac a oedd eisoes wedi ennyn llid yr Eglwys. Gwlad ysgymun oedd gwlad y Cymry.

Ond hyd yma roedd hi'n dawel ar lannau'r Fenai ar wahân i wylanod yn hedfan yn isel a chrawcian yn uchel fel rhai yn chwilio am sglyfaeth.

Cyn diwedd Ebrill daeth y newydd i'r llys am ryddhau y brawd Amauri de Montfort o Gastell Corfe a'i fod ar ei daith yn ôl i wledydd Cred. Tybed a oedd mynych lythyrau ei chwaer Elinor at y brenin a thaer ymbil Archesgob Caer-gaint wedi toddi calon Edward o'r diwedd? Ynteu ofni gwrthryfel ymhlith yr hyn oedd weddill o blaid y Montfordiaid yng ngwlad Lloegr yr oedd? Gellid meddwl y byddai rhyddhau y brawd Amauri yn codi calon Elinor ond nid felly y bu. Roedd hi wedi rhyw ddistaw obeithio y byddai Ffawd yn dod â'r brawd i Gymru, i wlad ei mabwysiad, ond bellach roedd o wedi troi cefn dros byth. Roedd yr olaf o'i thylwyth allan o gyrraedd! Efo'r sôn am ryfel hefyd daeth trymder drosti ac yr oedd y Tywysog ar drafael yn barhaus er nad oedd gwŷr Gwynedd hyd yma yng ngwres y frwydr.

Yn ystod dechrau mis Mehefin fe fynnodd y Dywysoges ei neilltuo'i hun naill ai i stafell y Tŵr neu ynteu yn cerdded yr ardd efo'r Ffrances fach Marie. Yn y mannau hynny o olwg y llys roedd y ddwy yn cael siarad eu mamiaith ac yn nyddiau'r disgwyl roedd rhyw glydwch yn y peth. Ni fedrai dim fod yn fwy wrth fodd y Ffrances fach na chael bod yng nghwmni'i meistres ac eto yr oedd rhywbeth yn peri poendod iddi.

Llwyddodd Elinor i feithrin gardd fechan o fewn muriau'r llys lle roedd cysgod rhag gwynt y môr a rhag stormydd y Carneddau. Cyn hynny roedd y lle yn wyllt er dyddiau'r Dywysoges Isabella, ddeugain mlynedd yn ôl. Bellach roedd y berllan wedi'i thrin a golwg am gynhaeaf da o afalau a gellyg. Y coed hefyd yn llawn dail. Yn wir roedden nhw'n dechrau trymhau, yn drwmlwythog fel corff y Dywysoges ond ei bod hi'n llawer mwy llesg na'r coed. Roedd hi hefyd wedi diwyllio'r rhosynnau hyd y cloddiau a'r lawnt erbyn hyn yn garped tlws o lygaid y dydd a'r fioled. Fe ddaeth hi â nifer o wreiddiau i'w chanlyn o ardd Castell Windsor efo naws y Dwyrain o'u cylch. Ffynnodd rhai a gwywodd eraill a doedd neb yn gwybod eu henwau. Mewn un cornel arbennig roedd yno lysiau — y wermod lwyd a'r wen, dail mân y camri, llysiau'r gwaedlin, carn yr ebol at y peswch a'r clafr mawr at yr ysgyfaint. Tiriogaeth Angharad Wen oedd yr ardd lysiau mewn gwirionedd. Y hi fu'n ei gwarchod am iddi ddysgu'r grefft o'u trafod oddi wrth Meistres Mererid yn y castell yn Nolwyddelan ac i honno etifeddu'r ddawn oddi wrth ei mam hithau, Gwenhwyfar. Yn ystod y dyddiau hyn yn nechrau Mehefin roedd Angharad Wen yn magu'i babi newydd a'r tad, Trystan Arawn, yn uchel ei gloch yn canu clod y tylwyth a ddaeth gyntaf i'r llys efo'r hendaid Rhys Arawn o'r Berfeddwlad.

Yng nghysgod y coed roedd yno fainc bren ac yno y byddai Elinor yn dal haul y pnawn. Ond ei sgwrs oedd yn peri pryder i Marie a'r cwestiynu annisgwyl oedd yn newid o ddydd i ddydd. Sawl gwaith fe ddaeth y sylw,

'Roeddet ti'n hapus yn y Cwfaint ym Montargis ers talwm on'd oeddet ti, Marie? Garet ti fynd yn ôl at y Chwiorydd . . . at y Chwaer Josephine?'

'Ond, f'arglwyddes! Mae gwlad Ffrainc yn bell o'r llys. Wn i mo'r ffordd yno!'

Wrth weld yr eneth yn gynnwrf i gyd byddai Elinor wedyn yn ymestyn ei chorff tuag ati a thynnu'i llaw drwy'i gwallt. Meddai wedyn,

'Meddwl yr oeddwn i y caret ti fynd at y Chwiorydd *rywdro* eto. Fe fyddet ti'n hapusach yno nag yma yn y llys efalle!'

'Ond fyddech chi am f'anfon i i ffwrdd, f'arglwyddes . . . i ffwrdd am byth?'

'Nid tra bo merch Simon de Montfort yn y llys . . . nid byth!' Wrth i'r chwiw honno ddiflannu fe ddôi diwrnod arall â'i gwestiwn ei hun.

'Fydd gen ti hiraeth am Gastell Windsor, Marie?'

'Ond carchar oedd yno, f'arglwyddes!'

Roedd Marie o'r farn ei bod hi'n hen bryd i'w meistres gael gwared o'r chwydd yn ei chorff. Pe dôi'r plentyn i'r byd fe ddôi gwell trefn ar bethau wedyn. Ar y Tywysog yr oedd y bai am yr holl helynt. Yn ddistaw bach roedd hi'n cenfigennu wrtho oblegid er y dydd y daethon nhw gyntaf i'r llys, y fo oedd wedi cael y lle blaenaf ym meddwl y Dywysoges. Ond bellach dyma hithau, y Ffrances fach, yn cael ei meistres yn llwyr iddi'i hun. Trueni serch hynny bod sgwrs y feistres mor aml ar chwâl ac yn codi hen grachen o'r gorffennol. Beth oedd yn bod arni? Tybed a oedd hi yn dyheu am nodded Chwiorydd y Cwfaint wrth i ddydd y geni nesáu? Pan fu farw ei mam, yr Iarlles, y Chwiorydd fu'n estyn dwylo i'w chysuro. Ond mynnu dychwelyd yn ôl i Gastell Windsor yr oedd Elinor o hyd ac o hyd.

'Wyt ti'n cofio mor wyrdd oedd y lawnt yno, Marie, a'r adar yn canu eu calon allan yn y gwanwyn? Roedden ni'n llawn ein breuddwydion a pheth braf ydy breuddwydio ymlaen hyd yn oed os na welir gwireddu'r peth byth.'

Roedd y cof am Gastell Windsor yn deffro meddwl Marie hefyd. Cofiodd fel y bu iddi un bore braf o wanwyn adrodd yr adnod y byddai'r Chwiorydd yn ei dysgu iddi a hynny yng nghlyw yr hen wraig honno oedd yn nyddu yng nghornel y lawnt.

'*Si tu crois, tu verras la gloire de Dieu,*' oedd geiriau'r adnod a'r eiliad nesaf, meddai'r hen wraig gyda gwên lydan ar ei hwyneb, 'Os credi, ti a weli ogoniant Duw.'

Mor rhyfedd oedd bywyd! O'r bore hwnnw ymlaen bu'r hen wraig yn ddolen rhyngddynt a gwlad y Tywysog.

'Pwy oedd yr hen wraig honno yng Nghastell Windsor, f'arglwyddes?' mentrodd Marie o'r diwedd.

'Mi dybiwn i ei bod hi o Wynedd ac wedi dilyn rhyw uchelwr yn wraig ordderch hwyrach ac i hwnnw wrthod ei harddel hi mwy. Mae rhai pethau nad oes esboniad arnyn nhw. Yr hen wraig a ddysgodd eiriau iaith y Cymry i ni a sôn llawer am eu gwlad nhw.'

Chwarddodd Marie ar hynny. Roedd rhywbeth yn ei goglais.

'Roedd ei hwyneb hi'n grychiog i gyd — yn union fel "Snowden", f'arglwyddes!'

Chwarddodd y Dywysoges hefyd. Meddai,

'Ac i feddwl ein bod ni wedi gosod y mynydd "Snowden" yn union uwch ben y llys yng ngwead y tapestri ym Montargis ers talwm, Marie! Mor ddwl y buon ni!'

Dim ond o Ynys Môn yr oedden nhw wedi cael cip go-iawn ar y mynydd uchel hwnnw ac yr oedd peth niwl yn cerdded drosto bryd hynny hefyd. Yn wir, niwl oedd bywyd i gyd erbyn meddwl. Ond nid oedd y cwestiynu wedi gorffen eto.

'Marie!' meddai Elinor. 'Mi ddysgodd yr hen wraig yng Nghastell Windsor gân i ti. Beth oedd y geiriau hynny?'

Cofiodd Marie mai sôn am ryw golomen wen yr oedd y gân ac i'r golomen honno golli ei haden ar lawnt y plas. Cân drist oedd hi ac nid oedd hi am ddatgelu dim i'w meistres y dwthwn hwnnw.

Dechrau holi hefyd yr oedd y gwragedd yn y llys am hynt y Dywysoges.

'Mae'r Ffrances fach yn deud 'i bod hi'n mwydro yn 'i phen. Yn sôn am hen betha' a byth yn sôn am y plentyn yn 'i chroth. Tasa hi'n colli'r plentyn mi fydda'r T'wysog am yn gwaed ni. Gwell i ni anfon am y fydwraig, gwraig yr Ynad Coch o Ddyffryn Lledr. Prin y bydd honno byth yn methu. Mae'r Dywysogas yn wan. Tydy hi'n byta y nesa' peth i ddim, medda'r Ffrances fach. Maen nhw wedi arfar efo hin dynerach gwlad Ffrainc. Dydy'r tamprwydd o'r môr a'r gwyntoedd o Eryri yn da i ddim i weiniaid. Maen nhw'n dwad ag anwydon, dolur yn y sgyfaint a llid ar yr ymennydd ac unwaith ma'r olaf yn dwad 'does dim dal wedyn! Ac mae'r T'wysog yn bell o gartra' yn chwilio'r wlad yn rhywla. Duw a Mair a'n helpo!'

Cwyno yr oedd yr henwyr am fod y gwylanod yn hedfan yn isel tua chanol y mis.

'Adar drycin ydyn nhw bob gafa'l,' meddai'r rheini.

265

VII

Bu farw'r Dywysoges Elinor ar enedigaeth ei merch fach Gwenllian
ar y pedwerydd ar bymtheg o fis Mehefin y flwyddyn honno. Wrth
i'r osgordd ddilyn yr arch dros Draeth y Lafan am Lan-faes roedd
yr hin yn braf odiaeth. Y tywod yn felyn, y dŵr a'r awyr yn las a
godreon Ynys Seiriol a chreigiau'r Penmaen-mawr fel sgerti duon
yn llaes yn y môr. Roedd yna frys — brys i gladdu'r corff am ei
bod hi'n haf, brys rhag y llanw a brys mwy rhag y gelyn. Dridiau
cyn marwolaeth y Dywysoges bu brwydr Llandeilo Fawr ac yn y
frwydr waedlyd honno lladdwyd Young de Valence, mab Iarll
Penfro, a nifer o farchogion y brenin. Ond nid oedd y Dywysoges
i wybod dim am hynny.

Galwyd y fydwraig o'r Fedw Deg yn Nyffryn Lledr i'r enedigaeth
rhag bod nam yn y geni. Ond ysgwyd pen yr oedd y wraig. Meddai
wedyn,

'Mi roison ni olew'r teim i ryddhau'r geni a gwreiddiau llysiau'r
dryw ond doedd dim yn tycio, ac mi roison ni sbeis y pren synamon
yn y ddiod ond doedd dim yn tycio wedyn.'

Mynnu crio yr oedd hogiau ifanc yr osgordd wrth groesi i Lan-
faes ar ddydd ei harwyl. Byddai mamau yn marw wrth eni plant
ond byth dywysogesau! Roedd Bleddyn y bardd llys wedi dweud
wrthynt am eu Tywysog:

'Gŵr prudd megis Priam'

Ond na wydden nhw ddim oll am yr hen ŵr hwnnw o frenin o
Gaerdroea. Cywasgwyd i gorff marw'r Dywysoges drasiedi byw o
ddyddiau syberwyd Castell Kenilworth i'r cipio creulon o'r môr ar
lannau Cernyw. Ond yr oedd yma lawenydd na wydden nhw ddim
oll amdano — tawelwch y Chwiorydd yng Nghwfaint Montargis
yng ngwlad Ffrainc; ffyddlondeb y Ffrances fach, Marie, a chariad
Tywysog. Pe câi Elinor weld yr hydref nesaf fe fyddai wedi profi
yn agos i bedair blynedd o lawenydd byw ar lannau'r Fenai efo'i
Thywysog Llywelyn ap Gruffudd. Ac eto, rhyw arian byw oedd y
cwbl yn disgleirio mewn môr o dywyllwch. Hyd yma nid oedd y
Tywysog wedi prin yngan gair o'i ben ond i'r mudandod mawr fe

ddôi trwst gwŷr rhyfel a sŵn troedio caled milwyr. Milwr oedd o ac yr oedd cyni cenedl yn galw arno.

Cyrraedd glannau Ynys Môn o'r diwedd. Sŵn rhiglo traed gwŷr yr elor yn y graean. Llepian y dŵr ac ambell ochenaid yn marw dros byth mewn cyffyrddiad o awyr. Felly yr oedd bywyd hefyd.

Dringo ochr werdd y caeau hyd at Dŷ'r Brodyr Llwydion a'r Brodyr yn aros yn rheng hir yn barod i drosglwyddo enaid y marw i Dduw a Mair Forwyn. Yno yr oedd eglwys newydd a godwyd gan y taid Llywelyn ab Iorwerth i goffáu ei wraig yntau, y Normanes Siwan ferch y brenin John. Roedd y canhwyllau ynghyn yn yr eglwys a'u purdeb yn gweddu i'r Dywysoges Elinor. I sŵn llafarganu'r Brodyr a gostwng yr arch i'r beddrod plygu pen yr oedd y Tywysog a'i ymarweddiad mor syber ag erioed. Gostyngodd wedyn ar ei liniau a gwasgaru llwch o'i law hyd wyneb yr arch . . .

'Y Forwyn Fair! Ti, Fam y ddynoliaeth, gwarchod ei henaid hi . . . ei henaid hi!'

Dychwelodd yr osgordd wedyn ar frys dros Draeth y Lafan gan fod y llanw yn dechrau troi.

Unwaith y dychwelodd y Tywysog i'r llys fe dorrwyd ar y mudandod.

'Ble mae Marie, y Ffrances fach?' gofynnodd.

Ond doedd neb wedi gweld yr eneth er yr amser y cychwynnodd yr osgordd efo corff ei meistres am Lan-faes.

'Ewch i chwilio am yr eneth!' gwaeddodd y Tywysog yn wyllt. 'Mae hi'n estron mewn gwlad ddiarth!'

Ymhen yr hir a'r rhawg daethpwyd o hyd i'r eneth mewn rhyw hanner llewyg o hir grio yn gorwedd yn yr hesg ar lan y Fenai. Gorchmynnodd y Tywysog iddynt ddod â'r eneth i stafell y Tŵr — i stafell y Dywysoges. Yno'n aros amdani yn wargam ddigon erbyn hyn yr oedd Llywelyn.

'Tyrd yma, Marie!' gorchmynnodd gan ei chyfarch yn ei hiaith ei hun er mai digon clapiog yn aml oedd ei afael ar iaith y Norman! Ond protestio yr oedd yr eneth.

'Ma'mselle! Ma'mselle!'

'Mi wn i mai wrth yr enw hwnnw y byddet ti'n cyfarch dy feistres, Marie, ond cystal i ni'n dau osod trefn ar bethau.'

Rywfodd, rywsut aeth ei ddagrau'n drech nag yntau ar hynny ac amneidiodd ar i'r eneth ddod i eistedd ar ei bwys ar y fainc. Cydiodd yn dynn yn ei llaw.

'Yr estrones fach,' meddai'n dyner yn y man, 'mae'n rhaid i fywyd garlamu ymlaen. Milwr ydw i a Thywysog gwlad ac yfory fe fydda' i yn troi tua Cheredigion a Dyffryn Tywi. Mae mynyddoedd Eryri yn dweud wrtha i bod yn rhaid i mi bellach ymladd gyda'm pobl ochr yn ochr â'r brawd Dafydd. Ond mae gen i swydd i tithau hefyd, Marie. Mi fyddi di yn mynd efo'r famaeth Angharad Wen a'i mab bach hi a'r baban Gwenllian i Gastell Dolwyddelan. Mi fydd yn ddiogelach i chi yno ac yr ydw i am i ti ddysgu iaith ei mam i Gwenllian a dweud wrthi am urddas tylwyth y Montfordiaid yn ogystal â thylwyth tywysogion Gwynedd. Dyna fyddai dy 'ma'mselle' am i ti wneud. Wyt ti'n deall, Marie?'

Oedd, roedd hi'n deall yn burion. Cododd a gwnaeth gyrtsi o flaen y Tywysog.

'Sych dy ddagrau,' meddai yntau wedyn, 'a dos i weld beth ydy helynt y ferch fach Gwenllian . . . a chyda llaw fe fydd yr arglwyddes Elisabeth Ferrers a'i phlant hithau yn Nolwyddelan a'r cwbl yn siarad iaith y Norman! Mi fyddi di wrth dy fodd Marie!'

Y noson honno fe arhosodd y Tywysog wrtho'i hun yn stafell y Tŵr ac yn ôl pob sôn roedd yr haul yn machlud yn goch dros Ynys Môn. Roedd pethau'n argoeli am hin braf wedi Troad y Rhod.

VIII

Dechrau Tachwedd 1282

Misoedd trwm oedd misoedd yr haf hwnnw yn Abergwyngregyn
yn dilyn marwolaeth y Dywysoges Elinor. Roedd y gwragedd yn
crio a'r plant bach yn torri'u calonnau pan aed â'r baban Gwenllian
o'r llys i Gastell Dolwyddelan. Dyddiau o ryfel oedd hi a'r mân
broffwydi yn darogan y dôi gwaed i ddyfroedd afon Menai fel yn
nyddiau Hywel ab Owain Gwynedd. Treuliodd yr haf yn hydref
ac yr oedd milwyr y brenin yn llusgo'u traed yn Rhos a Rhufoniog
ac Ynys Môn. Hyd yma prin bod smatrin o eira ar ben yr Wyddfa
er i'r gwragedd daer weddïo ar i'r Forwyn anfon y cnu gwyn i'w
harbed. Os rhywbeth, roedden nhw wedi digio wrth y Forwyn Fair
am iddi ddwyn y Dywysoges i ddaear Llan-faes a gado'r ferch fach,
Gwenllian, at drugaredd tad oedd yn amlach ar faes y gwaed yn
rhywle nag yn Eryri yn ddiweddar. Prin fod y Tywysog wedi
dychwelyd o fod yn Ystrad Tywi a Cheredigion ac ar lannau afon
Nedd a'r Wysg cyn hynny.

'Does dim dal ar y T'wysog,' meddai'r bobl. 'Mae o fel dyn o'i
go' am fod y Dywysogas yn farw ac am nad oes etifadd o fab ganddo
fo! Mae tynged y duwiau arnon ni a Duw a'r Forwyn wedi digio
am i Ddafydd ap Gruffudd ymosod ar Gastall Penarlâg ar ddechra'
Wythnos y Dioddefaint . . . ac eto mae'r ddau frawd, Dafydd a
Llywelyn mewn cytgord â'i gilydd. Trech gwaed na dŵr. Rhyfadd
o fyd!'

Digon anniddig oedd hogiau'r osgordd — Trystan Arawn, Iolo
Pen-maen a Gruffudd ab yr Ynad — am fod gwŷr y brenin yn bwyta
i mewn i dir y Cymry dafell wrth dafell. Meddent,

'Mae'r cythril brenin wedi rhoi tir Iâl a Maelor i Iarll Surrey,
Dyffryn Clwyd i Reginald de Grey a gwlad Rhos a Rhufoniog i Iarll
Lincoln. Mi wyliwn ni na chaiff y diawl brenin osod lled troed yn
Abargwyngregyn nac anadlu'i anadl drwg yn Eryri. Mi ymladdwn
ni hyd at waed y tro hwn. Iwdas o ddyn fyddai'n dwyn treftadaeth
y Cymry oddi arnynt!'

Wrth i luoedd y brenin wthio Dafydd ap Gruffudd a'i dylwyth yn nes, nes tua'r gorllewin fe ddaeth y castell yn Nolwyddelan yn noddfa i'r merched a'r plant. Yno roedd Elisabeth Ferrers, ei meibion a'i merched bach. Y Ffrances Marie a'r famaeth Angharad Wen a'i phlentyn hithau, yn gwarchod Gwenllian. Yn fabi pum mis o'r bron erbyn mis Tachwedd roedd Gwenllian yn felyster o gnawd a gwên a oedd yn ddigon i doddi'r galon galetaf.

A phan oedd y werin dlawd yn cwtsio mewn ofn a'r milwyr yn bygwth bygythion am fod byddin y brenin yn codi gwersyll yn Llan-faes lle roedd bedd newydd y Dywysoges, fe grynhodd swyddogion y llys yn stafell y Cyngor yng Ngarthcelyn. Er canol haf roedd y cistiau yn llawn o gyfrinachau'r llys wedi'u symud i'r mynyddoedd rhag i'r brenin roi llaw arnyn nhw. Roedd y gŵr hwnnw'n llawer rhy agos bellach yn ei gaer newydd yn Rhuddlan a'i fyddinoedd fel nadredd yn gwthio drwy Uwch Aled ac Is Conwy. Hyd yma fe fu'r coedwigoedd a'r tir rhos yn rhwystr iddo ond erbyn hyn roedd o'n chwilio am le i rydio afon Gonwy yng nghyffiniau Trefriw er mwyn cael gweithio'i ffordd dros Arllechwedd ac i fyny Dyffryn Conwy. Adeg y cynhaeaf fe fu'r pladurwyr fel o'r blaen yn medi cnydau pobl Ynys Môn ac er diwedd haf bu milwyr y brenin yn codi gwersyll ger Tŷ'r Brodyr yn Llan-faes gan halogi'r tir sanctaidd yno. Ddydd ar ôl dydd gellid gweld y morwyr yn cludo badau ac ysgraffau efo'r bwriad o bontio'r dŵr dros Draeth y Lafan o gyfeiriad Llan-faes. Dyddiau dwys oedd y rhain.

Erbyn y pumed o fis Tachwedd yr oedd John Pecham, Archesgob Caer-gaint, wedi cyrraedd y llys yn Abergwyngregyn ar neges o gymrodeddu ar yr unfed awr ar ddeg rhwng y brenin Edward a'r Tywysog Llywelyn ap Gruffudd. Efo'r gŵr eglwysig sarrug a dadleugar hwn yr oedd y cennad Adda o Nannau. Cododd gwrychyn gwŷr y llys ar hynny.

'Adda, brawd Anian esgob Llanelwy a brawd Ynyr o Nannau ydy hwn. Tylwyth fu â chyllell yn y T'wysog ers hir amser. Ddaw dim da o hyn!'

Erbyn dyfodiad yr Archesgob roedd cenhadon wedi cyrraedd y llys o bellafoedd yr hen Dywysogaeth efo cwynion y deiliaid yn erbyn swyddogion y brenin a'r anfri yn llysoedd barn yr Ustusiaid ar hen gyfraith y Cymry. Ond heb flewyn ar dafod fe fynnodd John Pecham mai anwariaid oedd y Cymry yn gwrthod ymostwng i ewyllys y brenin Edward. Y nhw oedd wedi halogi'r Wythnos Sanctaidd drwy ymosod ar Gastell Penarlâg a llosgi Castell Llanbadarn adeg y Pasg ac o'r herwydd roeddynt yn wynebu barnedigaeth byd ac eglwys. Meddai hogiau'r osgordd,

'Mae'r Archesgob am ddysgu moesau da i ni. Y ni, medda fo, ydy'r paganiaid sy'n syrthio i'r môr yn eithaf y gorllewin ac yr ydan ni'n haeddu cael ein hysgymuno os na phlygwn ni i ewyllys y brenin a chaniatáu iddo gael tir Eryri. Mae arno fo eisiau cael gafael ar gestyll Dolwyddelan a Dolbadarn ac wedyn mi gaiff Llywelyn ap Gruffudd iarllaeth deg yng ngwlad Lloegr ac i'w etifeddion ac mae'r brenin am yrru Dafydd ap Gruffudd yn alltud i Balesteina er mwyn i'r Twrc ei ladd o!'

Er gwaetha' popeth fe gafodd yr Archesgob groeso digon cwrtais o fewn y llys yn y gobaith y gallasai leddfu peth ar ddicter y brenin. Siawns na ddôi yna hoe fach arall cyn i'r gelyn daro. Onid oedd y Tywysog wedi priodi â chyfnither y brenin ac onid oedd y fechan, Gwenllian, yn un o'i dylwyth? Gyda golwg ar yr Archesgob, oni wyddai hwnnw am ormes y trethi estron ar y Cymry, am falchder trahaus y swyddogion ac am y carcharu annheg? Oni fedrai argyhoeddi'r brenin mai cri am gyfiawnder oedd y cwbl ac mai digywilydd-dra o'r mwyaf oedd ymyrraeth cenedl fawr mewn cenedl fechan?

Er y cwrteisi a'r ymbilio doedd dim yn tycio a'r Tywysog mor ddisymud â'r brenin ei hun. Yn ddigon siomedig y trodd yr Archesgob ei gefn ar Wynedd gan ado'r cennad Adda o Nannau, am ryw reswm dirgel, yn troi ogylch eglwys Sant Deiniol ym Mangor fel barcud yn gwylio'r prae a chyda'r gorchymyn i gwrdd â'r Archesgob yn swydd Henffordd ar yr unfed dydd ar ddeg o fis Rhagfyr y flwyddyn honno!

Ar ymadawiad John Pecham fe aeth Llywelyn ap Gruffudd a'i uchel swyddogion ati i ateb bygythiad y brenin.

'Rasusaf Frenin — Estynnwch i mi diriogaeth yng ngwlad Lloegr a'r addewid pe byddai i mi briodi drachefn a gweld geni o'm lwynau fab yn etifedd, yr estynnid yr etifeddiaeth i'r mab hwnnw ac ymhellach yr estynnid nodded addas i'm merch Gwenllian. . . . Y mae arnaf fodd bynnag yr ymdeimlad o ddyletswydd fy nhreftadaeth ac nad iawn fyddai ildio'r etifeddiaeth a fu

ym meddiant fy nghyndadau er amser Brutus a chymryd tiroedd mewn gwlad
ddieithr. . . . Byddai ymostwng ar fy rhan yn gadael gwerin fy ngwlad yn
agored i ormes yr estron. . . .'

Yn yr un cywair yr aed ati i ateb bygythiad haerllug y brenin yr
anfonid y gŵr Dafydd ap Gruffudd yn alltud i Balesteina:

'Rasusaf Frenin — Yn wyneb eich dymuniad i'm halltudio oddi wrth fy
nhylwyth a'm hanfon i'r Tir Sanctaidd yn y dwyrain pell heb fyth
ddychwelyd onid ar eich cais chwi dymunaf eich hatgoffa nad o ewyllys dynion
yr awn i'r wlad honno . . . eithr yn hytrach o ewyllys Duw. Mae i mi wraig
o'ch tylwyth chwi . . . dau fab a merched o'm lwynau fy hun. Mae'n amser
i ryfel ac fe fynnech fy nifodi. Rhaid yw i mi warchod fy nhylwyth yn wyneb
dinistr a bygythiad o ddiddymiad. . . . Fel aelod o genedl Gristnogol na fynn
onid gwarchod ei threftadaeth, rwy'n arddel i mi weithredu ar ran y genedl
honno a mynnaf ddatgan gerbron Duw i mi wneuthur hynny yn enw
cyfiawnder. . . .'

Ac felly, ar y chweched dydd o fis Tachwedd y flwyddyn honno,
fe gyflwynwyd neges ddiysgog Llywelyn ap Gruffudd a'i frawd
Dafydd i'r brenin Edward yn ei gastell yn Rhuddlan.

Ond digon anniddig oedd sefyllfa'r llys y dyddiau hynny. Hyd
yma llwyddwyd i herio'r gelyn o uchelfannau Eryri. Creigiau'r
Penmaen-mawr a'r Penmaen-bach rhyngddynt a'r gelyn o du
Degannwy a llanw a thrai afon Gonwy. Hyd yma hefyd yr oedd
culfor Menai wedi gwarchod godre Eryri ond mater arall bellach
oedd gwylio'r lluoedd yn crynhoi yn Llan-faes ym Môn. Ni fedrid
ond gwylio symudiadau'r rheini o awr i awr. Eto yr oedd byddinoedd
y Tywysog wedi crynhoi ymhob cilfach a glan yn Eryri mewn
mannau na wyddai'r gelyn ddim oll amdanynt.

Wrth i'r oriau ddwysáu lledaenodd sibrydion hyd y lle.

'Mae'r bradwyr ar Ynys Môn. Mae Rhys a Hywel, meibion
Gruffudd ab Ednyfed o Dregarnedd, yn arwain lluoedd y brenin
o Lan-faes! Y nhw ydy gweision bach Luc de Thany ac Otto de
Grandson. Bradwyr er dyddia' Cytundeb Aberconwy!'

'Mae'r brenin yn cyhoeddi Proclamasiwn y dychwelir y tiroedd
i bob arglwydd o Gymro a fydd yn troi cefn ar Lywelyn ap
Gruffudd!'

'Mae Anian, esgob Bangor, am ysgymuno Llywelyn ap Gruffudd
ac y mae Adda o Nannau, cennad Archesgob Caer-gaint, yn

cynllwynio, fel y gweddill o'i hil, efo'r gwŷr eglwysig yng nghymdogath Tŵr Eglwys Deiniol Sant ym Mangor.'

Yn wyneb yr holl sibrydion mentrodd rhai o wŷr yr osgordd mai dros gorff marw y Tywysog yn unig y rhoddai Edward Longshanks led troed ar dir Eryri.

Chwarddodd rhai a sobrodd y gweddill. Ond gallai fod dydd yr ymosodiad yn nes nag y tybiodd neb ohonynt.

IX

Dydd Gŵyl Sant Lennard

Ar fore y chweched dydd o Dachwedd fe glywyd y waedd gan wŷr Llywelyn a fu'n gwarchod o ben y Penmaen-mawr a'r Graig Lwyd, y Penmaen-bach a'r Foel Las ers wythnosau hir:

'Mae llynges y brenin yn dwad dros y Fenai o gyfeiriad Llan-faes!'

Rhuthrodd negesydd ar farch gwyllt ar frys i neuadd Garthcelyn i hysbysu'r Tywysog.

Gwawr wannaidd mis Tachwedd oedd yn rhyw ddechrau torri dros y Penmaen-mawr ac yn lluchio mymryn o oleuni ar ddŵr afon Menai. Yn gwthio drwy'r niwl gellid tybio bod byddin fawr yn symud dros y bont newydd o gychod ac ysgraffau y bu seiri'r brenin mor ddygn yn ei hadeiladu er Awst. Roedd fel tae'r Fall fawr wedi torri'n rhydd a gwŷr y llurig ddur fel coed duon yn symud drwy'r niwl.

'Manteisio ar y trai y maen nhw ac yn gneud am y llys yn Abargwyngregyn,' torrodd y lleisiau, 'a'i gneud hi wedyn dros y Bwlch am Ddyffryn Conwy!'

'Ond mae'r brenin yng Nghastall Rhuddlan,' medden nhw wedyn. 'Roedd hwnnw i fod i groesi afon Gonwy achos mae o wedi concro belled â Llangernyw. Methu'n lân â ffeindio'i ffordd i groesi'r abar mae o ddyliwn. Mae o mewn helynt efo'i arglwyddi, ei feirch o yn marw a mynwant Rhuddlan yn llawn o gyrff 'i filwyr o. Na, dydy'r brenin ddim yn gwthio heddiw o Is Conwy! Pam felly mae lluoedd Luc de Thany yn croesi'r Fenai a'r brenin heb symud o Gastall Rhuddlan?'

Ond yr oedd enw Luc de Thany yn peri ofn i'r Cymry fel un o'r milwyr mwyaf mentrus a fu erioed yng ngwledydd Cred. Hwn a fu'n Senesgal i'r brenin Edward yng ngwlad Gasgwyn.

Wrth i'r gelyn groesi'r afon roedd amser yn cerdded ymlaen.

'Mae milwyr Gasgwyn ym myddin de Thany,' gwaeddodd rhywun, 'ac mae'r rheini yn ddychryn hyd yn oed i'r Saeson! Mae yna fyddin o ryw drichant yn croesi'r Fenai ac y mae yna farchogion a meirch!'

Ond pont wamal oedd y bont hon o gychod ac ysgraffau ac roedd llurig ddur y milwyr yn pwyso'n drwm. Gan i swyddogion y llys fod yn gwylio symudiadau'r gelyn ers deufis a mwy ger Llan-faes dros y dŵr roeddynt hwythau hefyd yn barod i'r ornest. Cynheuwyd tanau ar bob pigyn o fynydd oedd o fewn cyrraedd a'r gorchymyn oedd i'r Cymry 'chwarae mig' â'r gelyn pan ddôi hwnnw gyntaf dros yr afon a'i gadw o fewn cylch cyfyng rhwng y Carneddi a'r môr. Chwarae ag o, fel chwarae cath efo llygoden.

Unwaith y daeth y fyddin dros lwybr y llanw roedd y tywod o dan draed yn feddal ac ymlwybro'n anodd a'r gwisgoedd trwm a dieithrwch y tir yn rhwystr. Wedi cynaeafu'r cnwd y flwyddyn honno fe aed ati i losgi wyneb y meysydd ar dir y Faenor islaw Abergwyn-gregyn ac yr oedd y sofl caled yn briwio traed y meirch. Roedden nhw hefyd wedi codi clawdd uchel yn gyfochrog â glan yr afon o goed crin a phrysgwydd. Meddai'r Cymry,

'Gan fod yr hen frenin wedi torri'n coed ni i lawr yn Nhegeingl ac ym Môn mi awn ninna' ati i ddeifio carna' meirch y gwalch!'

Y bore hwnnw mewn byr o dro roedd y coelcerthi'n wenfflam a'r mwg yn llosgi llygaid y meirch ond beth oedd rhyw rwystr felly i filwyr a fu'n ymladd yn Savoie a Fflandrys a gwlad Gasgwyn? Ac eto, digon araf oedd symudiad byddin Luc de Thany ar y bore hwn o Dachwedd wrth odre Eryri. Hyrddiwyd cerrig o ben y Penmaen-bach ac unwaith y byddai un o'r gelyn yn mentro i ryw gilfach o dir y Cymry fe ddôi cawod o saethau ar ei warthaf. Roedd y trigolion fel ewigod yn adnabod y tyllau yn y creigiau. Dryllio'r meirch oedd bwriad cyntaf y Cymry nes gweld dymchwel y marchog yn bentwr i'r llawr yn gelain. Efo saeth yn ei galon byddai'r march yn carlamu ymlaen ychydig gamau cyn rowlio i'r ddaear a'r gwaed yn tasgu ohono. Ond gwae y Cymro bach a ddôi yn ffordd y gelyn! O fewn ergyd saeth i ŵr y llurig ddur byddai'n farw yn y fan a'r lle.

Fel hyn y bu hynt pethau hyd tua chanol dydd gyda hyrddiau o ymosodiadau o'r ddeutu a rhywsut nid oedd byddin y gelyn yn ymddangos fel pe bai fymryn yn llai nag ar gychwyn y bore tyngedfennol hwn.

'Gyrrwch y Norman i'r môr, hogia'! Ataliwch nhw rhag dringo'r ochra'!'

Hyn oedd gwaedd y swyddogion a phan oedd byddin y gelyn i

bob pwrpas yn gogor-droi ar lannau'r Fenai a gwŷr de Thany yn dangos arwyddion o flinder fe dorrodd gwaedd o orfoledd drwy'r lle.

Roedd mintai enfawr o filwyr Llywelyn ap Gruffudd wedi crynhoi ar y llethrau dros y Bwlch o Ddyffryn Conwy ac o gyfeiriad Dolwyddelan a Gwyrfai. Cynheuwyd tân o dan y crochanau a dyna pryd yr hyrddiwyd y pelenni plwm poeth i ganol y gelyn. Y pryd hwnnw y sylweddolodd gwŷr de Thany nad oedd byddin y brenin, yn ôl yr addewid, wedi torri drwy Fwlch y Ddeufaen i arbed eu gwaed y diwrnod hwnnw. Lledodd y gair 'Brad! Brad!' fel tân gwyllt drwy rengoedd y gelyn.

'Mae Luc de Thany wedi'n twyllo ni!' oedd llef yr estron. 'Mae o wedi troi'n fradwr yn erbyn y brenin! Yn meddwl 'i fod o'n well milwr na'r brenin am iddo fod yn llywodraethwr yng ngwlad Gasgwyn . . . yn cenfigennu wrth Iarll Henffordd sy' wedi'i greu yn uwch-swyddog gan y brenin yn Ynys Môn . . . yn meddwl bod y brenin yn oedi gormod yn y castell yn Rhuddlan a'r gaea' ar ein gwartha' ni!'

'Yn ôl am y bont ysgraffau!' oedd gorchymyn swyddog y gelyn. 'Mae'n well i ni foddi yn y môr na threngi ymysg y Saraseniaid o Gymry sydd fel y genedl wrthnysig arall honno yn helyntion gwledydd Cred!'

Baglodd byddin y llurig ddur ei ffordd yn ôl tua'r môr, yn deneuach o ran rhif nag ar y bore tyngedfennol hwn y daeth i odre cwmwd Arllechwedd. Parhai saethau'r Cymry i fwrw'n gawodydd hyd y traethau. Wrth weld y gelyn yn cilio cydiodd rhyw ofnadwyaeth, serch hynny, yng nghalonnau'r Cymry am fod byddin y brenin Edward wedi rhoi troed o'r diwedd ar odre Eryri.

Erbyn i fyddin y gelyn gyrraedd y môr roedd y llanw wedi troi a'r llifeiriant yn codi'n chwyrn. Wrth iddynt roi troed ar y badau llithrodd y rheini o'u gafael gan adael dim ond gwagle a bu cyflafan erchyll. Aeth gwŷr y llurig ddur i'w tranc. Boddwyd yr arweinydd Luc de Thany yn ogystal â Philip Burnell, nai i Ganghellor y brenin Edward. I'w dranc hefyd yr aeth y bradwr o Gymro, Hywel ap Gruffudd o deulu Tregarnedd ym Môn ond yr oedd ei frawd, Rhys, yn fyw am i'w farch lwyddo i nofio i'r lan. Roedd yr arweinydd Otto de Grandson hefyd yn fyw.

Yn hwyrach y nos honno yng Nghastell Rhuddlan pan oedd

blodau marchogion ei fyddin yn farw yn nŵr afon Menai, fe dynghedodd y brenin Edward yr âi i ryfel yn erbyn y Cymry yn Eryri doed a ddêl. Ac o'r amser hwnnw y dechreuodd gwŷr ei fyddin ganu'r geiriau:

'Grevouse est la guere, e dure a l'endurer;
Quant aillours est l'este en Gales est yver.'

Rhyfel enbyd fyddai hwn i'w ddioddef i'r eithaf yn erbyn y Cymry.

X

Wedi'r goncwest fawr ar dri chant o wŷr y brenin pan chwalwyd y bont o gychod dros Draeth y Lafan cododd gobeithion y Cymry. Roedd Rhagluniaeth o'u tu unwaith yn rhagor. Onid oedden nhw wedi bod yn dyst o weld sgubo milwyr y llurig ddur fel gwymon môr heibio i'r Penmaen-bach? Onid oedd yr arweinydd Luc de Thany a'r bradwr Hywel ap Gruffudd wedi mynd i'w tranc? Cysurent eu hunain.

'Ddaw Edward Longshanks ddim y rhawg o gyfeiriad y Gogarth Mawr efo cyrff ei filwyr yn y môr. Mi gymer anadl hir cyn y daw o eto i Eryri, a bellach mae'r gaea' yn cau amdanon ni. Mi fydd yr eira yn gyrru'r Norman i glwydo!'

Ond o'i gastell yn Rhuddlan roedd y brenin yn cyhoeddi mai rhaid oedd difa'r sarff, Llywelyn ap Gruffudd, ac mai mantais i'r Ffydd Gristnogol fyddai difodiant y Cymry dros byth! Roedd cyfyngder y ffiniau yng Ngwynedd hefyd yn ormes llethol ar wŷr yr osgordd — yr hogiau oedd wedi trafaelio hyd a lled y Dywysogaeth. Amser i weithredu oedd hi ac i daflu'r dîs doed a ddelo. Roedd yna sibrydion ar led hefyd bod y brenin yn anfon am wŷr o wlad Gasgwyn, gwŷr yn gwisgo sgidia lledr gwyn rhag bod neb yn 'u 'nabod nhw ar gopäon Eryri!

Galwyd gwŷr y Cyfrin Gyngor ar frys i neuadd Garthcelyn am fod negesydd dirgel wedi cyrraedd y llys efo llythyr cyfrinachol o Gastell Wigmor yn enw meibion yr hen, hen elyn Rhosier Mortimer. Roedd y tad yn ei fedd er diwedd mis Hydref. Efo'r newydd ysgydwodd gwŷr y Cyngor eu pennau mewn anghrediniaeth.

'Nid doeth i ni anwybyddu llythyr y brodyr Edmwnd a Rhosier,' oedd apêl y Tywysog.

Torrodd rhywrai ar ei draws.

'Ffug . . . twyll . . . brad!'

'Wŷr doeth!' apeliodd wedyn. 'Cym'rwch eich anadl! Er pan fu farw'r tad fe gydiodd y brenin yn nhiroedd y meibion — rhannau o hen diroedd y Dywysogaeth ym Maelienydd a Gwerthrynion a chestyll Dolforwyn a Cholunwy. Fe ŵyr y brenin am anniddigrwydd y Cymry yn y mannau hynny ac fe allen ni adennill ffiniau'r Dywysogaeth!'

Gloywodd llygaid y Tywysog ar hynny. Meddai yn y man, 'Chwi gofiwch i mi wneud Cytundeb o Heddwch efo'r cefnder, Rhosier Mortimer, yn ei gastell ym Maesyfed ychydig dros flwyddyn yn ôl ac i mi drosglwyddo iddo ddarn o dir concwest yng Ngwerthrynion. Cytundeb oedd hwn o deyrngarwch mewn cyfnod o ryfel a heddwch. Bellach mae'r meibion yn erfyn ar i mi fynd i barthau Buellt i dderbyn eu gwrogaeth hwy a'u gwŷr.'

Bu pendroni hir uwch ben geiriad y llythyr ymysg y Cynghorwyr ac fe groniclodd yr Ysgrifydd yn y memrwn y geiriau: '*mandavit Rogerus de Mortimer Leulino principi ut veniret et acciperet homagium de se et hominibus suis . . .*'

Dyna wych o beth fyddai cipio drachefn Gastell Buellt. Roedd yr hen elyn Hywel ap Meurig o Gefnllys yn farw. Y fo oedd y gŵr a fu'n ailadeiladu Castell Buellt, y castell oedd bellach yn nwylo'r Cwnstabl John Giffard, ail ŵr y foneddiges Maud Longespée. Gloywodd llygad y Tywysog drachefn efo'r cof am y foneddiges hon. Wedi'r cwbl roedd hi'n gyfnither iddo ac yn wyres i'r Tywysog mawr, Llywelyn ab Iorwerth. Roedd o'n hoff o Maud Longespée.

Aeth ati wedyn gyda thaerineb mawr i apelio at wŷr y Cyngor. 'Fe welson ni goncwest y Cymry ym mrwydr waedlyd Llandeilo Fawr ym mis Mehefin ac unwaith eto mae colled y brenin ar afon Menai wedi sigo nerth y gelyn. Fe glywson ni apêl y Cymry o Elsmer lle mae Robert Body yn dwyn eu tiroedd, a bellach mae Roger Lestrange, y gormeswr, yn arglwydd y Gororau i gyd wedi marwolaeth Rhosier Mortimer. Cofiwn hefyd fod Rhys ap Gruffudd o Dregarnedd wedi priodi i dylwyth y Roger Lestrange hwn ac y mae Rhys y foment hon yn galaru am ei frawd Hywel a aeth i'w dranc ar y chweched dydd o Dachwedd efo lluoedd y brenin yn afon Menai. Gall y bydd dial yn y gwaed! Dial creulon o bosibl.'

Efo'r sôn am gysylltiad tylwyth Tregarnedd ym Môn â Roger Lestrange, arglwydd y Gororau, syrthiodd mudandod ar stafell y Cyngor. Ond nid gŵr i'w orchfygu ar chwarae bach oedd Llywelyn ap Gruffudd. Roedd yn wladweinydd pell-weledol iawn.

'Gynghorwyr!' meddai gyda difrifoldeb mawr. 'Unwaith y bydd

y brenin yn cael gafael ar holl Gymru mi fydd yn tynnu grym arglwyddi'r Gororau oddi arnyn nhw. Ar hyn o bryd maen nhw'n cadw llygad barcud o Groesoswallt i Henffordd a Gwent ond gwae nhw pan fydd y brenin yn gosod ei sêl dros holl Ynys Prydain! Dyna pam efallai y mae meibion Rhosier Mortimer yn nesu at eu carennydd Llywelyn ap Gruffudd!'

Ymysg y cynghorwyr yr oedd rhai o arglwyddi difreintiedig Ystrad Tywi a Cheredigion a gafodd noddfa yng Ngwynedd. Syllodd yn hir yn wyneb y ffefryn, Hywel ap Rhys Gryg, a'u cyfarch un ac oll.

'Arglwyddi! Fe gawsoch chi nodded Gwynedd rhag eich gelynion. Rydych yn arweinwyr dewr bob un ohonoch ac os rhowch eich sgwydde o dan y baich pwy a ŵyr na fydd Rhagluniaeth yn dda wrthoch chi a'ch etifeddion ac y dychwelir eich treftadaeth i chi! Pa un ai ffug ai peidio yw gair y Mortimeriaid fe awn ni tua Buellt drwy Geredigion a'r Cantref Mawr. Mi fydd angen sbïwyr i gasglu'r byddinoedd o blith y Cymry a hynny ar fyrder. Tra bo lluoedd y brenin yn cymryd hoe rhaid torri allan o ffiniau cyfyng Gwynedd. Mae Cymry Powys a'r Deheubarth yn aros yr alwad. Cymerwn ein siawns. Does dim i'w gael heb fentro ac fe gaiff y gŵr dewr Dafydd ap Gruffudd warchod tir Gwynedd hyd at ffiniau'r Berfeddwlad tra bydd y gweddill ohonom yn tywallt gwaed y Norman hyd y Gororau.'

'Tewach gwaed na dŵr,' oedd sylw rhyw gnaf pan soniwyd am ddewrder y brawd iau, Dafydd!

Chwarddodd cnaf arall o dan ei anadl,

'Mi fentrwn y bydd y T'wysog wedi tario beth yn Neuadd Uthr Wyddel cyn cychwyn 'i siwrna' o Wynadd.'

Mae'n wir bod yr efell Collen yn goflaid digon tyner ac Ow! mor unig oedd hi wedi marwolaeth Llwyfen, y brigyn briw arall. Wedi pum mis o weddwdod pwy a feiddiai ddannod ei wendid i'r Tywysog yn bwrw'i chwant o dan gronglwyd Uthr Wyddel. Bu Neuadd y gwrthryfelwr hwnnw yn noddfa i sawl milwr yn ystod y sgarmesoedd efo'r Norman a'i gyfoeth-dwyn yn atgyfnerthiad i drysorfa'r llys. Wedi'r cwbl, Llywelyn ap Gruffudd oedd yr unig ŵr a allai arwain cenedl y Cymry ac yr oedd angen mab yn etifedd ar y genedl honno. Os etifedd gordderch, pa waeth? Onid mab gordderch Llywelyn ab Iorwerth oedd tad y Tywysog ei hun? Roedd y genedl mewn argyfwng a'i pharhad yn y fantol.

Wedi troi cefn ar wŷr y Cyngor casglodd y Tywysog hogiau dethol ei osgordd ynghyd. O fewn y cylch hwnnw yr oedd Trystan Arawn ac Iolo Pen-maen. Digon pendrist oedd Trystan Arawn gan synhwyro'r antur enbyd oedd o'u blaen. Pan aeth hogiau'r osgordd i Bowys yn nyddiau Dolforwyn roedd pethau'n wahanol. Beth pe na bai o byth yn dychwelyd at Angharad Wen a'r plentyn Rhys Arawn? Ond unwaith y dechreuodd y Tywysog annerch y bechgyn a'u hatgoffa o'u cyfrifoldeb i dylwyth a chenedl roedd yr awyrgylch yn newid. Sylwodd y bechgyn bod rhyw ddwyster anghyffredin ymhob osgo o'r Tywysog er pan fu farw Elinor, ac angerdd dwfn y llais yn denu pawb i'w ffordd. Meddai,

'Wŷr ifanc yr osgordd! Fe'ch ganed yn freintiedig, yn gryf o gorff, yn finiog o feddwl, yn anturus ac fe roed arnoch gyfrifoldeb i amddiffyn gwlad a'i gwerin rhag gormes estron. Y tro hwn mae'r gelyn yn taro'n galed a'r ffiniau'n eang. Fe gollir rhai ac fe fydd tywallt gwaed. Ond does gennym mo'r dewis. Yma, yn Eryri, mae cryfder ein cenedl ni ac fe ddaw galwadau arnom o diroedd y Gororau, o Geredigioin ac o Ddyfed. Fynnwn ni ddim gwerthu ein treftadaeth am bris yn y byd er mwyn cenedlaethau o bobl na wyddom ddim oll amdanynt eto a rhag i'r rheini fod yn dannod ein heiddilwch ni i'w gilydd.'

Wrth i'r Tywysog dawelu synhwyrodd Trystan Arawn y byddai ei fab bychan yntau yn ymfalchïo rhyw ddydd yn newrder ei dad. Na, doedd dim llacio i fod.

XI

TUA BUELLT

Wrth i'r Tywysog a'i osgordd fwrw i lawr drwy Fwlch y Ddeufaen
ar y bore cynnar hwnnw o fis Rhagfyr fe ddaethant ar draws yr efell
Collen yn rhyw esgus hel tanwydd. Disgynnodd Llywelyn oddi ar
ei farch a chofleidio a chusanu'r ferch yng ngŵydd ei osgordd.
Cafodd fod yr eneth yn crio'i chalon allan. Ceisiodd yntau sychu'i
dagrau efo llawes ei fantell.

'Mae arnat ti hiraeth on'd oes, Collen? Hiraeth mawr am dy
chwaer.'

Nodiodd hithau 'i phen.

'Brigyn briw wyt titha' Collen . . . ond yn wydn serch hynny.'

Cydiodd yn ei gwar a pheri iddi edrych arno.

'Edrych i fyw fy llyga'd, Collen!' ac wrth syllu i ffynhonnau ei
dagrau fe ddwedodd rywbeth a barodd i'r eneth sefyll yn syfrdan.

'Rwyt ti fel yr hen genedl yma, Collen, yn wydn. Bron na
ddwedwn i mai ti *yw'r* genedl. O leiaf fel Collen, yr efell, ferch Uthr
Wyddel, y carwn i gofio am genedl y Cymry.'

'Ond, f'arglwydd . . . mi ddowch yn ôl?'

'Mi fydda' i dros byth yn rhywle ar Fwlch y Ddeufaen rhwng
afon Menai ac afon Gonwy.'

'Ond, f'arglwydd!'

'Tynnu dy goes di yr ydw i, Collen, 'nghariad i, a chyn sicred
â dim fe fydd y Tywysog yn ôl yn Arllechwedd.'

Ailfarchogodd y march a thaflu cusan chwareus iddi wrth
ffarwelio. Dilynodd yr eneth ei ffurf nes iddo ddiflannu dros y
llechwedd. Beichiodd hithau grio wedyn i'r elfennau ei chlywed.
Yna fe gipiodd ei basged wiail a rhedeg am ei hoedl i lawr i Neuadd
ei thad. Yn ei stafell bwriodd ei phen i'r gobennydd gan furmur
ei Phader a sibrwd y geiriau:

'O! Fair Fam Iesu! Paid â gadael i'r Tywysog farw!'

Chwiliodd y lle wedyn am yr efell Llwyfen ond nid oedd llef na
neb yn ateb.

Bwriodd y Tywysog ei ffordd i lawr am Gastell Dolwyddelan. 'Ble mae'r fechan?' gwaeddodd. Hwn oedd ei gyfarchiad bob tro y byddai'n galw yn y Castell yn Nolwyddelan ac fe wnaeth esgus i deithio'r ffordd honno mor aml ag oedd modd. Yno roedd y baban Gwenllian gyda'i mamaeth Angharad Wen, Marie y Ffrances fach, yr arglwyddes Elisabeth Ferrers a'i bechgyn Owain a Llywelyn, Gwladus a'r merched iau. Fe gludwyd y tylwyth i gyd i ddiogelwch y Castell dros dro o leiaf er mwyn gwarchod blagur ifanc llinach tywysogion Gwynedd. Nid bod presenoldeb yr arglwyddes a'i theulu yn llwyr wrth fodd Meistres Mererid y Castell serch hynny!

Cerddodd Llywelyn ap Gruffudd yn syth drwy neuadd y Castell fel yn yr hen ddyddiau a dringo'r grisiau cerrig i stafell y Tŵr.

'Ble mae'r fechan?' gofynnodd wedyn fel tase arno ofn i rywun ei dwyn oddi arno.

Symudodd y Ffrances Marie fel gwyfyn o ffordd y gŵr mawr. Dyna lle roedd y baban Gwenllian yn gorwedd yn ei chrud a'r famaeth Angharad Wen yn gweini ar ei phlentyn hithau ac yn gofidio ddarfod anfon ei gŵr Trystan Arawn i'r rhyfel.

'Angharad Wen!' gorchmynnodd y Tywysog. 'Estyn y fechan i mi!'

'Ond mae hi'n cysgu.'

'Mi fynna' i gael dal y fechan!'

Roedd hi wedi'i gwisgo mewn sidannau fel y gweddai i Dywysoges. Ysgydwodd yntau ei ben uwch y crud a sibrwd yn dawel,

'On'd wyt ti'n dlws, 'mechan i . . . yn dlws fel dy fam sy'n gorwedd o dan wersyll y cefnder yn Llan-faes. Y fath wastraff!'

Ymhen yr hir a'r rhawg wedi i'r plentyn ddeffro a dod i ddygymod â chryfder braich ei thad fe wellhaodd pethau rhwng y ddau. Ciliodd Angharad Wen a'i baban gan adael y ddeuddyn eu hunain ac fe ddechreuodd y tad sgwrsio. Sgwrsio ag ef ei hun mewn gwirionedd.

'Tlws ddwedes i yntê? Dy gnawd fel gwawn . . . fel melfed . . . mor esmwyth. Mi ddwedwn i mai llygaid dy fam sy gen ti, yn ddu loyw fel llygaid tylwyth Montfort. A'th ddwylo bach di, bron fel dwy farblen yn llaw dy dad. 'Mechan i, pe gwyddet ti fel y mae gwaed ar fy llaw i . . . ond gwaed dros fy mhobol, Gwenllian. Mi ddoi ditha' i ddeall rhyw ddydd dy fod di'n Dywysoges ac mi fydd yn rhaid i ni gael Tywysog o'r iawn ryw i ti! Mi ddoi di i chwarae yn y man efo plant y brawd iau yn y Castell yma. Cynt y cyferfydd dyn. . . . Do, fe fuon ni'n elynion am amser hir, Gwenllian, ond rywfodd, drwy ddylanwad y ddwy fam, y ddwy Normanes, fe ddaethon ni ynghyd unwaith yn rhagor.'

Gwenodd y fechan o'r diwedd a rhoddodd yntau flaen ei fys yn ei cheg nes bod y mân wefusau yn cyrlio amdano. Mor felys oedd y cwbl!

'Mi ofalwn ni na chaiff yr hen frenin yna roi lled troed o fewn Nant Conwy, Gwenllian. Dyna pam mae dy dad yn mynd yr holl ffordd i lawr drwy Geredigion i Fuellt bell iddo gael hel y Cymry i gyd at ei gilydd i gadw'r gelyn draw.'

Yna fe'i cododd hi yn ei freichiau i'w gosod yn ôl yn y crud ond erbyn hyn roedd yr eneth fach yn dechrau mwynhau cryfder y breichiau a thiriondeb y llais oedd mor llawn o gariad. Criodd y fechan a gwyrodd yntau ei ben. Roedd cur yn ei ben. Gwnaeth arwydd y Groes. Gwyrodd am y tro olaf y diwrnod hwnnw uwch ben y crud. Taflodd gusan ati a dweud,

'Nes cawn eto gwrdd, Gwenllian!'

Wedi cefnu ar Ddolwyddelan bwriodd yr osgordd ymlaen ar frys drwy ucheldir Ardudwy a disgyn wedyn i waered drwy'r Ganllwyd am Abaty Cymer. Yno trosglwyddwyd baich trysor llys y Tywysog i ofal yr Abad ac nid oedd y ddeuddyn, Trystan Arawn a Iolo Penmaen, i wybod iddynt gludo Coron y Berffro bob cam o lannau afon Menai i Ddyffryn Mawddach y diwrnod hwnnw!

Wedi bwyd yn y ffreutur cynhaliwyd yr Offeren yn eglwys yr Abaty ac yno yng nghysgod saith cannwyll aur yr allor y sibrydodd yr Abad ffyddlon unwaith yn rhagor yng nghlust y Tywysog y geiriau:

'Gochel yr Adar Drycin. . . . Gochel Ynyr o Nannau a'i frawd Adda, cennad Archesgob Caer-gaint, sydd i ymado â Swydd Henffordd ddydd Gwener yr unfed ar ddeg o fis Rhagfyr.'

Gwawriodd ar feddwl Llywelyn fod castell tylwyth Mortimer yn Wigmor yn hynod o agos i Lys yr Esgob yn Henffordd! Pa gynllwyn oedd ar waith? Cynllwyn neu beidio rhaid oedd dilyn y daith heibio i Gastell y Bere ac ymlaen i Geredigion a'r Cantref Mawr lle roedd byddin y Cymry yn crynhoi o dan arglwyddi difreintiedig Ystrad Tywi — Hywel ap Rhys Gryg, Rhys Wyndod a Llywelyn ap Rhys

Fychan ac eraill. Gydol y ffordd i lawr heidiodd y Cymry at y Tywysog o Benweddig ac Emlyn ac Ystrad Tywi nes bod y fyddin yn cynyddu fel caseg eira a'r cannoedd yn barod i fwrw eu llid ar y Norman. Unwaith y deuid i gyffiniau Buellt fe ddôi gwŷr Ceri a Gwerthrynion, Maelienydd a Brycheiniog i gryfhau'r rhengoedd.

Fodd bynnag, cyn i'r fyddin gyrraedd Buellt fe dorrodd gŵr yn annisgwyl yn llwybr y Tywysog. Meddai,

'F'arglwydd! Hal Feddyg wy' i. Mi ddeues i gynta' ar eich trews chi yn Neuadd arglwydd Tafolwern yn y dyddie pan oeddech chi'n codi'r gaer yn Nolforwyn. Rhyfeddod o gaer o'dd hi hefyd ac mi weles farwoleth un o'ch gwŷr chi pan dde'th y Pla i'r gaer. Einion Sychnant. Dene o'dd enw'r gŵr ifanc ac mi wnes i fedd iddo yn nhir Powys.'

Daeth braw i lygad Llywelyn. Pam roedd yn rhaid i'r creadur hwn dorri ar ei lwybr? Oedd, roedd o'n cofio'r digwyddiad yn neuadd arglwydd Tafolwern pan ddaeth y cwrs hwnnw o wendid drosto. Aeth i lewyg a bu Hal Feddyg yn cwpanu'i ben yn ei ddwylo a chael y gwaed i lifo i'r gwythiennau. Ac yna pan oedd y cwbl drosodd dyna lle roedd y gŵr yn sefyll fel darn o farmor ac yn parhau i ddal ei ddwylo am y gwacter o'i flaen. Roedd rhyw ddrwg arwydd yn y gwynt efo dyfodiad y Powysyn hwn. Ond pentyrru gwae yr oedd y gŵr.

'Mi ddeues i â chostrel o olew a chadache i'm canlyn. Mi fydd digon o eisie'r rheini os bydd rhyfel!'

Wrth gwrs y byddai rhyfel, a Hal Feddyg oedd y gŵr olaf yr oedd Llywelyn ap Gruffudd yn dymuno'i gael yn gwmnïwr y dyddiau hynny.

XII

Roedd Llywelyn ap Gruffudd wedi dechrau codi'r gwersyll ar y llethrau yn y wlad tu hwnt i Buellt ers rhai dyddiau pan ruthrodd Siencyn y Sbïwr i mewn i'w babell efo'i gyfaill Lews y Pandy Bach yng nghwmni un o'r osgordd. Troi a throsi ar ei wely gwellt yn y babell yr oedd Llywelyn y nos hon pan lithrodd y Sbïwr i'w wyddfod. Gŵr o Drefyclo oedd y Sbïwr, ac efo'r enw hwnnw yr adwaenid o ar goel gwlad. Yn dynn wrth ei sodlau yr oedd Lews o'r Pandy Bach ym Maelienydd, nid nepell o Abaty Cwm-hir. Megis ar un anadl daeth geiriau Siencyn:

'F'arglwydd Dywysog. Ma' marchogion Edmwnd Mortimer yn dwad o Gastell Wigmor i gyfeiriad Buellt a dyw e' ddim yn cadw at 'i air a ma' nhw'n atgyfnerthu'r ga'r yng Nghefnllys.'

Cododd y Tywysog a gosod llaw ar ysgwydd y gŵr.

'Dal d'anadl, Siencyn, rhag dy fod di'n llyncu anwiredd!'

Dros y blynyddoedd dysgodd Llywelyn gyfarch y gŵr yn y dull hwn fel y câi saib i geisio dehongli'r llifeiriant geiriol. Ond y tro hwn protestiodd Siencyn.

'Ma' amser yn brin, f'arglwydd, achos fe fydden nhw am 'ngwa'd i ac am wa'd Lews a ma' gan Lews dylwyth yn y Pandy Bach.'

Nodiodd yr olaf ei ben. Un tawedog oedd Lews. Y foment nesaf tyllodd y Tywysog i'w logell ac estyn celc i'r ddeuddyn. Hyn oedd arfer y blynyddoedd er dyddiau codi'r gaer yn Nolforwyn. Bu'r ddau ŵr hyn fel y graig yn cadw cyfrinachau arglwyddi'r Gororau iddo.

'Dwêd dy neges ar fyrder, Siencyn, a gofala ddweud y gwir!'

'Cris-gro's, f'arglwydd, yn enw Duw a'r Forwyn! Ma'r brenin Edward am ych gwa'd chi a ma' fo'n troi pawb i'w felin 'i hun ac yn rhoi celc dde i Giffard, Castell Buellt, i'ch dala chi yn y rhwyde . . . on'd yw e', Lews?'

Nodiodd hwnnw ei ben drachefn.

'A ma' nhw'n hala Rhosier Lestrange bob cam o Elsmer a ma' Robert Body, milwr creulon, yn arwen gosgordd Lestrange a ma' Gruffudd ap Gwenwynwyn eisie'ch dala chi mewn brwydr fel tase

286

dim bradwyr yn bod . . . ond bradwyr yden nhw bob un. Lledd ar fa's brwydr, lledd glên, medden nhw . . . a pheitiwch mynd i diriogaeth Castell Buellt ar bo'n bywyd! Mi fyddech yn troi rownd a rownd am byth yno. Ma' fe fel castell Gilbert de Clare yn Senghennydd ond 'i fod e'n fwy o faint yn union fel cestyll gwledydd Cred. . . . Cedwch rhag gwŷr yr Eglwys. Ma' milwyr Esgob Henffordd yn y rhyfel a ma' Archesgob Caer-gaint a'r cennad, y Brawd Adda, yn tario yn Swydd Henffordd. Ma' pobun dan orchymyn y brenin a ma'r adar 'sglyfeth i gyd yn amgylchu tir Elfel a ma'r brenin wedi gwneud Proclamasiwn yn rhoi pardwn i bobun fu'n cicio yn 'i erbyn os bydden nhw'n lledd y Cymry. . . .'

Cymerodd Siencyn saib ar hynny gan fod pawb arall yn y babell yn hollol fud. Gan dybio ei fod eisoes wedi tristáu ei Dywysog newidiodd y Sbïwr dôn ei lais.

'Ond, f'arglwydd! Ma'r Cymry da yn swatio ogylch Castell Buellt ac wedi codi'u c'lonne am fod Llywelyn ap Gruffudd wedi dychwelyd i arwen y frwydr. Llywelyn ap Gruffudd, medden nhw, yw gwir Dywysog Cymru. . . .'

Yna daeth llais y Tywysog yn gryf a chadarn.

'Fe ddwedest ddigon, Siencyn. Ffowch am eich hoedel, y ddau ohonoch, a dos dithe adre at dy dylwyth i'r Pandy Bach, Lews. Ciliwch o'r ffordd cyn i'r taro mawr ddod.'

Sleifiodd y ddeuddyn allan o'r babell ac yn ystod yr oriau nesaf fe fu Llywelyn yn troi a throsi yn ei feddyliau.

Gwŷr Elfael a Brycheiniog oedd wedi'i alw i lawr i'w gwaredu ond beth am lythyr y Mortimeriaid yn cynnig eu gwrogaeth iddo? Yna fe ddechreuodd y cwestiynu di-ben draw. A oedd ymyrraeth y brenin yn eu treftadaeth wedi peri iddynt droi ato ef, Llywelyn, ac a oeddynt yn ymwybodol o berthynas carennydd drwy eu nain Gwladus Ddu, ferch Llywelyn ab Iorwerth, neu a oedd Proclamasiwn newydd y brenin wedi'u denu'n ôl i rengoedd byddinoedd arglwyddi'r Gororau? Un peth oedd sicr, ar ei farwolaeth ei hun y dôi'r gelyn o hyd i'r llythyr a anfonwyd yn enw'r Brodyr Mortimer. Mynnodd gadw'r llythyr hwnnw ynghlwm wrth ei gorff ac i brofi'i ddilysrwydd byddai'n fodlon i'w ddwyn gerbron y Pab yn Rhufain hyd yn oed. Ni ddaeth cwsg ar ei gyfyl y nos hon.

Yn y bore bach gorchmynnodd i ddau ŵr o Elfael ei hebrwng

o'r gwersyll i'r ucheldir uwchben Allt-mawr i gyfeiriad Llyswen. Yn ŵr penstiff fel ag yr oedd, ei fwriad oedd astudio'r tirwedd a chael golwg ehangach ar gastell newydd Buellt. Gwisgodd fel tyddynnwr cyffredin yn marchogaeth y bryniau yn gwylio'r praidd! Y broblem oedd ei bod yn gefn trymedd gaeaf a'r ddau ŵr o Elfael yn anniddig eu byd am fod bywyd y Tywysog yn eu dwylo. Ond nid oedd dim yn llesteirio Llywelyn ap Gruffudd ar y bore hwn o fis Rhagfyr.

Wrth i'r wawr dorri caed golygfa ryfeddol o afon Gwy yn y gwastadedd. Mor wych oedd yr afon ac mor fawr oedd Castell Buellt erbyn hyn! Bu'r adeiladwyr bum mlynedd wrth y gwaith o dan awdurdod yr hen elyn, Hywel ap Meurig o Gastell Cefnllys, a bellach yr oedd y gelyn hwnnw yn farw hefyd. Mor wir oedd dadleniad Siencyn Sbïwr. Roedd hwn yn anferthol o gastell — dau dŵr enfawr y ddwy fynedfa a chwe thwred y beili mewnol. Prin y dôi Tywysog Cymru allan yn fyw o'r fangre!

Wrth iddynt farchogaeth ymlaen fe ddechreuodd bluo eira a doedd dim amdani ond dilyn y goriwaered a disgyn am Ddol-llynwydd gan groesi'r afon a throi i'r chwith am greigiau Aberedw. Dwysáu yr oedd yr eira bob cynnig ac yn sydyn fe drodd un o'r gweision ar ei sawdl. Synhwyrodd y gwas arall anniddigrwydd y Tywysog.

'Ma' popeth yn iawn, f'arglwydd,' meddai'n gysurlon. 'Ma'r cyfell wedi mynd ar neges ddirgel i'r efel at Sioni'r Go'. Ma'r hen of yn gw'bot y grefft o osod pedole o'r tu ôl 'mlân, os ydech chi'n deall? Mi ddaw'r cyfell i nôl ein cyffyle ni yn y man. Hwdiwch, ma' cysgod hen ogof gerllaw i ni ga'l 'mochel rhag y storm eira. Mi fydd y gelyn yn cretu i ni fynd tua Llyswen dim ond iddyn nhw ddilyn ôl tra'd y ceffyle!'

Trodd y gwas hwnnw at ei arglwydd ar hynny a daeth sŵn rhybudd i'w lais.

'F'arglwydd! Peth peryglus yw i chi fentro yn nhir Elf'el heb yr osgordd. Ma' sbïwyr Giffard hyd y lle.'

Mae'n wir iddynt dreulio oriau yn yr ogof honno yn aros i'r storm liniaru ond o leiaf fe gafodd Llywelyn gip o olwg ar ehangder castell newydd Buellt y bore hwnnw. Digon prin y medrai ei fyddin ddymchwel y castell hwn bellach. Ac eto, wrth wylio'r eira gwyn yn disgyn ymhell o olwg dynion fe gafodd y Tywysog eiliadau o bleser. Mor bur oedd y cwbl! Mor arall-fydol bur! Ehedodd ei feddwl yn ôl i ddyddiau pell plentyndod yn Eifionydd. Cofiodd fel y byddai'i frawd, Owain Goch, efo'i fys ym mhotes pawb yn llithro i'r efail bob cynnig at fechgyn Nedo'r gof ac yn busnesa efo'r eingion. Meddai Owain,

'Mae hogia' Nedo yn pedoli o chwith . . . gosod y cylch at yr egwyd . . . smalio bod march yn dwad ac nid yn mynd.'

Pedoli ar gyfer y Gwylliaid yn Eryri yr oedd bechgyn Nedo, ac ychydig a feddyliodd Llywelyn bryd hynny y byddai o ryw dro yn marchogaeth march yn llafurus i osgoi'r gelyn yn nhir Elfael. Ond felly y digwyddodd ar y siwrnai araf yn ôl yn hwyr y pnawn hwnnw i lannau Irfon ac oherwydd arafwch y siwrnai cafodd hamdden i syllu ar gyrff dau ŵr yn crogi o goeden dderwen. Yno'n plygu pen i'r brain eu bwyta roedd cyrff marw Siencyn y Sbïwr a Lews y Pandy Bach wedi i'r gelyn wneud llanast ohonyn nhw. Lledodd tristwch dros galon Llywelyn. Dau ffrind oedd y rhain er dyddiau codi Dolforwyn. Fe gafodd yntau nodded sawl tro yn y Pandy Bach ym Maelienydd efo tylwyth Lews. Beth a ddôi o'i dylwyth bellach? Gyda golwg ar Siencyn, fe ddaeth hwn â sawl neges iddo o gyfeiriad Wigmor pan oedd y cefnder Rhosier Mortimer yn teyrnasu yno. Roedd yr olaf yn farw erbyn hyn hefyd. Amser i ryfel oedd hi ac ymhen ychydig o ddyddiau fe fyddai'r meirw amled â'r byw ar lannau Irfon.

Lledodd ochenaid o ryddhad drwy'r gwersyll efo dychweliad Llywelyn ap Gruffudd. Hebddo, ni fyddai yno frwydro dros ddim oll. Hebddo, rhaid fyddai iddynt ymostwng i ormes brenin Lloegr.

XIII

Ar noson y degfed o Ragfyr roedd hi fel y bedd o dawel yn y gwersyll
ar y llethrau uwch ben Llanfair-ym-Muallt. Doedd neb yn sicr o
ddim ac eto roedden nhw'n siŵr bod rhyw gynllwyn mawr ar waith.
Rhyw ymladd ar y cyrion a fu hyd yma, a hogiau tiroedd y Gororau
a aeth i'w tranc. Nhw oedd yn adnabod y tirwedd ac wrth fentro
dros y ffiniau fe gollwyd hogiau Gwerthrynion a Maelienydd a Cheri.
Roedden nhw'n eiddgar am dalu'r pwyth yn ôl i'r gormeswr.

Disgwyl yr oedd y Tywysog am y gatrawd newydd oedd i ymuno
â'i fyddin dros y Bannau o Frycheiniog ond yr oedd y rheini yn
hir yn dod. Anesmwythodd y gweddill yn y rhengoedd. Roedd pob
arglwydd yn arwain ei wŷr ei hun. Rhys ap Gruffudd, a fu'n gwnstabl
Castell Buellt i Lywelyn ac a oedd yn adnabod pob erw o'r tir rhwng
Gwy ac Irfon; Llywelyn ap Gruffudd Fychan a gollodd ei
etifeddiaeth i'r brenin ym Mhowys Fadog ac arglwydd Llanbadarn
Fawr a wynebodd y Norman William Valence yn y lle hwnnw. Yno
hefyd roedd yr arglwyddi a gollodd eu tiroedd yn Ystrad Tywi a
Cheredigion.

Roedd y sŵn dolefus yn y gwynt hefyd yn dryllio nerfau'r bechgyn.
Sibrydodd Iolo Pen-maen yng nghlust ei gyfaill,

'Fory fe fydd hi'n Ddydd Gwener Gŵyl Damaseus Bab ond
diolch nad Dydd Gwener y trydydd-ar-ddeg fydd hi, yntê Tryst?'

Roedd y ddau ŵr ifanc wedi'u dewis yn rhan o'r Deunaw, hufen
gosgorddion yr arglwyddi, oedd i warchod Pont Orewyn drannoeth.
Hon bellach oedd yr unig bont y gellid ei chroesi i gyrraedd y tir
mawr tua Chantref Selyf a Dyffryn Gwy gan fod Roger Lestrange
wedi dryllio'r bont yn nhueddau'r castell wedi concwest y Cymry
ar y Saeson yn Llandeilo Fawr ym mis Mehefin. Roedd y brenin
hefyd wedi gorchymyn torri ffyrdd a ffosydd dyfnion o gylch
Llechryd a Chefn-y-bedd rhag i'r Cymry wthio i mewn i dir Elfael.

Roedd y sôn am ddydd Gwener y trydydd-ar-ddeg wedi cynhyrfu
Trystan Arawn a chododd yn wyllt i chwilio am y bardd llys ifanc,
Gruffudd ab yr Ynad, y llanc y bu'n pigo arno'n barhaus. Daeth

o hyd iddo mewn pabell yn pendwmpian uwch darn o femrwn a chydag o dri gŵr o'r Gororau a fu'n pasio'r amser yn ymarfer Cerdd Dafod. Er bod Gruffudd yn chwilmantan yn barhaus efo geiriau fe ddwedid ei fod yn filwr peryglus ar faes brwydr. Bu'n erfyn ar i'r Tywysog ei gynnwys yn un o'r Deunaw i warchod Pont Orewyn drannoeth ond sylw cwta ei arglwydd oedd,

'Does dim ond un bardd. Mae milwyr yn rhengoedd hyd y lle. Fe ellir colli milwr.'

Parodd i Gruffudd a'i gyfaill Deio gadw'n glòs wrth ei ochr ef, y Tywysog. Digon anfoddog oedd Gruffudd serch hynny. Deffrowyd o o'i freuddwydion pan ddaeth Trystan Arawn i'w babell a chydio yn ei sgwyddau'n chwyrn.

'Gruffudd! Mae arna' i eisiau gair efo ti heb fod neb arall o fewn clyw. Mae'r lle yma fel y bedd, yn ddigon i 'neud dyn yn lloerig!'

Cododd Gruffudd a'i ddilyn allan o'r babell i ddarn o dir agored yng nghysgod coeden noeth.

'Gwrando, Gruffudd!' ymbiliodd. 'Fory mi fydda' i yn un o'r Deunaw yn amddiffyn y bont yna dros afon Irfon. Mi alla' i ga'l fy lladd!'

Oedd, yr oedd Gruffudd yn gwrando. Meddai Trystan wedyn,

'Rhaid i ti faddau i mi am hewian arnat ti'n barhaus, Gruffudd, achos bod fy ngwraig i, Angharad Wen, yn meddwl bod yr haul yn codi arnat ti.'

Torrodd Gruffudd ar ei draws i'w gysuro.

'Ond tydw i'n frawd-maeth i'r hogan a fu dim mwy na hynny rhyngo' i a hi, ac felly y bydd hi dros byth.'

Torrodd Trystan allan i grio a dweud,

'Ffŵl fûm i erioed, Gruffudd. Ffŵl efo 'nwylo a ffŵl efo geiria' . . . ond rydw i mewn argyfwng bellach. Wnei di ffafr i mi, Gruffudd?'

'Os bydda' i byw mi wnaf.'

'Taswn i'n colli fy mywyd yn y lle diffaith yma, Gruffudd, wnei di addo gwarchod Angharad Wen a'r bychan Rhys Arawn? Mae o o'r un enw â'i hen daid a ddaeth i Abergwyngregyn o'r Berfeddwlad pan o'dd y T'wysog yn ddyn ifanc. Mi leiciwn i i'r bychan dyfu i fyny i fod yn arwr fel 'i hen daid. Mi fuo hwnnw farw yn un o frwydrau'r T'wysog yn nhir Deheubarth, a tasa'r hen frenin yna yn dwad i ddryllio Castall Dol'ddelan, wnei di addo mynd ag Angharad Wen ac ynta' o dan gronglwyd y Fedw Deg yn Nant Conwy?'

Gan mor ddwys oedd tyndra'r foment honno ni fu ond cyffyrddiad llaw rhwng Gruffudd ac yntau.

Dychwelodd Trystan Arawn wedyn ar frys i babell ei gyfaill Iolo ac am y gweddill o'r nos doedd dim ond cysgodion yn symud hyd y lle a'r gwynt yn chwythu anadl oer rhwng y coed noeth.

XIV

Rhagfyr 11eg 1282

Ar ganiad y corn cyn i'r wawr dorri llusgodd y cysgaduriaid blinedig o'u gwelyau gwellt yn y pebyll i chwilio am le yn y prysgwydd i wacáu'r corff. Ymbalfalu wedyn am ddŵr ffrwd i drochi pen ynddo. Gwasgu'r llau rhwng cnawd a sircyn a rhegi Duw a'r Forwyn. Roedd rhai yn gwneud arwydd y Groes a gweddïo am i'r Drindod sanctaidd eu harbed. Wrth i'r rhengoedd deneuo ac i ddieithriaid lanw'r bylchau nid oedd yr ias i ennill yr un fath rywsut. Roedd cysgod y marw yn eu dilyn bob tro ac efo niferoedd y gelyn yn dwysáu o'u cylch, brwydro i fyw neu farw oedd hi bellach. Roedd lleisiau gwŷr Deheubarth yn ddieithr i wŷr Gwynedd ac yn peri dychryn. Byd yr anghyfarwydd oedd hi.

'Mi fydd brwydr fowr cyn nos,' meddent. 'Llawer milwr yn farw. A pham, dwedwch chi, ma' gwŷr Brycheiniog mor hir yn dod dros y Banne? Falle 'u bod nhw wedi cael tra'd ô'r ac yn ofni llid y Norman fel erio'd hyd y Gorore.'

Rhyw fân siarad felly oedd yn llenwi'r lle wrth i'r milwyr ymgynnull yn y rhengoedd a chasglu'r borefwyd — dogn o fara haidd a medd. Gofelid bod yno arlwy o fara wedi'u crasu ar y trybedd a chig hallt wedi'i rostio yn y cigwain i bob milwr erbyn nos. Erbyn hyn hefyd roedd cistiau a chelyrnau llawer tyddynnwr yn y cymydau ogylch yn wag.

Yn ôl trefn y boreau casglodd y mân gadfridogion i babell y Tywysog. Roedd yntau'n drist am fod nifer o'r gwŷr ifanc wedi'u lladd ac eneidiau'r marw yn anniddig am fod y cyrff yn gorwedd heb eu daearu ar dir Buellt. Bron nad oedd y meirwon hynny yn edliw i Lywelyn y diffyg disgyblaeth yn y fyddin lle bu unwaith yn agos i fil o ddynion o Feirionnydd a Cheredigion a'r Cantref Mawr heb sôn am gymydau'r Gororau. Eto, fel gwladweinydd da fe wyddai mai ei ddyletswydd oedd cadw ysbrydoedd ei wŷr yn uchel. Meddai,

'Ddoe fe fu brwydro hallt ar y cyrion a phan ddaw'r gatrawd o Frycheiniog fe fydd gennym y grym i dorri trwodd i dir Elfael a chadw gwarchae ar Gastell Buellt a fu unwaith yn ein meddiant.

Tasg araf ond sicr fydd hi o wthio'r gelyn yn ôl. Fe gollodd y Saeson eu cadfridogion yn afon Menai ac ym mrwydr Llandeilo Fawr. Bellach, mae'r brenin Edward yn gwegian yn ei gaer newydd yn Rhuddlan, yn fyr o ddynion ac o feirch ac yn aros am niferoedd o wlad Gasgwyn dros y môr. Nid ar frys y daw'r rheini. Menter y foment hon yw ein cyfle ni. Fe allwn ennill drwy rym arfau ond y mae grym dyfnach na hwnnw yn llechu yng nghalon pob Cymro. Rydyn ni yma i ymladd am ein hetifeddiaeth!'

Yna'n annisgwyl fe ychwanegodd y sylw gogleisiol braidd:

'Mae gen i gyfnither, Maud Longespée, yn trigo yng Nghastell Buellt, yn wraig anniddig ei byd i'r cwnstabl o elyn John Giffard. Pwy a ŵyr na fydd i Maud estyn llaw i'w charennydd?'

Chwarddodd y dynion efo'r sylw hwnnw.

Yn y castell ym Muellt y bore hwn byd digon anhapus oedd hi hefyd ar yr arglwyddes Maud. Byddinoedd y brenin yn pwyso o'r naill du a byddin y cefnder, Llywelyn, yn bygwth o'r tu arall. Maged hi yng nghysgod tylwyth Brewys a de Clifford. Priodwyd hi i ddechrau â William Longespée, arglwydd Llanymddyfri, ond merch ei mam, merch ieuengaf Llywelyn ab Iorwerth, oedd hi bob gafael. Roedd ynddi hefyd dynfa carennydd at y cefnder Llywelyn ap Gruffudd, a bellach roedd ei fyddin yntau'n agos, agos at Gastell Buellt.

Cyn ffarwelio â'i gadfridogion y bore hwn atgofiodd Llywelyn hwy y byddai'r Deunaw yn gwarchod Pont Orewyn dros afon Irfon; mintai o wŷr-meirch a saethyddion gyda glannau afon Gwy a charfan o'r fintai fawr yn symud i lawr o'r llethrau i'r bwlch ger Llanganten pe digwyddai i'r gelyn rydio'r ddwy afon. Erbyn canol y dydd dylai catrawd Brycheiniog ddod dros y Bannau. Dal i obeithio hefyd yr oedd Llywelyn y byddai'r Brodyr Mortimer yn cadw addewid y llythyr i dalu gwrogaeth iddo. Hyd yma ni ddaeth un sibrwd o gydsyniad o wersyll y Brodyr Mortimer. Erbyn hyn hefyd roedd rhyw gnofa yn nyfnder ei ymysgaroedd yn creu pob math ar amheuon yn ei feddwl. Ai gwir y stori y mynnodd o droi clust fyddar iddi, am gynllwyn rhyw garfan fechan o ddilynwyr y bradwr Rhys ap Gruffudd o Dregarnedd ym Môn yng nghlochdy eglwys Deiniol Sant ym Mangor? Yr oedd yna gyswllt priodas, wedi'r cwbl, rhwng tylwyth Tregarnedd a Roger Lestrange, arglwydd pwerus y Gororau.

Roedd yr olaf hefyd yn berthynas i Hawise, gwraig Gruffudd ap Gwenwynwyn o Bowys, yr hen, hen elyn. Mor ddyrys oedd gwead yr ystof a'r anwe yn y gwŷdd gwleidyddol hwn! Mor ddieflig o ddyrys! A fu Adda o Nannau, cennad Archesgob Caer-gaint, yn cynllwynio gyda thylwyth Tregarnedd pan oedd yn tario ogylch eglwys Deiniol Sant? A oedd Anian, esgob Bangor, yn dyst o'r cynllwyn?

Ond pa ots pe bai Saeson y greadigaeth yn bygwth o Gastell Buellt y diwrnod hwnnw fe fyddai grym moesol y Cymry yn eu trechu! Roedd gan Lywelyn ap Gruffudd hefyd ei gynllwyn, a chyn canol y dydd hwnnw roedd am fentro yng nghwmni carfan fechan o'i wŷr i chwilota ansawdd y tir tua Llanganten. Hyd yn oed os na ddôi cennad y Brodyr Mortimer i anrhydeddu neges y llythyr oedd ynghlwm wrth ei sircyn yr oedd Llywelyn yn aros pa dynged bynnag a ddigwyddai iddo.

XV

Yn y bore bach, efo'r niwl yn cau am Langanten, daeth sŵn carnau'r meirch ar y cerrig, yn gweryru ac yn ffroeni awyr y bore. Er y pnawn cynt roedd yno aroglau gwaed ar y ddaear a'r marchogion yn anniddig yn y gwarthaflau. Cyrraedd y bont o'r diwedd a rhyddhau milwyr gwyliadwriaeth y nos. Ger y bont roedd coedlan drwchus, a niwl y bore cynnar yn peri bod y canghennau'n ymestyn fel breichau hirion a'r rheini wedyn yn cynnal brigau o fysedd duon ar ganfas o awyr. Gwŷr y gwaywffyn hir oedd y rhain, yn nerthol eu gewynnau. Cynullodd nifer o wŷr-meirch hefyd ar ochr Cefn-y-bedd i'r bont er mwyn atgyfnerthu'r Deunaw pe dôi angen.

Roedd yna gaban o dywyrch wedi'i godi ger mynedfa'r bont lle gellid cynnau tân a chwilio am gysgod ar yn ail. Mor fyddarol oedd trwst llifeiriant yr afon yn y bore bach fel na ellid clywed sŵn unpeth arall. Y barrug hefyd yn gafael gan gyffio braich a throed. Draw ar y llechweddau roedd trwch o eira ddoe yn dod â gwynt rhew yn ei sgîl. Ac eto, mor dawel oedd hi yng nghyfeiriad Castell Buellt heb na dyn nac anifail yn symud, gellid tybio, draw i bellter y Gororau.

Rywdro tua naw o'r gloch y bore daeth cennad i gyhoeddi bod garsiwn y castell yn ymdeithio i gyfeiriad Llyswen a'u bod yn cario baneri Mortimer a Lestrange. Cododd arswyd ar yr hogiau gan fod dau o filwyr mwyaf mileinig gwledydd Cred yng ngosgordd Roger Lestrange. Fe fu Robert Body a Stephen de Frankton yn erlid y Cymry yn nhir Elsmer ac ardal y Dre Wen. Roedd y Mortimeriaid, yn amlwg mewn cynghrair hefyd efo gwŷr y brenin! Meddai rhywun,

'Mi roddodd y brenin bum cant o bunnau i'r tad Rhosier Mortimer fis cyn iddo fo farw er mwyn iddo ddal y T'wysog yn y rhwyd ac mae John Giffard, cwnstabl y castall, yn filwr craff ac yn 'nabod pob erw o'r tir yma. Hogia' bach, mae hi'n ddu arnon ni os na ddaw gwŷr Brycheiniog i lanw'r bylchau.'

'Dal i obeithio, hogie,' meddai llanc o ardal y Dryslwyn. 'Rwy'n synio y bydd Llywelyn ap Gruffudd yn oedi taro nes bod y nos yn dod. Yna gwthio i lawr yn garcus rhwng Gwy ac Irfon a'i gwneud hi am y castell. Felly y bu hi ddwy flynedd ar hugen yn ôl.'

Oherwydd y niwl, anodd oedd gweld i'r pellter ond fe gyhoeddodd rhywun bod y garsiwn wedi teithio wyth milltir i lawr gyda glannau afon Gwy ac yn cyrraedd y Rhyd. O'r fan honno gwaith hawdd oedd cyrraedd y gweundir o fewn cylchdro tuag afon Irfon. Rhoed gorchymyn i ddiffodd y tân yn y caban tywyrch ac i chwalu'r marwor yn ffordd y meirch pe dôi'r gelyn at Bont Orewyn. Yna daeth sŵn sislan y marwydos yn y gwlith. Cyfnod o dynhau pob gewyn oedd hi wedyn ac aros . . . aros na wyddent am beth.

Roedd y ddau gyfaill, Trystan Arawn ac Iolo Pen-maen, yn sefyll ochr yn ochr fel bod yr Angau yn cymryd y ddau os byddai raid. Edrychodd y naill ar y llall ac yna ar flaen miniog y waywffon — yr edrychiad hwnnw nad yw'n perthyn i unman arall ond i faes brwydr. Gwyddent bellach nad oedd y Brodyr Mortimer yno i gynnal llaw y Tywysog a bod milwyr milain ym myddin Roger Lestrange. Milwyr o Swydd Amwythig oedd y mwyafrif o fyddin y gelyn.

Erbyn un o'r gloch y pnawn hwnnw roedd rhan o gatrawd y gelyn yn marchogaeth yn wyllt dros y gweundir gan unioni am Bont Orewyn a'r lleisiau dieithr yn torri'r awyr — y lleisiau milain a glywyd ar lannau'r Fenai ddechrau Tachwedd ac yn Nolforwyn y gwanwyn cyn hynny. Ond yr oedd y deunaw gŵr ifanc ger y bont yn barod i'r frwydr. Cododd pob un fel un gŵr o'r cilfachau yn y goedlan. Yn gryf o gorff roeddynt eto'n wisgi o hir ymarfer hen gelfyddyd y Cymry yn y mynyddoedd. Daliwyd marchogion y gelyn yn ddiarwybod. Rhofiodd rhywun farwor yn mudlosgi yn llwybr y meirch nes serio'r egwyd. Wrth i'r rheini gloffi lluchiwyd saethau o'r cefn a gwanu'r gwaywffyn i bedreiniau'r meirch. Hyrddiwyd y marchog oddi ar gefn yr anifail a phlymiodd y Cymry fel bleiddiaid i'r lladdfa. Cyflafan waedlyd oedd hon a'r meirch trymion yn gwaedu hyd y llawr.

Yn sydyn, trodd nifer o wŷr-meirch y gelyn a ffoi am eu bywyd gyda glan afon Irfon. Hyd yma prin bod un o'r Deunaw wedi'u clwyfo. Roedd y bont hefyd yn sefyll heb ei dinistrio. Bron nad oedd sŵn buddugoliaeth yn atseinio yng nghlust y Cymry yng nghanol y celanedd. Oni fyddai'r Tywysog wrth ei fodd, meddyliodd Trystan Arawn? Serch hynny, roedd yn llesg a'i gluniau yn gwegian dano.

Syrthiodd tawelwch trwm dros y lle wrth i'r pnawn niwlog hwnnw o Ragfyr dreulio ymlaen. Mewn byr o dro fe ddôi'r nos, ond digon disymud oedd hi ar lan yr afon. Ymhle tybed yr oedd y Tywysog a gweddill hogiau'r osgordd?

Tua thri o'r gloch y pnawn fe dorrodd gwaedd erchyll drwy'r awyr a disgynnodd rhan o gatrawd y gelyn ar y Deunaw. Roeddynt wedi rhydio'r afon gryn hanner milltir oddi wrthynt a chyrraedd y rhandir a elwid Cefn-y-bedd. Unwaith y daethant at y bont bwriwyd dial ar y Deunaw a'u gwasgu i'r llawr. Pont bren oedd pont Orewyn ac fe'i siglwyd i'w seiliau gan y saethau. Bu rhai o'r Deunaw yn ddigon ffodus i syrthio dros y canllaw, a gwell oedd boddi yn llif yr afon nag o dan law gelyn.

Roedd y milwr Trystan Arawn ymysg y rheng flaenaf i wynebu'r ail garfan hon o'r gatrawd. Nid un gŵr a march oedd yn dod i'w gyfarfod y tro hwn ond lliaws o wŷr-meirch. Bwriwyd saeth ar fyrder rhwng ei asennau. Gwyrodd i'r llawr yn ddiymadferth a'r boen dirdynnol fel crafanc yn gwasgu. Trodd y ddaear fel cylch o'i flaen cyn iddo roi ei anadliad olaf. Roedd y milwr ifanc wedi marw'n arwr — yn un o'r Deunaw ar lan Irfon.

Pan dybiodd y gwŷr-meirch bod y Cymry a fu'n gwarchod Pont Orewyn wedi mynd i'w colli fe lusgodd milwr ei gorff llesg allan o'r goedlan ac o gysgod y caban tywyrch. Iolo Pen-maen oedd hwnnw.

'Tryst! Tryst!' gwaeddodd yn orffwyll. 'Ble rwyt ti, Tryst?'

Pan nad oedd yno neb yn ateb yng nghanol y celanedd gwthiodd y llanc ei waywffon i'w gorff ei hun. Gwegiodd a syrthiodd led cam oddi wrth gorff marw ei gydymaith.

Hogiau'r Tywysog oedd Trystan Arawn ac Iolo Pen-maen bob gafael.

XVI

Oherwydd y trwst ar y maes ar yr awr dyngedfennol honno nid oedd
y Tywysog i wybod am gwymp y Deunaw ger Pont Orewyn.

Er y bore cynnar fe fu o a rhan o'i osgordd yn chwilio'r tir rhwng
Gwy ac Irfon am fannau strategol i daro'r gelyn. Codwyd canolfan
o fân bebyll ger glannau afon fechan Chwefri yn ymyl Llanganten.
O'i babell yn y fan honno fe gyhoeddodd Llywelyn yng ngŵydd
ei swyddogion bod amser yn rhedeg o'u gafael. Meddai,

'Fe fu'r aros yn hir am symudiad o du'r Brodyr Mortimer ond
fe aeth y rheini fel gweddill arglwyddi'r Gororau yn ysglyfaeth i frad
y brenin.'

Ar hynny rhoddodd ei law i bwyso ar ei galon lle roedd y llythyr
brad yn cysgodi rhwng sircyn ac arfwisg. Meddai wedyn,

'Heno, wedi iddi nosi, byddwn yn codi gwarchae ar y castell ac
ni bydd troi'n ôl.'

'Ond, f'arglwydd . . .' mentrodd un o'r osgordd.

'Taw di!' oedd yr ateb chwyrn.

'Ond mae'r castell carreg newydd fel Castell Senghennydd!'

Ni fu ond y dim iddo daro'r gŵr yn ei wegil. Swatiodd hwnnw
ac nid oedd unpeth yn mynd i bylu breuddwyd newydd Llywelyn
ap Gruffudd. Meddai wrthynt,

'Rhaid cadw'r bont yn glir — Pont Orewyn. Mater bach wedyn
fydd croesi dros y gweundir efo catrawd Rhys ap Gruffudd yn
arwain. Fe ŵyr Rhys am bob erw o'r tir rhwng Gwy ac Irfon.
Llywelyn ap Gruffudd Fychan a'i wŷr yn dilyn ac y mae ym
meddiant hwnnw holl adnoddau gŵr a fu'n gwarchod ei etifeddiaeth
ym Mhowys Fadog. Wedyn fe ddaw gwŷr Ystrad Tywi a'r Cantref
Mawr. Nid brwydr un gŵr mo hon ond brwydr holl Gymru.'

Fe wyddai Llywelyn bod holl osgorddion yr arglwyddi unigol
wedi'u harfogi i'r frwydr, yn farchogion a gwŷr-traed a saethyddion
ond mater arall oedd gweddill y fyddin ar y llethrau uwch Llanfair-
ym-Muallt. Digon annisgybledig oedd y rhelyw ohonynt, yn wŷr
aredig y maes a hela yn y mynyddoedd, ond yr oeddynt yn ddigon
gwisgi i rydio'r afonydd, dringo palisau pren, hyrddio cerrig a lluchio

torchau o ffaglau i losgi'r adeiladau ogylch Castell Buellt. Roedd hi'n fater o frys hefyd am fod y bwyd yn prinhau a'r tyddynwyr wedi'u pluo o'u da a'u cistiau'n wag wedi rhaib y milwyr.

Yn ystod oriau'r dydd hwnnw bu offeiriad o esgobaeth Brycheiniog yn mynd a dod o gwmpas y pebyll yn barod i estyn olew sanctaidd yr Eneiniad Olaf i'r clwyfedigion. Ond yr oedd yno un gŵr eglwysig urddasol yr olwg yn tynnu sylw Llywelyn. Mynach Gwyn o Abaty Cwm-hir oedd y gŵr, a'i bresenoldeb yn estyn gradd o gysur. Nid felly Hal Feddyg a'i ddau ddisgybl efo'u cadachau a'u poteli cyffur. Meddai Llywelyn,

'Gyrrwch y Powysyn merchetaidd yna i glwydo. Y deryn Angau ag ydy o!'

Yn gynnar y pnawn rhedodd cennad i'r gwersyll ger Llanganten efo'r newydd,

'Mae'r Deunaw wedi gwrthsefyll y gelyn ar Bont Orewyn ac mae gweddill carfan y gelyn wedi ffoi am Gantref Selyf!'

Eisoes roedd breuddwyd newydd Llywelyn yn cael ei wireddu ac wrth i niwl cynnar y pnawn godi cerddodd allan o'i babell a marchogaeth ei farch. Bron na chredodd ei wŷr mai'r Llywelyn ap Gruffudd ifanc oedd yma, y gŵr a ddinistriodd Gastell Buellt ddwy flynedd ar hugain cyn hyn. Taflodd olwg eang dros y wlad gan godi'i ben yn uwch nag y bu ers llawer dydd. Gloywodd y llygad nes bod y gannwyll yn disgleirio fel carreg ddiemwnt. Yn y garreg honno roedd adlewyrchiad o'i ferch fechan, Gwenllian. Rhaid fyddai iddi gofio'i thad fel y gŵr na fynnai blygu i Edward frenin. Gyda'r meddwl hwnnw marchogodd Llywelyn ap Gruffudd ychydig yn is i lawr y dyffryn gan gymryd hoe fechan cyn casglu'i fyddin i'r fenter fawr.

Rywdro tua thri o'r gloch y pnawn fe dduodd yr awyr ac fe syrthiodd tawelwch dwfn dros y lle. Moment arall ac yr oedd gwaedd erchyll yn torri drwy'r awyr. Aeth y rhandir rhwng Gwy ac Irfon yn ferw gwyllt wrth i gatrawdau'r gelyn lifo i mewn heb ystyried na dyn nac anifail.

'I gysgod y goedlan, f'arglwydd!' gwaeddodd un o'r osgordd. 'Mae'r Fall Fawr wedi torri'n rhydd!'

Ar amrantiad, rhuthrodd un o'r gelyn am y goedlan honno a gwanu'i waywffon i ochr march Llywelyn ap Gruffudd nes bod hwnnw'n gwegian o dan ei farchog. Gan sydynrwydd yr ymosodiad siglodd y Tywysog oddi ar gefn y march ac wrth iddo ddisgyn gwanodd yr un gŵr waywffon i'w gnawd yntau. Wrth i'r gwaed ddiferu ar y glaswellt ceisiodd y Tywysog clwyfedig godi'i law chwith at ei dalcen fel arwydd o un yn erfyn am yr Eneiniad Olaf.

'Y Tywysog! Y Tywysog wedi'i glwyfo!' gwaeddodd gŵr o'i osgordd mewn gorffwylledd. Ysbaid arall ac fe ddaeth y Mynach Gwyn hwnnw o Abaty Cwm-hir at Lywelyn ap Gruffudd i estyn y gymwynas olaf. Gwnaeth arwydd y Groes yn frysiog gyda'r olew sanctaidd ar dalcen a llygad a gwefus y Tywysog oedd ar ddarfod amdano. Sibrydodd y geiriau,

'Gyda'r eneiniad . . . a chyda'i drugaredd . . .'

Boddwyd y weddi ar hynny gan offeiriad yn gweiddi allan,

'Dygwyl Damaseus Bab heb ddefod yr Eneiniad Olaf i Lywelyn ap Gruffudd . . . Dygwyl Eneiniad Bab . . .'

Ar y cyrion yr oedd cyfaill o Elfael yn sibrwd y geiriau cysurlon,

'Mi weles i'r Mynach Gwyn yn gwneud arwydd y Gro's gyda'r olew santedd a'i daro ar dalcen y Tywysog ac fe dda'th gwên i lyged Llywelyn ap Gruffudd!'

Ond tra bo anadl y mae bywyd ac fe ruthrodd rhywrai i gyrchu Hal Feddyg.

'Hal!' meddent, 'dewch y foment hon! Ma'r Tywysog yn marw . . . wedi'i glwyfo yn y frest ger y galon. Dewch tra ma' anadl ynddo fe! Falle y medrwch chi achub 'i fywyd e'. Ma'r gelynion o'i gylch ond fe ddylech chi, Hal Feddyg, ga'l mynd ato fe am mai ma's brwydr sy' ene. Dewch â'r olew a'r cadache a'r cyffur cwsg!'

Wrth i Hal Feddyg wthio'i ffordd tua'r goedlan fe welodd yr olygfa dristaf a mileinaf erioed. Codwyd cleddyf yn ei erbyn gan ŵr oedd yn chwilio corff y clwyfedig am unrhyw dystiolaeth mai hwn oedd Tywysog y Cymry. O boced rhwng sircyn ac arfwisg fe ddoed o hyd i lythyr ac o fedaliwn yn dwyn arfbais Tywysogion Gwynedd. Wrth i'r gŵr hwnnw chwilio'r corff blinedig taflwyd y clwyfedig ar ei ochr ar y ddaear. Gwyrodd y pen y mymryn lleiaf a'r llygaid yn hanner caeëdig. Oedd, roedd o wedi adnabod y gŵr. Symudodd ei wefusau y mymryn lleiaf:

'Mortimer . . . Mortimer Iwdas!'

Wrth i'r gŵr beiddgar hwnnw ymadael yn fuddugoliaethus, yn

cario'r llythyr a'r medaliwn, fe glywodd Hal Feddyg sŵn minio cyllell, a'i llafn fel blaen saeth. Protestiodd Hal yng ngwyddfod gŵr y gyllell,

'Ma'r Tywysog yn fyw! Dyw e' ddim wedi marw eto!'

Gallai Hal fynd ar ei lw i'r gŵr clwyfedig glywed ei ymbil y foment honno oblegid cyn i'r milwr osod cam ymlaen tuag ato fe chwythodd un anadl fer, yr olaf un, ac fe syrthiodd ei ben gogoneddus i'r llawr. Yna'r fraich chwith yn cwympo nes i'r fodrwy lithro oddi ar ei fys. Brysiodd y milwr i godi honno.

Draw yn y pellter roedd rhywrai yn galw'r enwau — Lestrange . . . Giffard . . . Mortimer . . . Stephen Ffrancton . . . Robert Body. Gwŷr Gwynedd oedd yno yn ffoi am eu bywyd o dir Buellt ac yn gweiddi bod gwaed tywysogion Gwynedd ar ddwylo'r mwrdrwyr hynny! Parhaodd yr eco i dreiglo ymlaen fel tae'n mynnu glynu wrth y greadigaeth fawr ei hun. Hynny efallai a barodd i'r milwr oedd yn minio'r gyllell ganiatáu i Hal Feddyg nesu at gorff y Tywysog. Cydiodd Hal yn y garddwrn. Nodiodd ei ben. Oedd, yr oedd y farwolaeth wedi cydio. Yn ei fyw ni welodd Hal ddim mor erchyll â hyn. Wrth i'r milwr fynd ati i dorri pen Llywelyn ap Gruffudd oddi wrth ei gorff trodd Hal ei gefn ar yr olygfa. Roedd hwn, yn amlwg, yn ŵr celfydd wrth y gwaith ac am sicrhau yr adweinid y pen ym mhob osgo ohono gan y brenin Edward. Wedi cwblhau'r weithred ysgeler cwpanodd y milwr y pen mewn sach a'i ddwyn at yr afon i olchi'r pydredd ohono.

Dynesodd Hal yn wyliadwrus at y corff di-ben gan geisio fferru'r gwaed efo trwyth llysiau'r gwaedlin. Erbyn hyn yr oedd mintai newydd o filwyr wedi cyrraedd y lle — rhan o osgordd breifat yr arglwyddes Maud o Gastell Buellt. Gorchymyn yr arglwyddes oedd bod corff ei chefnder, Llywelyn ap Gruffudd, i'w gludo i eglwys Llanynys gerllaw a bod lliain main i guddio'r corff. Ond yr oedd Hal Feddyg yn gyndyn o ollwng corff di-ben ei Dywysog i'r fintai. Mynnodd fynd ati i dywallt olew drosto ac yna, yn ei ffordd gelfydd ei hun, gwnaeth belen o gadachau ar ffurf penglog a'i dodi lle unwaith bu pen y Tywysog. Prin y sylwai'r anghyfarwydd nad oedd pen ar y gŵr! Yn ôl gorchymyn yr arglwyddes Maud yr oedd y corff i'w gadw yn eglwys Llanynys hyd nes y dôi caniatâd yr Archesgob Pecham i ryddhau'r tywysog marw o hualau'i ysgymundod. Roedd yr Archesgob o hyd yn llys yr esgob yn Henffordd. Yno hefyd yr oedd ei gennad, Adda o Nannau!

Y nos honno yr oedd canhwyllau ynghyn ger yr allor lle rhoed arch Llywelyn ap Gruffudd. Mynnodd Hal Feddyg aros yno gyda'r milwyr rhag i rywun ddod a dwyn y corff yr oedd o wedi'i lapio mor ofalus yn y lliain main a anfonwyd gan yr arglwyddes Maud.

Yn yr oriau mân mynnodd dau ŵr ifanc efo acen gwŷr Gwynedd gael dod i mewn i wyddfod eu Tywysog. Safodd Gruffudd ab yr Ynad a Deio fab y Coediwr mewn osgo o wrogaeth i'w harglwydd, ac meddai Gruffudd wrth ei gyfaill, a dagrau yn llenwi ei lygaid:

'Aur dalaith oedd deilwng iddaw . . .
Gadael pen arnaf heb ben arnaw.'

Dyna dasg anodd oedd yn wynebu'r bechgyn pan ddychwelent i Eryri. Rhwyddach i'r llanc Gruffudd fyddai cyfleu ei ofid drwy lafarganu cerdd farwnad i'w Dywysog. Câi eraill sôn am ddirmyg y gwaed a gollwyd rhwng Gwy ac Irfon. Ar y llethrau yr oedd cannoedd o'r Cymry yn farw wedi i'r gelyn dorri i lawr y rhengoedd fel cymynu coed. Roedd yr arweinwyr, Rhys ap Gruffudd a Llywelyn ap Gruffudd Fychan, hefyd yn farw gelain. Hufen y Cymry oeddynt.

Yn nhawelwch yr eglwys y nos hon sibrydodd Hal Feddyg yng nghlust y bechgyn,

'Peth de fydde i chi gyrredd adre cyn i'r "pen" gyrredd y brenin yn Rhuddlen . . . mi arhose i yma nes y bydd yr arglwyddes Maud yn rhoi'r gorchymyn i gario corff y Tywysog i'r Abaty yng Nghwmhir. Mi fynne i weld bod yr Abad yn rhoi clo ar yr arch yn y gistfaen. Gwneud yn siŵr bod rhan o'r Tywysog yn naear 'i wled 'i hun. Torri penne' dynion mawr y bydden nhw oddi wrth y corff. Mi fydd pawb yn anghofio'r corff ond fe fydd y sôn am y "pen" yn aros yn y cof am amser hir. Mi fydd y Cymry yn sôn am Lywelyn ap Gruffudd am amser hir. . . . Nos de, fechgyn!'

Dihangodd y ddau lanc i'r nos gan ysgwyd llwch Buellt oddi ar eu traed.

★   ★   ★

303

Rhagfyr 1282

'A son trenoble seignr Edward par la grace Deu Roy de Engleterre . . .
Rog' le Estrange si li plest saluz honour et reverences . . .
At ei ardderchocaf arglwydd Edward trwy ras Duw brenin Lloegr . . .
enfyn Roger L'Estrange, gyfarchion, anrhydedd a pharch, os gwêl ef yn
dda. Gwybyddwch, arglwydd, i'r gwyrda a ddanfonasoch chwi o blith
eich gosgordd ataf fi ymladd â Llywelyn ap Gruffudd yn nhiriogaeth
Buellt y dydd Gwener nesaf ar ôl gŵyl Niclas Sant; o ganlyniad, y mae
Llywelyn ap Gruffudd wedi marw a'i ddynion wedi eu gorchfygu a holl
flodau ei luoedd yn farw, fel y dywed cludydd y llythyr hwn wrthych;
a chredwch ef parthed yr hyn a ddywed wrthych oddi wrthyf fi.'

Roger L'Estrange, Arglwydd y Gororau.

★   ★   ★

Cyn Gŵyl y Nadolig 1282

Roedd pedwar o blant yn dynesu at fynwent yr Abaty. Plant y Pandy Bach ar ffiniau cwmwd Maelienydd oedd yn cario dwy dorch o bren celyn a'r aeron yn gochach nag arfer y gaeaf hwn. Dod yno yr oedden nhw i osod torch ar fedd newydd eu tad a grogwyd efo Siencyn 'Sbïwr' wrth afon Irfon gan wŷr Castell Buellt. Bu Lews, eu tad, yn ffrind da i'r Tywysog. Mor drist oedd wynebau'r plant.

Ond roedd ganddyn nhw dorch arall, ac wrth fynd at gyntedd eglwys yr Abaty fe roddodd Gwen, y ferch fach, y dorch ar ei phen yn union fel coron tywysoges. Torrodd y plant allan i chwerthin. Merch fud a byddar oedd Gwen ac wedi denu serch Llywelyn ap Gruffudd ar ei deithiau o Gastell Dolforwyn i'r Abaty yng Nghwm-hir.

Ym mhorth yr eglwys aeth y plant yn drist drachefn a mynd yn syth at y gistfaen lle claddwyd corff y Tywysog. Gwen, y ferch fud, a osododd y dorch o bren celyn coch ar feddrod y Tywysog y diwrnod hwnnw.

XVII

Diwedd Hydref 1283

1282 — *ym mis Mawrth ar noswyl Sul y Blodau ymosododd Dafydd ap Gruffudd ar Gastell Penarläg a lledodd y gwrthryfel i Bowys a Deheubarth.*

— *ym mis Mehefin ar y pedwerydd dydd ar bymtheg bu farw Elinor de Montfort ar enedigaeth merch ac fe'i claddwyd yn Llan-faes yn Môn.*

— *ym mis Rhagfyr ar yr unfed dydd ar ddeg lladdwyd Llywelyn ap Gruffudd ger Llanfair-ym-Muallt.*

1283 — *ym mis Mehefin daliwyd Dafydd ap Gruffudd gan wŷr y brenin a'i ddienyddio yn yr Amwythig yn yr hydref. Cadwyd ei feibion Owain a Llywelyn yng ngharchar Bryste.*

— *aeth y brenin â Gwenllian, ferch ei gyfnither Elinor de Montfort, at y Chwiorydd i Gwfaint Sempringham fel na byddai etifedd iddi.*

Rhoddodd y Brawd Flavius y cwilsyn a'r memrwn i'w cadw ar hynny. Byddai ei hen athro, Elystan yr Ymennydd Mawr, yn falch iddo gofnodi helyntion diweddar Tywysogaeth y Cymry. Aeth y mynach estron wedyn i wasanaeth y Cwmplin, ac yn y fan honno diolchodd i Dduw a'r Forwyn ddarfod i'r Ymennydd Mawr gael ei gymryd ymaith cyn i'w arwr, Llywelyn ap Gruffudd, fynd i'w dranc. Ond nid oedd Amser yn aros wrth undyn byw. Drannoeth byddai'r Brawd Flavius yn dychwelyd i Ffrainc, i'w wlad enedigol ac at y Brodyr yn Abaty Citeaux. Digon prin y byddai'n dychwelyd i Gymru drachefn.

★　★　★

Dwedid ar lafar gwlad bod ysbryd yr Efell Collen, ferch Uthr Wyddel, yn parhau i grwydro'r mynyddoedd uwch Dyffryn Conwy yn chwilio am ei Thywysog Llywelyn ap Gruffudd. . . .